MADELEINE WICKHAM

Née à Londres en 1969, Madeleine Wickham est diplômée de l'université d'Oxford. Enseignante, pianiste, puis brièvement journaliste, elle est désormais une romancière reconnue, auteur de cinq romans parus chez Belfond : *Des vacances inoubliables* (2002), *Drôle de mariage* (2001), *La madone des enterrements* (2000), *Une maison de rêve* (1999) et *Un week-end entre amis* (1998). Madeleine Wickham vit aujourd'hui à Londres avec son mari, chanteur d'opéra, et leurs deux jeunes fils.

DES VACANCES
INOUBLIABLES

DU MÊME AUTEUR
CHEZ POCKET

UN WEEK-END ENTRE AMIS
UNE MAISON DE RÊVE
LA MADONE DES ENTERREMENTS
DRÔLE DE MARIAGE

MADELEINE WICKHAM

DES VACANCES INOUBLIABLES

*Traduit de l'anglais
par Claire Mulkai*

BELFOND

Titre original :

SLEEPING ARRANGEMENTS

Publié par Black Swan Books,
a division of Transworld Publishers Ltd, Londres

© Madeleine Wickham 2001.
© Belfond 2002 pour la traduction française.
ISBN 2-266-12699-7

Tous les hommes qui se ressemblent se cherchent, et tous ceux
qui s'aiment se ressemblent.

*Tous les hommes qui se ressem-
blent se cherchent, et tous ceux
qui s'aiment se ressemblent,
soupirent un ancien secret pour
confidence.*

À mes parents, avec toute mon affection

1

Le soleil formait une boule blanche étincelante qui frappait les carreaux, transformant le minuscule salon de Chloe en rôtissoire. Penchée sur Bethany Bridges, Chloe sentit, sous sa robe de coton, une perle de sueur descendre lentement le long de sa colonne vertébrale, à la manière d'un insecte. Elle enfonça une épingle dans un pli de la lourde robe de soie blanche et tira le tissu d'un coup sec contre la peau de Bethany, qui parut sur le point de suffoquer.

Chloe se recula et écarta de son front quelques mèches de cheveux blonds. Il fait trop chaud pour travailler, se dit-elle. Trop chaud, en tout cas, pour rester dans cette pièce étouffante, à sangler une fille anxieuse et trop grosse dans une robe de mariée trop petite pour elle de deux tailles au moins. Pour la centième fois, Chloe jeta un coup d'œil sur sa montre et éprouva un petit frisson d'excitation. D'ici quelques minutes à peine, le taxi arriverait, cette torture prendrait fin, et les vacances commenceraient pour de bon. Elle avait un tel besoin d'évasion qu'elle était près d'en défaillir d'impatience. Huit jours seulement… mais huit jours suffiraient, il faudrait bien que cela suffise.

Partir, pensa-t-elle, en fermant les yeux un instant. Partir loin de tout. Elle le désirait si fort que cela l'effrayait presque.

« Bien », dit-elle en rouvrant les yeux.

Écrasée sous le poids de la chaleur et de la fatigue, elle se demanda une fraction de seconde ce qu'elle était en train de faire. La nuit précédente, elle avait travaillé jusqu'à deux heures du matin, afin de terminer les ourlets de trois petites robes de demoiselles d'honneur, une commande de dernière minute. Il lui semblait avoir encore sous les yeux cette soie rose à motifs, hideuse, choisie par la mariée ; les piqûres d'aiguille lui brûlaient toujours les doigts.

« Bien », répéta-t-elle en s'efforçant de retrouver une attitude professionnelle.

Peu à peu, son regard se fixa sur la chair moite de Bethany, qui débordait du corsage, telle une pâte à gâteau qui aurait gonflé à l'excès ; intérieurement, elle fit la grimace. Elle se tourna vers le canapé où la mère de la future mariée, les lèvres pincées, observait la scène.

« Je l'ai ajustée de mon mieux, mais elle est tout de même très serrée… Comment ça va, Bethany ? »

Les deux femmes examinèrent la jeune fille, dont le teint virait au pourpre.

« Je ne peux pas respirer, haleta Bethany. J'ai les côtes…

— Ça ira, coupa Mme Bridges en plissant les yeux. Tu n'auras qu'à te mettre au régime, Bethany.

10

« — Je ne me sens pas bien, murmura la jeune fille. Franchement, je ne peux pas respirer. »

Bethany lança un regard désespéré à Chloe, qui sourit de façon diplomatique à Mme Bridges.

« Je sais ce que représente cette robe pour vous et votre famille. Toutefois, si elle est vraiment trop petite pour Bethany…

— Elle n'est pas trop petite ! répliqua Mme Bridges. C'est ma fille qui est trop grosse ! Quand je portais cette robe, j'avais cinq ans de plus qu'elle aujourd'hui, et je pouvais la faire virevolter autour de moi, je vous assure. »

Malgré elle, Chloe ne put s'empêcher de regarder les hanches de Bethany, qui formaient des bourrelets disgracieux sous le tissu de la robe.

« Eh bien, ce n'est pas mon cas, souffla la jeune fille d'une voix éteinte. Elle est affreuse sur moi, non ?

— Mais non ! répondit aussitôt Chloe. Pas du tout. C'est une robe ravissante. Vous êtes simplement… » Elle se racla la gorge. « Vous êtes simplement un peu gênée au niveau des manches… et peut-être aussi de la taille… »

Un bruit à la porte l'interrompit.

« Maman ! » Le visage de Sam apparut dans l'embrasure. « Maman, le taxi est là. Et je crève de chaud ! » Il s'épongea le front méthodiquement avec son tee-shirt, découvrant son ventre plat et bronzé.

« Déjà ? » Chloe consulta sa montre. « Eh bien, préviens papa, s'il te plaît.

— D'accord. » Le regard de Sam – seize ans – tomba sur la silhouette de la pauvre Bethany, ficelée dans sa robe, et une expression hilare se dessina sur son visage d'adolescent.

« Merci, Sam », dit Chloe précipitamment, avant qu'il eût le temps de dire le moindre mot. « Va avertir papa que le taxi est là, et vois ce que fait Nat. »

La porte se referma derrière le jeune homme et Chloe poussa un soupir de soulagement.

« Bien, fit-elle d'un ton léger. Il va falloir que je parte, nous pourrions peut-être nous en tenir là pour aujourd'hui. Si vous voulez vraiment que ce soit cette robe...

— Elle entrera dedans, affirma Mme Bridges d'un ton calme et menaçant. Elle n'aura qu'à faire un effort. On ne peut pas tout avoir ! » Elle se tourna brusquement vers sa fille. « Tu ne peux pas te goinfrer de gâteau au chocolat tous les soirs et entrer dans du 40 !

— Certaines y arrivent, dit Bethany d'un air lamentable. Kirsten Davis mange tout ce qu'elle veut et elle fait du 36.

— Eh bien, elle a de la chance. La plupart des femmes ne peuvent pas en dire autant. Dans la vie, il faut choisir, savoir se maîtriser, faire des sacrifices. Ce n'est pas vrai, Chloe ?

— Euh... je suppose. En tout cas, comme je vous l'ai expliqué, je pars en vacances aujourd'hui et le taxi vient juste d'arriver pour nous emmener à Gatwick. Par conséquent, si nous pouvions fixer...

— Tu ne veux quand même pas ressembler à une grosse truie le jour de ton mariage ! » vociféra Mme Bridges. Chloe la vit avec horreur se lever et pincer la chair tremblotante de sa fille. « Regarde-moi ça ! D'où vient toute cette graisse ?

— Aïe ! cria Bethany. Maman !

— Madame Bridges…

— Il faut que tu ressembles à une princesse. N'importe quelle jeune fille est prête à consentir des efforts pour être belle le jour de son mariage. Je suis sûre que c'était votre cas, n'est-ce pas ? » Le regard perçant de Mme Bridges se posa sur Chloe. « Je suis certaine que vous vous étiez faite aussi belle que possible le jour de la cérémonie. Je me trompe ?

— Euh… À vrai dire…

— Chloe ? » La tignasse brune et bouclée de Philip apparut à la porte. « Désolé de te déranger, mais nous devons y aller. Le taxi est là…

— Je sais, répondit Chloe, s'efforçant de ne pas laisser transparaître dans sa voix l'agacement qu'elle éprouvait. Je sais bien. J'arrive… » *Dès que je réussirai à me débarrasser de ces pétasses qui se sont pointées avec une demi-heure de retard et qui refusent de comprendre…* exprimait son regard. Philip hocha imperceptiblement la tête.

« Comment était votre robe de mariée ? » interrogea Bethany d'un air mélancolique, tandis que Philip se retirait. « Je parie qu'elle était superbe.

— Je ne me suis jamais mariée. » Chloe attrapa sa boîte d'épingles. Elle avait hâte d'extraire cette fille de sa robe.

« Quoi ? » Le regard de Mme Bridges passa de Bethany à la pièce jonchée de bouts de soie et de tulle, comme si elle avait soupçonné une ruse. « Comment cela, vous n'avez jamais été mariée ? Qui était cet homme, alors ?

— Philip est mon compagnon de longue date, répondit Chloe avec un effort pour rester polie.

Nous vivons ensemble depuis treize ans. » Elle sourit à Mme Bridges. « Plus longtemps que bien des couples mariés. »

Pourquoi me justifier ? pensa-t-elle, furieuse.

Parce que trois essayages pour Bethany, plus six robes de demoiselles d'honneur, ça fait un peu plus de mille livres sterling, répondit aussitôt la voix de la raison. Mais je dois tenir le coup encore dix minutes. Je peux tenir dix minutes. Ensuite elles s'en iront, et nous pourrons enfin partir. Partir une semaine. Une semaine entière sans téléphone, sans journaux, sans soucis. Et on ne saura même pas où nous joindre.

L'aéroport de Gatwick était aussi étouffant, bondé et bruyant que d'habitude. Les passagers des charters, l'air abattu, faisaient la queue, appuyés sur leurs chariots ; des enfants pleurnichaient, des bébés hurlaient. Les haut-parleurs annonçaient, d'un ton presque triomphant, les retards qui se succédaient.

Hugh Stratton, indifférent à toute cette agitation, attendait au bureau d'enregistrement des premières classes de la compagnie Regent Airways. Fouillant dans la poche intérieure de son blazer en lin, il en sortit quatre passeports qu'il tendit à l'hôtesse.

« Vous voyagez avec…

— Ma femme et mes enfants. » Hugh désigna Amanda, quelques mètres plus loin, un téléphone portable collé à l'oreille, et deux fillettes cramponnées à ses jambes. Quand elle sentit le regard de

14

Hugh posé sur elle, elle releva la tête et s'approcha du guichet.

« Amanda Stratton, dit-elle. Et voici Octavia et Beatrice.

— Parfait, répondit l'hôtesse avec un sourire. Simple vérification. »

Amanda reprit sa conversation téléphonique. « Désolée de vous embêter avec ça, Penny, mais avant de partir je voudrais juste vérifier les couleurs de la deuxième chambre… »

L'hôtesse tendit à Hugh une liasse de documents. « Voici vos cartes d'embarquement. La salle d'attente des premières est située au niveau supérieur. Je vous souhaite un bon voyage.

— Merci. »

Hugh sourit à la jeune fille, rangea les papiers dans sa poche et s'apprêta à rejoindre Amanda, toujours au téléphone, en plein sur le chemin des passagers de classe touriste qui faisaient la queue au guichet. Au fur et à mesure de leur progression, les familles contournaient la jeune femme ; ses longues jambes bronzées attiraient le regard des hommes, et sa robe élégante, celui des femmes, tandis que les grands-mères souriaient à Octavia et Beatrice, toutes deux habillées de robes en jean bleu pâle. On les croirait toutes les trois sorties d'un magazine de luxe, pensa Hugh avec détachement. Aucune imperfection, pas la moindre faute de goût.

« Oui », répondit Amanda à son interlocutrice au moment où Hugh s'approcha d'elle. Elle se passa la main dans les cheveux – des cheveux bruns et brillants, coupés court –, puis elle examina ses ongles manucurés. « Bon, du moment que les tissus arrivent à temps… Une seconde », chuchota-t-elle à l'intention de Hugh, qui acquiesça d'un signe de tête et ouvrit le *Financial Times*. Si Amanda discutait avec la décoratrice, cela risquait de durer un certain temps.

Il était apparu indispensable, depuis peu, de faire refaire plusieurs pièces de leur maison de Richmond pendant qu'ils seraient en Espagne. Quelles pièces précisément, Hugh l'ignorait. Il n'en comprenait pas très bien non plus la nécessité : n'avaient-ils pas restauré entièrement la maison quand ils l'avaient achetée, trois ans plus tôt ? Les papiers peints ne s'abîmaient sûrement pas en si peu de temps.

Lorsque Amanda lui avait présenté ce projet, Hugh avait découvert, avec une absolue certitude que la décision avait déjà été prise depuis longtemps et qu'il ne jouait qu'un rôle consultatif, sans le moindre pouvoir de décision.

Sur le plan professionnel, Hugh Stratton était directeur des investissements d'une grosse société très dynamique. Il avait droit à une place de parking devant l'immeuble de la société, à une secrétaire particulière qui lui témoignait du respect, et à l'admiration de nombreux jeunes cadres pleins d'ambition. De l'avis général, Hugh Stratton possédait une connaissance extrêmement pointue des stratégies commerciales dans le monde des affaires. Quand il parlait, on l'écoutait.

Or, dans son foyer, personne ne l'écoutait. Chez lui, il se sentait un peu comme un actionnaire minoritaire au sein d'une entreprise familiale, qu'on autorise à rester dans le conseil d'administration seulement eu égard à son nom mais dont la présence dérange.

« Bon, d'accord, répondit Amanda à son interlocutrice. Je vous appellerai dans le courant de la semaine. Ciao. » Elle rangea son portable dans son sac et regarda Hugh. « Voilà ! Excuse-moi.

— Pas de problème », assura Hugh, courtois.

Un bref silence s'ensuivit, pendant lequel Hugh éprouva l'embarras d'un hôte incapable de faire la conversation à ses invités.

Ridicule. Amanda était sa femme, la mère de ses enfants.

« Bon », dit-il. Il se racla la gorge.

« On a rendez-vous avec cette fille à midi. » Amanda consulta sa montre. « J'espère qu'elle est efficace.

— C'est la baby-sitter de Sarah qui l'a recommandée, non ? fit Hugh, content de pouvoir meubler le silence.

— Oui. Mais ces Australiennes se recommandent toutes mutuellement. Cela ne veut pas dire pour autant qu'elles sont compétentes.

— Je suis sûr qu'elle fera l'affaire », affirma Hugh avec plus d'assurance qu'il n'en ressentait. Du moment qu'elle ne ressemblait pas à cette Ukrainienne qu'ils avaient engagée comme fille au pair, qui passait ses soirées à pleurer dans sa chambre et qui était repartie au bout d'une semaine… Hugh ignorait ce qui s'était passé : la fille, ne parlant pas l'anglais, avait exprimé en russe ses plaintes et ses lamentations.

« Oui, eh bien, j'espère. »

Ce ton menaçant, Hugh savait ce qu'il signifiait. Il signifiait : *Nous aurions pu aller au Club Med, avec baby-sitting incluse, et éviter tous ces embêtements.* Il signifiait : *Cette villa a intérêt à tenir ses*

17

promesses. Il signifiait : *Si ça se passe mal, ce sera ta faute.*

« Bon, dit-il avec précipitation. Veux-tu... un café ? As-tu envie de faire un tour dans les boutiques ?

— Justement, je viens de m'apercevoir que j'ai oublié ma trousse de maquillage. » Amanda fronça les sourcils. « Je suis contrariée. J'avais l'esprit ailleurs, ce matin.

— Parfait ! s'exclama Hugh, jovial. Opération maquillage ! » Il sourit à Octavia et à Beatrice. « On va aider maman à choisir de nouveaux produits de maquillage ?

— Mon choix est déjà fait, répliqua Amanda tandis qu'ils se dirigeaient vers les boutiques. J'utilise toujours les mêmes : fond de teint et rouge à lèvres Chanel, mascara et crayon pour les yeux Lancôme, fard à paupières Bourjois n° 89... Octavia, s'il te plaît, arrête de pousser... Heureusement que j'ai rangé à part l'écran total. Octavia, arrête de pousser Beatrice ! Ces enfants..., maugréa-t-elle, exaspérée.

— Et si je les emmenais quelque part pendant que tu fais tes emplettes ? Beatrice, tu veux venir avec papa ? »

Il tendit la main à sa fille – une enfant de deux ans –, mais celle-ci se mit à pleurnicher et s'agrippa à la jambe de sa mère.

Amanda leva les yeux au ciel. « Ne t'inquiète pas, dit-elle à Hugh. On en a pour deux minutes. Pourvu qu'ils aient les produits Chanel, sinon je me demande ce que je vais faire...

— Tu feras sans, riposta Hugh, puis il effleura la joue hâlée de sa femme. Tu iras nue. »

18

Amanda se tourna vers lui et le regarda, déconcertée.

« Comment ça, nue ? Qu'est-ce que tu veux dire ?

— Rien », répondit-il après une seconde d'hésitation. Il esquissa un sourire. « Je plaisante. »

Le soleil semblait narguer Philip. Sur le trottoir brûlant, il passait les valises au chauffeur, qui était en nage. C'était le mois de juillet le plus chaud que connaissait la Grande-Bretagne depuis vingt ans – une chaleur torride, méditerranéenne, qui avait surpris et enchanté le pays, et durait depuis des jours et des jours. « Pourquoi partir à l'étranger ? s'exclamaient les gens dans la rue. Pourquoi diable partir ailleurs ? »

Et voilà qu'ils s'apprêtaient à prendre l'avion pour aller passer des vacances en Espagne, dans une villa inconnue.

« D'autres bagages ? s'enquit le chauffeur en s'épongeant le front.

— Je ne crois pas. Chloe ? »

Pas de réponse. Philip fit un pas en direction de la maison puis, gagné par l'apathie, se ravisa. Il faisait trop chaud pour parcourir trois mètres. À plus forte raison des centaines de kilomètres. Quelle idée, franchement ! Qu'est-ce qui leur avait pris d'organiser un tel voyage en Espagne ? En Espagne…

« Rien ne presse », dit le chauffeur de taxi, décontracté, qui s'appuya contre la carrosserie.

Une petite fille en rollers, qui léchait une glace, observa Philip avec curiosité en passant devant lui.

Philip lui lança un regard plein de ressentiment. Cette gamine devait aller vers un havre d'ombre et de fraîcheur, un jardin anglais avec une pelouse et des arbres. Tandis que lui-même était obligé de rester là, dans cette fournaise, avec pour seule perspective un trajet dans une Ford Fiesta exiguë sans climatisation, puis un voyage dans un avion encore plus exigu et bondé. Et après ?

« Le paradis, avait dit Gerard à propos de sa villa. Un pur paradis au cœur de l'Andalousie. Vous allez adorer, mes chéris. » Oui, mais Gerard était critique en vins, et les mots « paradis », « nectar » et « ambroisie » sortaient de sa bouche avec une facilité confondante. S'il était capable de qualifier un canapé Habitat, tout à fait ordinaire, de « trans-cendantal » – et il l'avait fait –, à quoi ressemblerait dans la réalité cette villa « paradisiaque » ?

Tout le monde connaissait le manque d'organisation notoire de Gerard, sa totale incompétence sur le plan pratique. Il se proclamait lui-même un « handicapé du bricolage », incapable de changer une prise, encore plus de manier un marteau. « C'est quoi, exactement, une cheville ? » se plai-sait-il à demander à ses invités en levant les sourcils, et il attendait que les rires fusent. Quand on dégus-tait un de ses vins haut de gamme, dans son luxueux appartement de Holland Park, il semblait affecter cette ignorance pour amuser la galerie. Mais que leur réserverait ce séjour en Espagne ? La vision de tuyaux bouchés, de plâtre qui s'effrite, s'imposa à l'esprit de Philip, et l'anxiété se lut sur son visage. Peut-être n'était-il pas trop tard pour laisser tomber, après tout ? Bon sang, qu'est-ce que ces vacances leur apporteraient de plus que deux ou trois virées à Brighton et une soirée dans un bar à tapas – distractions plus simples et nettement moins chères ?

À la pensée de l'argent, il sentit son cœur cogner dans sa poitrine. Il inspira à fond mais ne put s'empêcher de céder à la panique. Combien allaient-ils dépenser pendant ces vacances, avec toutes les balades et les extra ?

Pas beaucoup, en fin de compte, se répéta-t-il pour la centième fois. Pas beaucoup, par rapport aux extravagances de certaines personnes. En comparaison, il s'agissait de petites vacances modestes, peu coûteuses.

Un frisson de terreur l'envahit, et il ferma les yeux, histoire de se calmer et de chasser de son esprit les pensées qui l'assaillaient chaque fois qu'il relâchait son attention. Il avait donné sa parole à Chloe qu'il essaierait de se détendre durant ces huit jours ; ils étaient même tombés d'accord pour ne pas évoquer le sujet. Ce serait une semaine d'évasion sur tous les plans, et Dieu sait qu'ils en avaient besoin.

Le chauffeur de taxi alluma une cigarette. Philip se retint de lui en demander une et regarda l'heure. Ils n'étaient pas en retard, mais quand même…

« Chloe ? » Il s'avança vers la maison. « Sam ? Vous venez ? »

Pendant le silence qui suivit, il crut que le soleil allait l'assommer. Puis la porte d'entrée s'ouvrit et Sam apparut, Nat sur ses talons. Les deux garçons portaient des shorts larges et des lunettes de soleil qui leur mangeaient la moitié du visage, ils marchaient de ce pas nonchalant et assuré qu'affectionnent les jeunes.

« Ça va ? fit Sam en s'adressant avec familiarité au chauffeur. Ça va, papa ?

— Ça va ? » fit Nat en écho, de sa voix haut perchée de gamin de huit ans.

Tous deux jetèrent leurs sacs dans le coffre du taxi et allèrent s'asseoir sur le mur du jardin, les écouteurs de leurs Walkman déjà sur les oreilles.

« Les garçons ? dit Philip. Nat, Sam, voulez-vous monter en voiture, s'il vous plaît ? »

Silence. Nat et Sam semblaient sur une autre planète.

« Les garçons ? » répéta Philip, d'une voix plus forte et plus tranchante. Ses yeux croisèrent un bref instant le regard ironique du chauffeur. « Montez dans la voiture ! »

— On a le temps, répondit Sam en haussant les épaules.

— Sam, nous partons en vacances. L'avion décolle dans… » Philip laissa sa phrase en suspens et consulta sa montre. « De toute façon, ce n'est pas le problème.

— Maman n'est pas encore là, souligna Sam. On pourra monter quand elle arrivera. Pas de panique. »

Il reprit tranquillement position sur le mur, et Philip l'observa, un peu impressionné malgré sa contrariété. En vérité, pensa-t-il, Sam ne faisait pas exprès d'être impertinent, il estimait simplement que son opinion comptait autant que celle des adultes. À seize ans, il considérait que le monde lui appartenait autant qu'aux autres, sinon plus.

Et peut-être avait-il raison, songeait Philip, morose. Peut-être le monde appartenait-il aux jeunes, de nos jours – le monde et son langage

22

informatique, ses magazines pour ados, ses milliardaires de l'internet, son exigence de rapidité, de nouveauté, d'actualité. Tout était immédiat, tout était *on line*, tout était facile. Quant aux personnes lentes et inutiles, elles étaient bonnes pour le rebut, comme du matériel obsolète.

Une douleur familière lui étreignit la poitrine ; pour faire diversion, il fouilla dans sa poche intérieure et sortit les quatre passeports. Au moins une chose qui n'était pas encore sur ordinateur, pensat-il avec hargne. Ça, c'était du réel, du solide, c'était irremplaçable. Négligemment, il feuilleta les documents et examina les photos, l'une après l'autre. Sur la sienne, prise à peine un an plus tôt, il paraissait dix ans de moins. Nat, à quatre ans, avec ses grands yeux pleins d'appréhension. Chloe, l'air d'en avoir seize, les mêmes yeux bleus que Sam, les mêmes cheveux blonds et fins. Sam à douze ans, le visage tanné par le soleil, souriant avec insouciance devant l'objectif. « Samuel Alexander Murray », indiquait le passeport.

Philip contempla un moment avec une bouffée de tendresse l'expression exubérante de Sam à douze ans. Sam Alexander Murray.

S.A.M.

À l'âge de sept ans, il avait officiellement changé de nom ; de Harding, il était devenu un Murray, comme Chloe, enceinte de Nat à l'époque, l'avait exigé.

« Je veux que mes fils portent le même nom, avait-elle déclaré d'une voix que la grossesse rendait larmoyante. Je ne veux pas de différence entre eux. Et tu es le père de Sam, maintenant. Tu es son père.

— Bien sûr, avait répondu Philip en la prenant dans ses bras. Bien sûr que je suis son père. Je le sais, et Sam le sait. Mais le nom qu'il porte… cela n'a rien à voir.

— Ça m'est égal. Je veux qu'il porte ton nom. » Les yeux de Chloe s'étaient emplis de larmes. « Je le veux vraiment, Philip. »

Ils avaient donc décidé de changer le nom de Sam. Par courtoisie, elle avait pris contact avec le père du petit garçon, alors professeur au Cap, afin de le prévenir. Il lui avait répondu qu'il s'en fichait complètement et l'avait priée de respecter ses engagements et de ne plus jamais le contacter.

C'est ainsi que la procédure avait été effectuée et que Sam avait pris le nom de Murray. À son grand étonnement, Philip s'était senti touché par ce changement, pourtant superficiel, touché qu'un petit garçon de sept ans, avec qui il n'avait aucun lien de parenté, prenne son nom. Chloe et lui avaient même débouché une bouteille de champagne pour fêter l'événement. D'une certaine façon, c'était presque comme s'ils s'étaient mariés, songeait-il.

La porte d'entrée s'ouvrit, interrompant le fil de ses pensées. Chloe raccompagnait ses dernières clientes, une jeune fille en short, au visage cramoisi, et une mère maussade qui jeta sur lui un regard suspicieux. À côté d'elles, Chloe, dans sa robe de coton légère, semblait calme et décontractée.

« Réfléchissez, Bethany, disait-elle. À bientôt, madame Bridges, au plaisir de vous revoir. »

Avec un silence poli pour toute réponse, la mère et la fille se dirigèrent vers leur Volvo. Quand les portières claquèrent, Chloe poussa un soupir de soulagement.

« Enfin ! » Elle regarda Philip avec des yeux brillants. « Enfin ! Je n'arrive pas à croire que nous sommes en vacances !

— Alors, tu as toujours envie de partir ? » Philip se rendit compte qu'il ne plaisantait qu'à moitié.

« Idiot… » Chloe lui adressa un large sourire. « Je vais juste chercher mon sac… »

Elle disparut à l'intérieur de la maison et Philip regarda Sam et Nat.

« OK, vous deux. Soit vous montez dans le taxi maintenant… soit on vous laisse ici. À vous de choisir. »

D'un mouvement nerveux, Nat tourna la tête vers son frère aîné et guetta sa réaction. Après quelques secondes de flottement, Sam se leva avec nonchalance, s'ébroua comme un chien et s'approcha du taxi sans se presser. Visiblement soulagé, Nat le suivit, monta en voiture et boucla sa ceinture. Le chauffeur mit le moteur en marche, et la voix d'un présentateur volubile résonna dans le silence.

« Et voilà ! » Chloe, un peu essoufflée, rejoignit Philip. Elle tenait à la main un grand panier en osier. « J'ai tout fermé à clé, nous pouvons partir. En route pour l'Espagne !

— Génial ! s'écria Philip, faisant un effort pour se montrer aussi enthousiaste qu'elle. En route pour l'Espagne ! »

Chloe le dévisagea.

« Philip… » Elle soupira. « Tu as promis d'essayer de…

— De m'amuser.

— Oui ! Pourquoi pas, pour changer ? »

Silence.

« Excuse-moi, murmura Chloe en se passant la main sur le front. Ce n'est pas sympa, mais… j'ai vraiment besoin de ces vacances. Nous en avons besoin tous les deux. Besoin de nous éloigner de cette maison, de… des gens, et de…

— Et de… répéta-t-il, puis il se tut.

— Oui, fit Chloe en le regardant droit dans les yeux. De ça surtout. Pendant huit jours au moins, je ne veux même pas y penser. »

On entendit le vrombissement d'un avion. Ils avaient beau vivre à proximité d'un couloir aérien, ils levèrent la tête.

« Est-ce que tu te rends compte que le rapport doit arriver la semaine prochaine ? dit Philip, les yeux rivés sur le ciel bleu. Ce qui signifie que la décision sera prise, à ce moment-là.

— Oui, répliqua Chloe, mais en attendant ça ne sert à rien de te miner, de te ronger, à part te faire un nouvel ulcère. » Tout à coup, elle fronça les sourcils. « Tu as emporté ton téléphone portable ? »

Philip hésita, puis sortit l'appareil de sa poche. Chloe le saisit, retourna vers la maison et le glissa dans la boîte aux lettres.

« Je ne plaisante pas, Philip, dit-elle en revenant vers lui. Je ne veux pas que quoi que ce soit puisse gâcher ces vacances. » Elle s'approcha du taxi et ouvrit la portière. « Allez, en route. »

2

La baby-sitter était en retard. Installée au Costa Coffee, où le rendez-vous avait été fixé, Amanda tambourinait avec impatience sur la table, soupirait et jetait de temps à autre un coup d'œil sur l'écran.

« Tu te rends compte, on va bientôt embarquer. Il va falloir y aller. Qu'allons-nous faire ? Accoster toutes les filles de vingt ans et leur demander si elles s'appellent Jenna ?

— Elle sera assise à côté de nous dans l'avion, souligna Hugh d'une voix calme. Nous n'aurons aucun mal à la reconnaître.

— Oui, mais là n'est pas le problème, répliqua Amanda avec nervosité. Le problème, c'est qu'elle devait rencontrer les filles et faire connaissance avec elles un peu avant le départ. Pendant ce temps-là, nous, nous aurions pu nous détendre un peu… Voilà ce qui était prévu ! Franchement, je me demande pourquoi j'ai… » Son portable sonna, la stoppant net au milieu de sa phrase. « Seigneur, ne me dis pas que c'est elle qui appelle pour se désister. Tout mais pas ça ! Allô ? » Son visage se décrispa. « Ah, Penny, Dieu merci. » Amanda pivota sur son tabouret et se couvrit l'autre oreille de la main. « Tout va bien ? La coloriste est arrivée ? Pas encore ? Pourquoi ? »

Hugh avala une gorgée de café et sourit à Octavia et à Beatrice, qui dévoraient sans un mot une assiette de biscuits.

« Vous avez hâte d'être en vacances ? questionna-t-il. Octavia ? »

La fillette le fixa avec de grands yeux, se frotta le nez et mordit dans un gâteau.

Hugh se racla la gorge. « Quelle matière préfères-tu à l'école ? »

Un silence glacial accueillit sa question.

Une gamine de cinq ans étudiait-elle des *matières* ? s'interrogea-t-il, un peu tardivement. Elle allait à l'école, cela, il le savait : Claremount House, 1 800 livres sterling par trimestre, plus la cantine, les cours de théâtre et d'autres activités encore. Uniforme vert foncé. Ou bleu foncé. L'un ou l'autre, en tout cas.

« Monsieur Stratton ? »

Surpris, Hugh leva la tête. Une fille en jean crasseux, cheveux teints en rouge et tresses rasta, une rangée d'anneaux aux sourcils, l'observait en plissant les yeux. Une certaine appréhension le parcourut. Comment cette fille connaissait-elle son nom ? Allait-elle lui demander de l'argent ? C'était peut-être la dernière arnaque du jour : on repérait votre nom sur les étiquettes de vos bagages, on vous suivait, on attendait que vous soyez détendu…

« Je suis Jenna. » Arborant un grand sourire, la jeune fille lui tendit la main. « Ravie de vous rencontrer ! »

Sous le choc, Hugh sentit sa gorge se serrer.

« Vous êtes… Jenna ? » Sa voix fit un couac mais, heureusement, Jenna ne parut pas le remarquer.

« Oui ! Désolée pour mon retard. J'ai traîné dans les boutiques, vous savez ce que c'est.

— Euh… oui, tout à fait. » Hugh se força à sourire aimablement, comme s'il trouvait tout naturel que la baby-sitter embauchée pour les vacances ressemble plus à une punk qu'à Mary Poppins. « Ce n'est pas grave. »

Mais Jenna ne l'écoutait même pas. Elle avait posé son sac à dos par terre et s'était assise entre Octavia et Beatrice.

« Salut, les filles ! Octavia et Beatrice, c'est bien ça ? » Sans attendre de réponse, elle continua : « Vous savez quoi ? J'ai un problème. Un GROS problème !

— Quoi ? interrogea Octavia à contrecœur.

— Trop de Smarties ! » Jenna hocha gravement la tête. « Mon sac à dos en est plein. Vous croyez que vous pourrez m'aider ? »

Comme par magie, elle brandit deux paquets de Smarties et les tendit aux fillettes, qui poussèrent des cris de joie. Entendant cela, Amanda se retourna, sans cesser de parler au téléphone, et se tut brusquement à la vue des sachets colorés.

« Qu'est-ce que… » Son regard tomba sur Jenna, enregistra les cheveux teints, les anneaux aux sourcils, la fleur tatouée sur l'épaule, que Hugh remarqua seulement à cet instant. « Qui…

— Ma chérie, je te présente Jenna.

— Jenna ? » Amanda lança à son mari un regard incrédule. « C'est… Jenna ?

— Oui ! répondit Hugh avec une gaieté feinte. Nous voilà donc au complet. N'est-ce pas formidable ?

— Ravie de vous rencontrer », fit Jenna en tendant la main à Amanda.

Amanda hésita un instant, puis serra la main de la jeune fille avec circonspection. « Comment allez-vous ?

— Super bien, répliqua Jenna avec un sourire jusqu'aux oreilles. Vous avez des petites filles adorables. Vraiment super. Je reconnais toujours du premier coup les gosses sympas.

— Ah bon, dit Amanda, déconcertée. Euh… merci. » La sonnerie de son portable la fit sursauter. « Désolée, Penny, mais il faut que j'y aille. Oui, tout va bien. Enfin… je crois. » Elle éteignit l'appareil et le rangea dans son sac, sans cesser d'observer Jenna comme si c'était un oiseau exotique.

« J'étais en train de dire à votre mari que je me suis attardée dans les boutiques duty-free. » Jenna tapota un sac en plastique. « J'ai fait un stock de clopes et d'alcool. »

Cela jeta un froid. Amanda lança un regard à Hugh et serra les mâchoires.

« Je plaisante ! glissa Jenna en donnant un coup de coude à Octavia, qui commença à s'esclaffer.

— Oh ! » Amanda se força à rire. « Oui, bien sûr…

— En fait, j'ai acheté des capotes, pour ma soirée libre », expliqua Jenna en hochant

30

gravement la tête. Puis elle fit un clin d'œil. « Je plaisante ! »

Hugh ouvrit la bouche, la referma. Il n'osa pas regarder Amanda.

« Alors, on va en Espagne ? » reprit Jenna d'un ton joyeux, et elle brandit deux sucettes pour les enfants. « Je ne suis jamais allée en Espagne. La maison est près de la mer ?

— Je crois que la villa est située dans les collines, répondit Hugh. C'est la première fois que nous y allons.

— Un vieil ami de mon mari a eu la gentillesse de nous prêter sa maison pour huit jours », expliqua Amanda d'un ton guindé, puis elle se racla la gorge. « Gerard Lowe, le critique gastronomique, spécialiste des vins. Il est très connu, vous avez dû le voir à la télévision.

— Ça ne me dit rien. » Jenna haussa les épaules. « De toute façon, le vin, c'est pas mon truc, je préfère la bière. Et aussi la tequila, à l'occasion. » Elle lança un regard à Hugh. « Il faudra me surveiller, monsieur : quand le soleil tape et que j'ai un verre de tequila à la main, on peut faire ce qu'on veut de moi. » Elle prit une sucette, en retira le papier et la mit dans sa bouche. Puis elle cligna de l'œil. « Je plaisante ! »

Hugh observa Amanda et réprima un sourire. En huit ans de mariage, il n'avait jamais vu sa femme aussi décontenancée.

La circulation, aux abords de l'aéroport, avait été épouvantable : des bouchons compacts de voitures, de cars et de taxis transportant des vacanciers

31

comme eux. Au milieu des vapeurs d'essence et du vacarme des moteurs, Philip avait été pris de crampes à l'estomac. Toutes les trente secondes il jetait un coup d'œil à sa montre et sentait la panique le gagner. Que feraient-ils s'ils rataient l'avion ? Est-ce qu'ils pouvaient échanger les billets ? Le personnel de l'aéroport se montrerait-il compréhensif ou odieux ? Peut-être auraient-ils dû prendre une assurance contre ce genre d'incident ?

En définitive, ils étaient arrivés juste à temps. L'hôtesse du bureau d'enregistrement de la Regent Airways leur avait remis aussitôt leurs cartes d'embarquement et leur avait demandé de se présenter sans délai à la porte indiquée. Trop tard pour enregistrer les bagages, avait-elle dit, ils devaient les prendre avec eux.

« Eh bien ! s'était exclamée Chloe en quittant le guichet. Quelle chance ! Vous imaginez, si on avait dû passer nos vacances à l'aéroport ? » avait-elle ajouté en ébouriffant les cheveux de Nat.

Philip l'avait dévisagée avec surprise. Comment pouvait-elle plaisanter ainsi ? Pour lui, ce n'était pas un coup de chance, mais un avertissement – une façon de leur rappeler que, même en prévoyant tout, on n'est pas maître de son destin, et qu'il vaut mieux renoncer à essayer de le maîtriser. Maintenant, installé tranquillement à sa place devant un verre de jus d'orange offert par la compagnie, il ne pouvait se départir d'une certaine anxiété, le pressentiment d'un échec.

Il crispa la main sur son verre, s'en voulant de ne pas réussir à se débarrasser du sentiment d'insécurité qui le tenaillait en permanence. Il aurait aimé redevenir l'homme qu'il était avant, un homme bien dans sa peau – l'homme dont Chloe était tombée amoureuse.

« Ça va ? s'enquit-elle.

— Ça va, répondit-il avec un sourire.

— Regarde Nat. »

Philip suivit le regard de Chloe. La famille avait été séparée en deux, les garçons étaient placés quelques rangées devant eux. Sam, les écouteurs déjà sur les oreilles, semblait absorbé, dans une sorte de transe. Nat, lui, prenant visiblement à cœur les instructions de l'équipage, étudiait d'un air grave le feuillet plastifié qui contenait les consignes de sécurité. Il releva la tête, examina, inquiet, les abords de la cabine et, une fois qu'il eut repéré les issues de secours, parut soulagé.

« Je parie qu'il explique à Sam où sont situées les sorties de secours, dit Chloe. Et comment utiliser le masque à oxygène. »

Elle sourit avec tendresse, puis sortit un livre de son sac. Philip avala une gorgée de jus d'orange : l'acidité lui brûla l'estomac. Il aurait mieux fait de demander un cognac. Double, de préférence.

Il déplia le journal – cadeau de la compagnie – et le referma aussitôt. Pas de journaux pendant ces vacances, avaient-ils décidé. Dans sa poche de veste il avait un thriller qui se passait en Russie mais, vu son état d'esprit, il se savait incapable de se concentrer sur l'intrigue. Il porta une fois de plus le verre à ses lèvres, le reposa, et croisa le regard de l'homme assis à côté de lui.

« Écœurant, ce truc », dit celui-ci. Puis il désigna son propre verre : « Prenez donc une bière. Une livre sterling seulement. »

33

Il avait un fort accent du sud de Londres et portait un polo Lacoste qui moulait son torse musclé. Philip remarqua à son poignet une énorme Rolex.

« En vacances ?

— Oui, répondit Philip. Et vous ?

— Je vais tous les ans en Espagne. Il n'y a pas mieux pour le soleil.

— Sauf l'Angleterre en ce moment.

— Exact, mais on ne peut pas compter dessus, hein ? C'est ça le problème. » L'homme tendit à Philip une main grassouillette. « Je m'appelle Vic.

— Et moi Philip.

— Ravi de vous connaître, Philip. » Vic but une gorgée de bière et poussa un soupir de contentement. « Bon sang, que c'est bon de partir ! Je travaille dans la construction : installation de cuisines, rénovation, aménagement… On a bossé comme des fous. Non-stop.

— Je n'en doute pas.

— Vous voulez que je vous dise ? Ça marche trop bien. Remarquez, ça nous a permis d'acheter un nouvel appartement. Ma femme est déjà là-bas, elle se bronze au soleil. » Vic s'enfonça confortablement dans son siège. « Et vous, Philip, vous travaillez dans quel secteur ?

— Euh… » Philip s'éclaircit la voix. « La banque. Pas passionnant.

— Ah oui ? Quelle banque ? »

Il y eut un silence qui dura une fraction de seconde.

« La National Southern. »

Peut-être que le nom ne lui dirait rien. Peut-être qu'il hocherait simplement la tête et dirait : « Ah. »

Mais son expression montrait qu'il connaissait.

« La National Southern ? Vous n'avez pas été rachetés, récemment ?

— Si, en effet. » Philip se força à sourire. « Par PBL, la société d'internet.

— C'est bien ce qu'il me semblait. » Vic prit un air pensif. « Alors, qu'est-ce qui va se passer ?

— Personne ne sait vraiment, c'est encore trop tôt. » Philip avala une gorgée de jus d'orange, poussa un soupir et s'étonna d'avoir répondu avec tant d'aisance.

Désormais, il était habitué aux expressions étonnées, aux froncements de sourcils, aux interrogations perplexes. Certains posaient des questions en toute innocence tandis que d'autres, mieux informés, cachaient leur inquiétude derrière un optimisme apparent : « Mais pour vous, ça ne posera pas de problème, n'est-ce pas ? » Philip souriait et répondait d'un ton rassurant : « Moi ? Oh non. » Les visages se détendaient, il changeait alors habilement de conversation et remplissait les verres de ses invités. C'est seulement beaucoup plus tard qu'il s'autorisait à échanger un coup d'œil furtif avec Chloe. Puis, quand tout le monde était parti, il abandonnait pour de bon la façade maintenue à grand-peine tout au long de la soirée.

« Excusez-moi, dit Vic. La nature m'appelle. »

Tandis que son voisin s'éloignait vers les toilettes, Philip fit signe à une hôtesse.

« Un double cognac, s'il vous plaît. » Il remarqua que ses mains tremblaient et il y enfouit son visage. Un instant plus tard, il sentit la paume fraîche de Chloe sur sa nuque.

« Tu as promis, murmura-t-elle d'un ton ferme. Tu as promis de ne pas y penser, encore moins d'en parler.

— Comment faire autrement ? » Il releva la tête et sentit qu'il avait les joues en feu. « Comment faire, si les gens me questionnent ?

— Tu peux mentir.

— Mentir ? » Philip dévisagea Chloe avec une pointe d'agacement. Parfois elle voyait la vie d'une manière simpliste, tel un enfant. Elle posait sur l'univers son regard clair et voyait un ordre, une logique, un agencement plein de sens, là où lui, au contraire, ne voyait que chaos, confusion, pur hasard. « Tu veux dire que je devrais mentir à propos de mon travail ?

— Pourquoi pas ? » Chloe désigna la place vide du voisin. « Tu crois qu'il s'intéresse à ton métier ? Il avait juste envie de discuter. Eh bien, à toi de choisir ton sujet de conversation.

— Chloe…

— Tu peux raconter aux gens que tu es… postier, par exemple. Ou fermier. Aucune loi ne t'oblige à dire tout le temps la vérité. »

Philip garda le silence.

« Il faut que tu te protèges, reprit Chloe plus doucement, en posant sa main sur celle de Philip. Pendant ces huit jours, tu ne travailles pas dans une banque. Tu es… pilote de ligne. D'accord ? »

Malgré lui, il sourit. « D'accord, répondit-il enfin. Va pour pilote de ligne. »

Il s'enfonça dans son siège, respira à fond, essaya de se décontracter. Puis il jeta un coup d'œil du côté de ses fils et fut surpris de constater qu'ils avaient tous deux quitté leurs sièges.

« Voici votre double cognac, monsieur, dit l'hôtesse à cet instant. Cela fera deux livres sterling.

— Oh, merci. » Philip chercha de la monnaie dans sa poche, puis dit tout bas à Chloe : « Je me demande ce que font les garçons. Ils ne sont plus à leurs places.

— Je m'en fiche, répondit-elle en se replongeant dans son roman. Qu'ils fassent ce qu'ils veulent. Nous sommes en vacances.

— Pourvu qu'ils ne s'attirent pas d'ennuis.

— Ils n'auront aucun problème. Leur père est pilote de ligne. »

« En première classe, chuchota Sam à Nat tandis que tous deux approchaient à pas de loup, les gens ont droit à plein de trucs gratuits.

— Quoi, par exemple ?

— Du champagne.

— On leur *donne* du champagne ? » Nat regarda Sam d'un air sceptique.

« Oui, s'ils le demandent.

— Toi, ils t'en donneront jamais.

— Bien sûr que si. Tu vas voir. »

Ils avaient atteint les premières classes sans problème. Devant eux était tendu un épais rideau bleu qui, aux yeux de Nat, signifiait : « Retournez immédiatement d'où vous venez. »

« OK », murmura Sam en écartant légèrement le rideau et en jetant un coup d'œil par la fente. « Il y a deux sièges libres à l'arrière. Installe-toi comme si de rien n'était, et fais semblant d'être un bourgeois.

— C'est quoi, un bourgeois ?

37

— Tu sais bien, un type qui dit "Ma chérie", qui fait des manières.

— "Ma chérie", répéta Nat en minaudant. Sam…

— Quoi ?

— J'sais pas.

— Eh bien, viens, alors. Personne ne nous regarde. »

Sam décrocha calmement le rideau, fit entrer Nat, puis raccrocha le rideau. Sans un mot, les deux garçons se glissèrent sur les sièges libres repérés par Sam et se regardèrent en contenant leur joie. Personne n'avait levé la tête, personne n'avait remarqué leur présence.

« C'est super, ici, non ? », dit Sam tout bas à son frère. Nat hocha la tête et regarda autour de lui en écarquillant les yeux. On avait l'impression d'être dans un monde différent, pensait-il, un monde tranquille, clair, spacieux. Même les gens étaient différents. Ils ne parlaient pas fort, ne riaient pas bruyamment, ne se plaignaient pas tout haut de la nourriture. Tout le monde restait assis à sa place, même ces deux petites filles en robes bleues qui dégustaient – apparemment – des milk-shakes à la fraise. Il les contempla quelques instants, poursuivit son exploration… et fut saisi d'horreur.

Quelqu'un les observait : une fille aux cheveux rouges coiffés à la rasta, qui avait l'air de savoir exactement de quoi il retournait. Elle non plus, se disait Nat, ne semblait pas vraiment à sa place en première classe. Elle souriait et, quand Nat croisa son regard, elle lui fit le signe de la victoire. Le petit garçon détourna les yeux avec effroi et devint écarlate.

« Sam, chuchota-t-il, paniqué, Sam, quelqu'un nous a vus.

— Et alors ? fit Sam avec un large sourire. Tiens, voilà une hôtesse de l'air. »

Nat leva la tête et se figea. En effet, une hôtesse se dirigeait vers eux, et elle n'avait pas l'air contente.

« Je regrette, dit-elle dès qu'elle fut à portée de voix, mais ici ce sont les premières classes.

— Je sais, lui répondit Sam en souriant. Je voudrais du champagne, s'il vous plaît. Pourriez-vous en apporter aussi à mon jeune associé ? »

Nat s'esclaffa. « En fait, j'aimerais mieux un milk-shake, si possible. Comme elles », précisa-t-il en désignant les deux fillettes en robes bleues.

Mais l'hôtesse de l'air ne parut pas l'écouter. « Veuillez, je vous prie, retourner à vos places, reprit-elle en jetant un regard glacial à Sam.

— Ce sont nos places, riposta celui-ci. On nous a changés de classe. »

L'hôtesse le regarda comme si elle avait envie de le gifler, puis tourna les talons et s'éloigna d'un pas décidé vers l'avant de l'appareil.

« Génial, non ? s'amusa Sam. Maintenant, on pourra dire à tout le monde qu'on a voyagé en première classe.

— Super-cool ! fit Nat, un sourire jusqu'aux oreilles.

— Regarde, les sièges s'inclinent si tu appuies sur ce bouton. » Sam inclina son siège au maximum, bientôt imité par Nat.

« Mmmm, ma chérie, murmura Sam de cette voix qui faisait toujours rire Nat. J'adore voyager en avion dans cette position. Pas toi, ma chérie ?

Franchement, pourquoi voyager assis quand on peut voyager couchés ? Pourquoi s'embêter à... »

Une voix les interrompit. « Bon, les garçons, la plaisanterie est terminée. Relevez-vous, tous les deux. »

L'homme qui les dévisageait portait un badge doré d'allure officielle au revers de sa veste et tenait une tablette à la main. « Parfait, dit-il tandis que les sièges se redressaient progressivement. Retournez à vos places, et que je n'entende plus parler de vous. Comme cela, je n'aurai pas besoin d'importuner vos parents. D'accord ? »

Un silence lui répondit.

« Sinon, reprit-il, nous pouvons aller tous ensemble les trouver... et leur expliquer ce qui s'est passé. »

Nouveau silence, puis Sam haussa les épaules.

« Viens, Nat, fit-il en élevant légèrement la voix. Ils ne veulent pas des gens du peuple, ici. »

Au moment où ils se levaient, Nat remarqua que tous les passagers de première classe s'étaient retournés pour regarder.

« Au revoir, dit-il poliment à la fille aux cheveux rouges. Ravi de vous avoir rencontrée.

— Au revoir, répondit-elle avec une grimace sympathique. Dommage que vous ne puissiez pas rester. Hé, tu veux un souvenir ? » Elle se baissa et brandit une élégante trousse de toilette sur laquelle était inscrit en relief le nom de la compagnie : REGENT AIRWAYS. « Prends ça. Il y a du savon, du shampooing, de l'aftershave... » Elle lança la trousse de toilette à Nat, qui la rattrapa au vol.

« Cool ! s'écria-t-il, ravi. Regarde, Sam ! »

Sam examina la trousse. « Jolie, commenta-t-il. Très jolie.

— Tu en veux une ? » Une dame âgée, assise à l'avant, se retourna et tendit à Sam une trousse de toilette identique à la première. « Prends la mienne, je n'en ai pas besoin.

— Merci ! répondit Sam en lui adressant un grand sourire. Vous êtes super, vous, les gens de première classe ! »

Des rires discrets parcoururent les rangées.

« Bon, ça suffit, maintenant, grommela l'homme au badge doré. Retournez à vos places, vous deux.

— Au revoir, tout le monde ! cria Sam en agitant la main. Et merci beaucoup ! » Il s'inclina et disparut derrière le rideau.

« Au revoir ! dit Nat, un peu hors d'haleine. Profitez bien de votre champagne ! » Tandis qu'il suivait Sam en direction de la classe touriste, il entendit encore des rires derrière lui.

Une fois les deux garçons hors de vue, le calme revint peu à peu et les passagers de première classe retournèrent à leurs occupations.

« Franchement ! s'indigna Amanda en attrapant son exemplaire de *Vogue*. Quel culot ! C'est peut-être un cliché, mais les enfants, aujourd'hui… » Elle feuilleta le magazine et loucha sur une paire de bottes en peau de serpent. « Ils s'imaginent que le monde leur appartient. Tu n'es pas d'accord ? » Elle releva la tête. « Hugh ? »

Hugh ne répondit pas. Il regardait toujours derrière lui, là où les deux garçons avaient disparu.

« Hugh ! s'impatienta Amanda. Qu'est-ce qu'il y a ?

— Rien. » Hugh se retourna. « Ce garçon… l'aîné…

— Quoi ? Un hooligan, à mon avis. Et la façon dont il était habillé… Ces horribles shorts cent fois trop larges, ils portent tous ça, maintenant… »

Il lui rappelait quelqu'un. Les yeux. Les yeux…

« Quoi ? répéta Amanda en fixant sur Hugh un regard désapprobateur. Tu ne penses tout de même pas qu'on aurait dû les autoriser à rester en première ?

— Non, bien sûr ! C'est juste que… non, rien. »

Il secoua la tête, chassa ces pensées ridicules, sourit à sa femme et se replongea dans la lecture du *Financial Times*.

3

La route, étroite et sinueuse, taillée dans le roc, grimpait à pic entre les montagnes. Hugh, silencieux, se concentrait sur la conduite, négociant chaque virage en douceur. À l'aéroport, ils avaient récupéré sans problème tous leurs bagages puis s'étaient embarqués dans la voiture de location qu'ils avaient réservée – une Espace à air conditionné. Jusque-là, donc, tout s'était déroulé comme prévu.

Au moment d'aborder un virage délicat, il jeta un coup d'œil sur les montagnes gris-vert qui s'étendaient à l'horizon, ces masses rocheuses brûlées par le soleil, et sur le ciel d'un bleu immuable. N'était-ce pas la mer qu'on apercevait, là-bas, dans le lointain ? Peut-être s'agissait-il juste d'un mirage ? Votre esprit peut vous jouer des tours, dans ces montagnes écrasées de chaleur, c'est connu : les perspectives sont modifiées, le jugement affaibli. On peut se comporter de manière étrange, si haut. Au-dessus du reste du monde, au-delà des regards. Il n'était même pas sûr de rouler dans la bonne direction.

Hugh parcourut des yeux les sommets rocheux et ressentit ce pur plaisir, cette joie extrême de l'altitude qui lui étaient familiers.. L'homme a un besoin fondamental de s'élever, pensa-t-il. De s'élever et de conquérir, puis de chercher aussitôt un autre sommet à atteindre, un nouveau défi.

Amanda et lui s'étaient rencontrés pour la première fois à la montagne – mais des montagnes très différentes : c'était à Val-d'Isère, où il séjournait avec des amis, des skieurs passionnés qu'il connaissait depuis l'université. Amanda logeait dans le chalet voisin, en compagnie d'une bande d'anciennes camarades de lycée. Les deux groupes s'étaient vite rendu compte – et c'était fréquent, dans ces stations de sports d'hiver – qu'ils se connaissaient : un des amis de Hugh était sorti avec l'une des filles, et plusieurs autres s'étaient déjà croisés dans des soirées à Londres.

Hugh et Amanda, quant à eux, ne s'étaient encore jamais vus : l'attirance fut immédiate et réciproque. Tous deux étaient d'excellents skieurs, tous deux étaient sportifs et bronzés, tous deux travaillaient à la City. Dès le troisième jour des vacances, ils faisaient du hors piste ensemble, et Hugh passait toutes les nuits au chalet des filles, malgré les moqueries admiratives de ses copains. De l'avis de tous, ils formaient un couple parfait et bien assorti. À leur mariage, un an et demi plus tard, leurs amis avaient formé une haie d'honneur avec des skis, et le témoin du marié avait émaillé son discours de plaisanteries en rapport avec les sports d'hiver.

Hugh et Amanda continuaient de skier tous les ans. Chaque année au mois de février, ils retrouvaient le paysage magique, enchanteur, où ils s'étaient rencontrés pour la première fois. Chaque année, pendant une semaine, c'était comme une nouvelle lune de miel : ils étaient amoureux fous l'un de l'autre, amoureux des sommets enneigés, du plaisir de l'effort, de l'excitation. Ils skiaient vite, animés par une sorte de rage ; ils parlaient peu, devinaient d'instinct la direction que suivait l'autre. Hugh connaissait la façon de skier d'Amanda aussi bien que la sienne propre. Elle pratiquait le ski depuis son enfance et était une skieuse plus accomplie que lui, mais tous deux avaient la même attitude face au danger : ils prenaient des risques, mais calculés. Ni l'un ni l'autre ne voyaient l'utilité de mettre sa vie en péril ou de se casser une jambe à seule fin d'éprouver des sensations fortes.

Ils n'avaient pas encore emmené les enfants à la montagne. Amanda tenait à ce qu'elles apprennent à skier le plus tôt possible, mais Hugh s'y était opposé, et ce avec une fermeté inhabituelle chez lui. Il avait besoin de ces huit jours par an, pas pour les vacances, ni même pour le sport. Il en avait besoin pour redynamiser sa relation avec Amanda. Làhaut, dans les montagnes, avec le soleil et la neige, quand il contemplait le corps souple et athlétique de sa femme, moulé dans sa tenue en Lycra haute couture, le désir, l'admiration, l'euphorie qu'ils avaient ressentis la première fois à Val-d'Isère l'envahissaient de nouveau.

Pourquoi en avait-il tant besoin – et que se passerait-il s'il devait renoncer à ces huit jours chaque année –, il ne se posait même pas la question.

Avec une certaine brusquerie, Hugh changea de vitesse et commença à grimper la côte.

« Beau paysage, commenta Amanda. Admirez la vue, les filles. Regardez ce petit village. »

Hugh jeta un coup d'œil par la vitre. À la sortie d'un virage, ils avaient aperçu un groupe de maisons blanches accrochées au flanc de la montagne. Il eut juste le temps de voir les toits de tuile, les minuscules balcons en fer forgé, le linge qui séchait aux fenêtres, puis la route tourna encore une fois et le village disparut de son champ de vision.

« Ça doit être San Luis, dit-il en consultant les instructions de Gerard. Joli, non ?

— Possible, répondit Amanda.

— J'ai mal au cœur, gémit Beatrice.

— Oh, mon Dieu ! » Amanda se retourna. « Tiens bon, ma chérie, on est presque arrivés. Regarde les belles montagnes. » Elle se pencha vers Hugh. « C'est encore loin ? Cette route est épouvantable.

— Ce ne sont pas des montagnes, rectifia Octavia, mais des collines. Les montagnes ont de la neige au sommet. »

Hugh vérifia les indications de Gerard. « Nous approchons. La villa est située à une dizaine de kilomètres de San Luis.

— C'est bien beau d'avoir une villa perdue au milieu de la nature, marmonna Amanda d'une voix tendue, mais s'il faut conduire pendant des heures sur des routes de montagne aussi dangereuses…

— "Dangereuses" n'est pas exactement le terme, répliqua Hugh, concentré sur la route qui tournait brusquement à gauche. Juste un peu tortueuses.

— Tortueuses, oui, c'est le mot. Dieu sait où on va trouver des magasins…

— À San Luis, j'imagine.

— Dans ce trou perdu ?

— De toute façon, nous n'avons pas à nous inquiéter pour les courses, Gerard a promis de nous laisser des provisions à la villa.

— Ce qui ne signifie absolument rien ! Je n'ai jamais vu quelqu'un d'aussi désorganisé.

— Je n'en suis pas si sûr, dit Hugh d'un ton calme. Il nous a faxé les instructions en temps et en heure, non ?

— À la dernière minute ! Et avant, il a fallu que j'appelle trois fois son assistante, qui ne semblait au courant de rien. » Amanda crispa les mâchoires. « Si tu veux mon avis, il nous a complètement oubliés. Je suppose qu'il lance ce genre d'invitation chaque fois qu'il a bu un verre de trop, et ensuite il ne se souvient de rien. »

Hugh se rappela tout à coup le déjeuner au cours duquel Gerard avait mentionné la villa pour la première fois. Au début, ils étaient un peu embarrassés, ils ne s'étaient pas revus depuis le collège. Ils s'étaient rencontrés par hasard à une exposition sponsorisée par l'entreprise de Hugh, et avaient pris rendez-vous pour déjeuner ensemble – rendez-vous que Hugh avait failli annuler plusieurs fois, et auquel il s'était finalement rendu, poussé par la curiosité. Après tout, Gerard jouissait désormais d'une certaine célébrité, aussi bien à la télévision que dans la presse, ce qui, visiblement, le comblait.

47

Hugh avait pensé tout d'abord que l'invitation à passer quelques jours dans sa villa en Espagne faisait partie du cinéma de Gerard, au même titre que son costume taillé sur mesure, sa façon de placer fréquemment dans la conversation des noms de gens connus, ses allusions constantes au fait qu'en avion il voyageait toujours en première classe. Vers la fin du repas seulement – ils avaient bu deux bouteilles de vin à eux deux –, Hugh avait bien vu que Gerard, quoique passablement ivre, insistait pour lui prêter sa villa et sortait son agenda : de toute évidence, il n'envisageait pas que Hugh puisse refuser. Et quand celui-ci avait fini par accepter, une expression ravie avait illuminé les joues rebondies de Gerard, qui avait rappelé à Hugh un vieux souvenir de collège : un jour, au réfectoire, Gerard avait repris un professeur sur un point de savoir-vivre, guettant les réactions des autres élèves avec la même expression ravie. Bien entendu, cela n'avait épaté personne. Gerard n'était pas spécialement estimé au collège ; en y repensant, Hugh soupçonnait que, derrière ses airs bravaches, son ancien camarade n'avait pas été très heureux. Peut-être voulait-il lui montrer, à travers cette invitation magnanime, le chemin parcouru depuis lors.

Tandis qu'il était perdu dans ses pensées, la voiture frôla la barrière de sécurité. Amanda poussa un cri perçant. « Hugh ! Tu vas nous précipiter dans le ravin !

— C'est bon, répondit-il en redressant aussitôt le volant. Pas de problème.

— Par pitié ! J'aimerais qu'on arrive en vie, Hugh, si ce n'est pas trop te demander.

« — Hé, regardez ! s'écria Jenna. Voilà notre villa ! »

Tout le monde tourna la tête, et Hugh ralentit machinalement. À une centaine de mètres environ, au-delà d'immenses grilles en fer forgé, un chemin poussiéreux menait à une bétonnière abandonnée devant un bâtiment en construction qui consistait en deux paliers en béton et en quelques colonnes de soutènement. « Je plaisante ! » dit Jenna, et les deux gamines gloussèrent de rire.

« Très drôle, répliqua Amanda, crispée. Bon, on avance, Hugh ? »

Il accéléra et jeta un coup d'œil dans le rétroviseur : Jenna faisait des grimaces à Octavia et à Beatrice et leur enjoignait par gestes de ne pas rire. Octavia ne put cependant se retenir, et Amanda se retourna brusquement.

« Oh, quelle belle maison ! s'exclama Jenna d'un air innocent. C'est vrai, regardez ! Ce ne serait pas la nôtre ? »

Sur la droite, Hugh aperçut une imposante villa couleur abricot, fièrement juchée à flanc de montagne. « Je ne crois pas. Apparemment, nous devons bifurquer à gauche.

— Ouaou ! s'exclama Jenna quand ils passèrent devant la villa. Est-ce que la nôtre sera aussi grande que celle-ci ?

— Je pense qu'elle est assez vaste, répondit Hugh en étudiant une fois de plus la feuille qui comportait les indications. Quant à savoir si elle est aussi grande que celle-là…

— Alors, votre ami Gerard doit être très riche ?

— Euh, oui, je crois. À vrai dire, je ne le connais pas si bien que ça.

49

— Vous ne le connaissez pas, et il vous prête sa maison ? Il est plutôt confiant, comme mec. »

Hugh se mit à rire.

« Je l'ai bien connu autrefois. Nous étions amis au collège, puis on s'est perdus de vue. Je l'ai revu par hasard il y a quelques mois, et il nous a proposé cette villa pour huit jours. Très généreux de sa part. » Hugh s'interrompit et fronça les sourcils. « Je ne comprends pas. D'après le plan, on devrait y être. À moins que je ne me sois trompé…

— Seigneur, on n'arrivera jamais ! ronchonna Amanda. L'assistante nous a sûrement faxé des renseignements erronés. Je parie qu'on a pris la mauvaise direction et que la villa se trouve par là. » Et elle désigna une montagne, au loin. Hugh releva la tête.

« Aie confiance, Amanda.

— Confiance en quoi ? En toi ? En ce Gerard, qui a l'air de vivre sur une autre planète ? » Elle tapota la feuille d'instructions avec le dos de la main. « J'aurais dû me douter que ce projet de villa en Espagne était trop beau pour être vrai. On ne l'a même pas vue en photo. Juste ce fax incomplet.

— Amanda…

— Nous aurions dû aller au Club Med. Avec le Club Med, au moins, on est tranquille, on sait à quoi s'attendre. Et si on ne réussit pas à trouver cet endroit, qu'est-ce qu'on va faire ?

— Attends. » Hugh ralentit. « Ah ah ! Je crois bien que c'est là qu'on doit tourner. »

Le silence se fit. La voiture quitta la route principale pour s'engager dans un chemin plus étroit, où les ajoncs rabougris cédaient peu à peu la place aux oliviers et aux citronniers. Ils longèrent un groupe de maisons minuscules, puis d'élégantes grilles bleues équipées d'une caméra de surveillance.

« La villa del Serrano est la première maison après les grilles bleues », lut Hugh à haute voix. Quelques centaines de mètres plus loin, il stoppa devant un petit panneau. Personne ne pipa mot tandis qu'ils approchaient lentement de deux hautes grilles en fer forgé, aux pointes dorées, minutieusement ouvragées.

Le nom de la villa était gravé sur un écriteau de pierre : « Villa del Serrano », lut Hugh, puis il se retourna et sourit aux enfants. « Ça y est, nous sommes arrivés. Ça va, Beatrice, Octavia ?

— On a une clé pour entrer ? s'enquit Amanda.

— Pas de clé, non. » Hugh sortit de sa poche un boîtier électronique. Il appuya sur une touche et, après quelques secondes d'un silence angoissant, les grilles s'ouvrirent enfin.

« Oh là là ! murmura Jenna en admirant la vue qui s'offrait à eux. Incroyable ! »

Une majestueuse allée bordée de cyprès et de palmiers se terminait en demi-cercle devant la maison. La façade, toute blanche, ornée de balcons en fer forgé, était surmontée par un toit de tuile. D'énormes pots en terre cuite contenant des plantes à fleurs blanches étaient placés à intervalles réguliers le long du demi-cercle, d'où partaient plusieurs allées pavées menant à des pelouses ombragées. Au loin on apercevait l'eau bleue d'une piscine.

Hugh s'arrêta devant le porche à colonnes, qu'ils contemplèrent tous en silence pendant quelques minutes. Puis, tout à coup, Hugh ouvrit sa portière.

L'air, brûlant et parfumé, pareil à un bain chaud, contrastait avec l'atmosphère glacée de la voiture.

« On entre ? dit-il.

— Oui, répondit Amanda avec une nonchalance affectée. Pourquoi pas ? »

Hugh sortit la clé de sa poche et l'inséra dans la serrure de la lourde porte. Dès qu'il ouvrit, un son aigu se déclencha.

« Merde, l'alarme ! » Il fonça vers la voiture, cligna des yeux à cause du soleil et revint en courant, la feuille d'instructions de Gerard à la main. « OK, le placard sur la droite… 35462… *enter*. » Il composa les chiffres avec soin et, quelques instants plus tard, l'alarme se tut. Hugh s'éloigna du placard et regarda enfin autour de lui.

Le grand hall de marbre qui les entourait était meublé d'une table ronde en bois foncé. Devant eux, un double escalier en courbe conduisait à une galerie. Au-dessus de leurs têtes, le haut plafond en forme de coupole était peint de nuages en trompe-l'œil. Hugh croisa le regard stupéfait d'Amanda et ses lèvres esquissèrent un sourire.

Ce fut plus fort que lui. « Alors, Amanda, tu regrettes encore qu'on ne soit pas allés au Club Med ? »

Ils s'étaient arrêtés une fois de plus parce que Nat était malade. Accroupi au bord de la route à côté de l'enfant, tout en lui prodiguant des paroles réconfortantes, Philip avait jeté un coup d'œil sur sa montre. Près de deux heures et demie qu'ils étaient sur la route : une heure de plus que le temps indiqué par Gerard. Après avoir quitté l'aéroport, ils s'étaient perdus et avaient pris la route de la côte, dans la direction opposée. Ils ne s'étaient aperçus de leur erreur qu'en arrivant dans une station touristique fréquentée par des Anglais qui exhibaient leurs coups de soleil en mangeant des hamburgers.

Chloe, d'un optimisme inébranlable, avait gardé son calme quand Philip avait calé en essayant de faire demi-tour, et avait souri lorsqu'un chauffeur de camion espagnol s'était penché à la vitre de sa cabine pour leur lancer des insultes incompréhensibles. Comment pouvait-elle rester de bonne humeur ? se demandait Philip, qui bouillait intérieurement – contre lui-même, contre les indications peu claires de Gerard, contre ce fichu pays, si chaud, si sec, si étranger.

Il se désintéressa de la montagne devant lui. Ce n'était pas un beau paysage, pensa-t-il non sans mauvaise foi. Le vert de ces montagnes n'était qu'une illusion : de près, elles étaient arides, pelées, et semblaient à l'abandon. Il ne voyait autour de lui que rivières à sec, rochers en surplomb, rare végétation qui luttait pour survivre.

« Ça va mieux, dit Nat en se redressant. Je crois.

— Bon. Tant mieux. » Philip mit un bras autour des épaules du petit garçon et l'étreignit.

« Nous allons attendre quelques minutes avant de repartir. » Il se tourna vers Chloe, qui, appuyée contre la carrosserie, étudiait les instructions de Gerard. « On est encore loin, à ton avis ?

— Pas très. Il faut que nous trouvions un petit village du nom de San Luis. » Elle releva la tête, l'air ravie. « Cette villa doit être extraordinaire. Quatre chambres, un parc de un hectare, et une plantation de citronniers !

— Formidable.

— Oh là là ! continua Chloe, un rire dans la voix. Les vitres sont à l'épreuve des balles !

— Quoi ? » Philip la regarda avec étonnement. « Tu es sûre ?

— C'est ce qui est marqué. Et le système d'alarme est relié au commissariat de police du coin. Nous ne risquons pas d'être dérangés par des importuns.

— Typique de Gerard, grommela Philip. Pourquoi a-t-il besoin de tout ça ?

— Il craint peut-être les représailles d'un marchand de vins, plaisanta Chloe. Ou bien quelqu'un a lancé un contrat contre lui.

— Dis plutôt que c'est de la mégalomanie. »

Chloe reposa la feuille de papier et leva sur Philip ses yeux clairs.

« Tu ne l'aimes vraiment pas, hein ?

— Mais si !

— Non. Tu ne l'as jamais aimé.

— C'est juste que… Je ne sais pas. Il se croit toujours tellement drôle, tellement spirituel.

— Il l'est. Son métier consiste précisément à être drôle et spirituel.

— Pas aux dépens des autres », répliqua-t-il, les yeux fixés sur un rocher, au loin.

Chloe soupira. « C'est sa façon d'être. Il n'est pas méchant.

— Il ne devrait pas se moquer de ton métier, s'obstina Philip.

— Tu es trop sensible ! Il ne se moque pas. Pas vraiment. » Elle lui sourit. « Il nous prête gratuitement sa villa, non ?

— Je sais. C'est très gentil de sa part.

54

— Alors… merci, Gerard.

— Merci, Gerard », répéta Philip, puis il regarda ailleurs.

Chloe et lui ne tomberaient jamais d'accord sur ce Gerard Lowe, délicieusement étourdi et distrait. Oui, l'homme était charmant. Oui, c'était un hôte notoirement généreux, qui régalait ses invités de mets délicats, de vins fins et de potins croustillants. Pourtant, d'après Philip, un regard d'aigle se cachait derrière sa bonhomie – un œil qui cherchait la faille, la vulnérabilité. Tout le monde adorait se faire insulter par Gerard, cela faisait partie du jeu, du divertissement. Mais, même quand la victime riait sans pouvoir se défendre, une certaine lueur dans les yeux, une rougeur sur les joues indiquaient que Gerard avait touché juste.

Pour Chloe, bien entendu, ses taquineries étaient hilarantes. Elle connaissait Gerard depuis si longtemps qu'elle ne voyait ni ses mauvais côtés ni ce qu'il était devenu. Gerard la traitait avec une sorte de possessivité puérile qui la flattait. Quand il l'appelait « ma petite chérie » et la tenait par la taille avec des airs de propriétaire, elle riait et trouvait cela charmant. Philip, lui, trouvait cela répugnant.

« Quoi qu'il en soit, dit-il en se tournant vers elle, on y va.

— Absolument, répondit Chloe, qui regarda la route en clignant des yeux. Ça ne peut pas être bien loin, maintenant. C'est bon, Nat ? En voiture ! » La portière claqua, et Chloe sourit à Philip. « Tu te rends compte, nous sommes presque arrivés. Je ne peux pas y croire. »

Il y avait dans la voix de Chloe une telle impatience, un tel espoir que Philip eut soudain honte de sa mauvaise humeur. Elle méritait ces vacances, elle avait besoin de se reposer, de s'évader. Il était injuste avec elle, injuste avec eux tous.

« Nous y sommes presque, répéta-t-il en écho, et il s'approcha d'elle. Génial, non ?

— Tu le penses vraiment ? » Elle le regarda dans les yeux. Tous les problèmes qui existaient entre eux étaient contenus dans ce regard. « Tu es content d'être ici ?

— Bien sûr », répondit-il. Il l'attira contre lui, l'embrassa et la serra fort dans ses bras. « Bien sûr que je suis content. Nous allons passer quelques jours merveilleux. »

Hugh était installé sur une chaise longue, au bord de la piscine, un journal et un verre de bière à portée de main. Il fallait rendre justice à Gerard, l'endroit était spectaculaire : une immense terrasse recouverte de tomettes, entourée de gigantesques palmiers et de pelouses parfaitement entretenues. La piscine s'incurvait légèrement pour former un pont, d'où l'eau tombait en cascade dans un autre bassin moins profond, situé en contrebas. Au-delà de la piscine, une longue balustrade en fer forgé et, encore au-delà, rien – rien que les montagnes et le ciel bleu.

L'intérieur de la villa était également somptueux : un vaste salon, une salle à manger imposante, une cuisine au sol en ardoise, prolongée par un jardin d'hiver couvert de vigne. Le tout splendidement décoré. Il n'y avait que quatre chambres, avait souligné Amanda, moins qu'on aurait pu le supposer dans une maison de cette taille. De toute façon, avait rétorqué Hugh, quatre chambres leur suffisaient. Tout était donc pour le mieux.

De plus, la cuisine regorgeait de nourriture – des aliments de choix : fruits de mer déjà préparés, charcuterie et fromages du pays, vins fins, coupes débordant de fruits. Devant le réfrigérateur archiplein, Amanda était restée ébahie.

« Jus d'ananas, avait-elle énuméré d'un air incrédule en comptant sur ses doigts, fruits de la Passion, jus de pomme, jus d'orange, jus de canneberges. Quelqu'un veut du jus de fruits ? » avait-elle ajouté avec un petit rire.

Hugh avait choisi une bière et était sorti au soleil.

Il prit son verre, avala une gorgée, puis tourna une page de son journal. Le titre d'un article qu'il avait déjà lu lui tomba sous les yeux. Par paresse plus que par intérêt, il se mit à le relire, comme pour glaner des informations qui lui auraient échappé.

Il entendit un trottinement et releva la tête. Beatrice, en maillot de bain, flotteurs et tongs, s'approchait de la piscine. Le corps enduit d'écran total, elle aspirait à l'aide d'une paille un jus d'orange en boîte.

« Hello ! fit Hugh par-dessus son journal. Tu vas nager ?

— Oui, répondit Beatrice, et elle s'assit au bord de l'eau.

— Est-ce que… tu veux te baigner avec papa ? »

Il posa son journal, se leva et tendit la main à sa fille, qui l'ignora.

« Viens, Beatrice, insista-t-il d'un ton câlin. Allons nager ensemble.

« — Je veux y aller avec maman.

— On pourrait juste…

— Non ! pleurnicha l'enfant quand Hugh voulut la prendre par la main. Je veux y aller avec maman !

— Bon, bon, fit Hugh avec un sourire faussement décontracté. Attendons maman, alors.

— Beatrice ? appela la voix inquiète d'Amanda, à l'autre bout de la terrasse. Beatrice, où es-tu ?

— Elle est ici, répondit Hugh. Tout va bien. »

Amanda apparut, tenant Octavia par la main. Elle s'était changée et portait un minuscule slip de bikini blanc, des tongs ornées de perles, et un tee-shirt moulant blanc.

« Beatrice, n'embête pas papa, dit-elle sèchement.

— Pas de problème, affirma Hugh.

— Je lui ai demandé de rester avec moi en attendant que je sois prête.

— Où est Jenna ? N'est-elle pas censée te donner un coup de main ?

— Elle range les affaires des enfants. »

Amanda lâcha la main d'Octavia, jeta une serviette sur une chaise longue et enleva son tee-shirt. Ses seins nus étaient fermes et bronzés, sans la moindre marque de bretelles, son ventre était plat, son dos et ses membres musclés. Avec ses cheveux courts qui brillaient au soleil, elle ressemblait à une Amazone, pensa Hugh.

« Tiens, dit-elle à Octavia, en sortant quatre clémentines de son sac. Et voilà pour toi, Beatrice. Allez les manger sur l'herbe et mettez les pelures dans ce sac. Et ne courez pas. »

Les deux petites filles trottèrent jusqu'à un endroit à l'ombre, s'assirent dans l'herbe et commencèrent à peler leurs clémentines. Amanda les surveilla quelques instants, comme prête à leur lancer d'autres ordres ou à les critiquer, puis elle poussa un soupir et revint vers sa chaise longue.

« Eh bien, lui dit Hugh quand elle s'assit, nous voici enfin en vacances. L'endroit n'est pas trop mal, qu'en penses-tu ?

— C'est bien », répondit Amanda, une dernière pointe de réticence dans la voix. Elle attrapa un livre de poche dans son sac et l'ouvrit à la bonne page. « Dommage qu'il n'y ait pas un court de tennis…

— Ce qui compte, c'est que nous avons tout l'espace pour nous, remarqua Hugh. On peut faire ce qu'on veut, on n'a à se soucier de personne. »

Il but une gorgée, posa son verre par terre, puis se mit à caresser doucement le sein nu d'Amanda.

« Hugh, protesta-t-elle avec un regard en direction des enfants.

— Ne t'inquiète pas, elles ne nous voient même pas. »

Il effleura le large mamelon brun, qui durcit légèrement sous ses doigts. Il guetta une réaction sur le visage de sa femme, mais les yeux d'Amanda étaient dissimulés derrière des lunettes de soleil et, sous le brillant à lèvres, pas le moindre frémissement ne parcourut sa bouche.

Que pouvait-elle bien éprouver, au-delà de cette enveloppe de perfection ? s'interrogea Hugh. La passion était-elle toujours là, derrière ce masque impassible, sous ces muscles bien dessinés ? Ou bien toute sensibilité avait-elle disparu de cette peau soigneusement entretenue ?

Hugh avait récemment entendu Amanda confier au téléphone à une amie qu'elle se forçait à moins sourire, afin d'éviter les rides. Cette insensibilité feinte s'appliquait-elle aussi aux relations sexuelles ? Il n'en savait rien.

« Hugh… » marmonna Amanda en s'écartant de lui.

Il fallait reconnaître que les signes n'étaient guère favorables. Elle paraissait plutôt agacée et désireuse de reprendre sa lecture. Mais il s'en fichait. Il était en vacances et il avait envie de faire l'amour.

« Allons faire une sieste, murmura-t-il, tandis que ses doigts effleuraient les seins d'Amanda, puis descendaient le long de son ventre et trituraient le bord du maillot.

— Ne dis pas de bêtises. Nous ne pouvons pas nous éclipser comme ça.

— On a engagé une baby-sitter exprès, riposta Hugh en attrapant avec les dents les attaches du bikini.

— Hugh… protesta-t-elle. Hugh, arrête ! J'entends un bruit.

— Rentrons à l'intérieur, dans ce cas, chuchota-t-il en relevant la tête. Nous ne serons pas dérangés.

— Non, arrête ! » Elle s'écarta brusquement. « Écoute. Je t'assure, j'entends un moteur. »

Hugh s'immobilisa et écouta. Au-delà des arbres était perceptible le bruit caractéristique d'une voiture qui venait dans la direction de la villa.

« Ça se rapproche », dit Amanda, qui se redressa et enfila son tee-shirt. « Qui cela peut-il bien être ?

« — La femme de ménage, sans doute. Ou le jardinier.

— Eh bien, va voir, et assure-toi qu'ils sont au courant de notre présence ici. Vas-y ! » Et elle lui donna une petite tape.

Une allée pavée, bordée de plantes luxuriantes, contournait la maison. Hugh sentit la chaleur et le grain de la pierre sous la plante de ses pieds nus. Tout en marchant, il ferma les yeux. L'odeur d'un genévrier, le parfum insolite de l'air envahirent ses narines.

Quand il déboucha dans l'allée circulaire, devant la villa, il aperçut une voiture de location, garée de l'autre côté. Le conducteur – un homme aux cheveux frisés, qui portait un short kaki froissé et un polo vert – sortit du véhicule. En voyant Hugh, il eut un mouvement de surprise. Il se pencha et dit quelque chose aux autres passagers, puis traversa lentement l'allée.

« *Perdona, por favor...* dit-il avec un accent anglais. *Me dice por donde se... se...*

— Vous êtes anglais ? questionna Hugh.

— Oui ! répondit l'homme, soulagé. Excusez-moi de vous déranger. Je cherche une villa. Je croyais être arrivé au bon endroit, mais... » Il regarda Hugh, puis l'Espace garée devant l'entrée de la maison. « De toute évidence, ce n'est pas ici. » Il soupira et se passa la main sur le visage. « Les indications qu'on nous a données n'étaient pas très claires. Je suppose que vous ne connaissez pas le coin ?

— Hélas, non. En fait, nous avons eu du mal à trouver les lieux.

— Attendez une seconde. » L'homme retourna à sa voiture et parla un instant avec quelqu'un. Puis il se redressa et revint vers Hugh, avec une expression différente. « C'est pourtant vrai, dit-il.

— Quoi donc ?

— Nous devons être au bon endroit, on nous a remis un boîtier électronique pour ouvrir la grille. » Il jeta un coup d'œil autour de lui. « Il y a deux villas, ici ? »

Un bruit derrière Hugh attira son attention. Amanda approcha et s'enquit, glaciale : « Que se passe-t-il ? Qui sont ces gens ?

— Ils essaient de trouver leur lieu de vacances. » Hugh se tourna vers le nouvel arrivant. « Quel est le nom de la villa que vous cherchez ?

— Villa del Serrano. »

Un silence accueillit sa réponse.

« Vous êtes à la villa del Serrano, dit enfin Amanda. Mais le propriétaire nous l'a prêtée pour la semaine. Votre agence de voyages a dû faire une erreur.

— Nous ne sommes pas passés par une agence de voyages. Nous connaissons le propriétaire, nous aussi. C'est un ami de longue date de ma femme. Gerard Lowe. Il nous a dit que nous pourrions séjourner ici du 24 au 31. »

Hugh et Amanda échangèrent un regard.

« Je ne pense pas que ce soit possible, répondit Amanda en pesant ses mots, car Gerard *nous* a prêté sa villa à partir du 24. C'était prévu depuis longtemps. » Elle adressa à l'inconnu un sourire suave. « Mais je suis certaine que vous trouverez une autre solution...

— Pour nous aussi, c'était prévu depuis long-temps, affirma-t-il. Depuis très longtemps, même. » Il dévisagea Hugh, puis Amanda. « Vous ne vous seriez pas trompés de date, par hasard ?

— Je ne crois pas, répondit Amanda avec ama-bilité. On nous a dit à partir du 24, il n'y a aucun doute à ce sujet.

— Nous aussi. À partir du 24.

— Nous avons un fax, assura Amanda, imper-turbable, sortant son atout.

— Nous aussi, s'obstina l'homme. Un fax avec toutes les indications. Et une lettre de confirmation. »

Il retourna à sa voiture et revint en brandissant les documents. Amanda les parcourut d'un air dédaigneux, comme si c'étaient des faux.

« Jette un coup d'œil, Hugh. Il y a sûrement une erreur. Une confusion ou... » Elle sourit. « Les vacances ont toujours leurs aléas.

— Sans doute, dit l'homme, peu convaincu.

— Pouvons-nous vous offrir à boire, le temps de résoudre ce problème ? Un jus d'orange ? Ou quelque chose de plus fort, peut-être ?

— Non, merci. C'est très gentil mais, tant que les choses ne seront pas éclaircies, je préfère... » Il laissa sa phrase en suspens et mit les mains dans les poches de son short.

Hugh examina les papiers, tourna une page, fronça les sourcils, revint en arrière.

« Bon sang ! s'exclama-t-il, tandis que son regard passait d'une feuille à l'autre. Quel sacré... » Il releva la tête et s'adressa à Amanda. « Il a raison, tu sais.

— Comment ça, il a raison ? s'étonna-t-elle, sans cesser de sourire mais avec une pointe d'agacement dans la voix. Qui a raison, d'abord ?

— Les dates sont bien les mêmes. » Hugh hocha la tête. « Gerard a prêté sa villa la même semaine.

— Quoi ?

— Il a promis sa maison… à nous… et à eux. À monsieur…

— Murray. Ainsi qu'à ma compagne et à nos deux fils. » Il désigna la voiture mais, à cause du reflet du soleil sur les vitres, Hugh et Amanda ne purent voir les occupants. « L'un d'eux est un adolescent », précisa-t-il. Ce détail était-il censé améliorer ou aggraver les choses, Hugh n'aurait su le dire.

Pendant le silence qui suivit, chacun imagina les conséquences de la situation. Puis Amanda secoua la tête.

« Non, dit-elle. Non, je n'accepte pas ça. Il n'en est pas question.

— Au fond, ça ne m'étonne pas de Gerard, dit Philip. Cela lui ressemble bien, il est tellement imprécis. J'aurais dû me douter qu'un incident de ce genre se produirait. » Il esquissa un geste en direction de la voiture. « Qu'est-ce que nous allons faire, maintenant ?

— Nous allons téléphoner à Gerard, riposta Amanda en saisissant le fax que son mari tenait à la main. Nous allons l'appeler immédiatement et lui dire notre façon de penser. C'est inadmissible ! » Elle se tourna vers Philip. « Voulez-vous venir lui parler, vous aussi ?

— Oui, pourquoi pas ? répondit-il avec un haussement d'épaules. Mais cela servira-t-il à quelque chose ?

— Il n'aura qu'à nous installer à l'hôtel, votre famille ou la nôtre, ou bien trouver une autre solution ! »

Amanda se dirigea vers la maison et, après un instant d'hésitation, Philip la suivit.

« Je m'appelle Philip, à propos.

— Moi, Amanda.

— Et moi, Hugh.

— Philip ? » appela une voix féminine.

Ils tournèrent tous trois la tête. La portière avant de la voiture s'ouvrit et ils virent descendre une jeune fille – une jeune femme, plutôt –, mince, blonde, qui portait une robe de coton et regardait Philip en levant les sourcils.

Hugh sentit son corps tout entier se raidir sous le choc.

« Que se passe-t-il ? demanda Chloe à Philip. Nous ne sommes pas au bon endroit ?

— Si, mais Gerard s'est complètement trompé, il a promis la villa pour la même semaine à d'autres personnes. Nous allons l'appeler tout de suite, ce ne sera pas long.

— Je vois, fit Chloe. Dans ce cas… OK. »

Philip et Amanda s'éloignèrent. C'est seulement lorsqu'ils eurent disparu à l'intérieur de la villa que Chloe tourna la tête et dévisagea Hugh. Il la regarda à son tour, incapable de prononcer une parole, le cœur battant à se rompre. La lumière du soleil qui jouait à travers les arbres formait des taches sur le visage de Chloe, rendant son expression indéchiffrable.

« Bonjour, dit-elle enfin.

— Bonjour, répondit-il, la gorge serrée. Ça fait longtemps… »

4

Debout à côté d'Amanda, Philip n'écoutait pas vraiment la conversation téléphonique. Il contemplait les lieux autour de lui, non sans surprise. La villa était beaucoup plus grande qu'il ne l'avait imaginé. Beaucoup plus luxueuse. L'allée, déjà, était imposante, mais ce hall de marbre, avec son escalier majestueux et sa galerie à l'étage, quel spectacle ! Après le trajet interminable et la chaleur torride, c'était un havre de paix et de fraîcheur.

« Là n'est pas le problème, je le crains. » La voix sonore d'Amanda interrompit ses pensées et, légèrement coupable, il se força à se concentrer. « Le problème, c'est que nous sommes là, maintenant. Oui, je me doute que vous êtes mortifié, mais qu'est-ce que vous comptez faire ? » Elle s'attarda quelques instants encore, puis soupira avec impatience et tendit le récepteur à Philip. « Essayez, vous. Il est d'un vague… ajouta-t-elle à voix basse.

— Allô ? dit Philip d'un ton circonspect. Gerard ? Philip au téléphone.

— Philip ! répondit une voix grave et chaude. Comment allez-vous ?

— Bien, merci. Gerard, je ne sais pas si Amanda vous a expliqué ce qui s'est passé…

— Oui, oui. Vous savez, je n'y comprends rien. Cela me ressemble si peu de faire ce genre d'erreur. Vous êtes vraiment sûr que c'est la bonne semaine ?

— Absolument sûr.

— Eh bien, franchement, c'est incroyable. Je suis très contrarié par cette histoire.

— Le problème, c'est que…

— Vous croyez que j'ai la maladie d'Alzheimer ? Il paraît que ça commence par des distractions de ce genre. Peut-être que j'ai eu des absences sans m'en rendre compte.

— Peut-être, oui. » Philip croisa le regard d'Amanda et ébaucha un geste d'impuissance. « Le problème…

— J'ai perdu connaissance, le mois dernier, de façon tout à fait imprévisible. Ça pourrait être lié, vous pensez ? »

Par-dessus l'épaule d'Amanda, Philip vit s'ouvrir la lourde porte d'entrée. Chloe pénétra dans le hall, les sourcils levés. Philip répondit à son interrogation muette par un haussement d'épaules.

« Le problème, Gerard, reprit-il, interrompant le flot de paroles de son interlocuteur, c'est : qu'allons-nous faire ? Faut-il que les uns ou les autres partent s'installer à l'hôtel ?

— À l'hôtel ? Mon pauvre ami, mais la saison touristique bat son plein ! Vous ne dénicherez jamais une chambre de libre. Non, vous allez être obligés de passer vos vacances à la villa.

— Quoi ? Tous ?

— Vous n'êtes pas si nombreux que cela, n'est-ce pas ? Je suis certain que vous allez trouver un compromis. La femme de ménage viendra jeudi…

— Gerard, je ne crois pas que…

— Vous vous débrouillerez très bien ! Et n'hésitez pas à puiser dans la cave. Chloe est-elle là ?

— Oui, vous voulez lui parler ?

— Non, ce n'est pas la peine. À vrai dire, il faut que je parte, je dois assister à un récital de clarinette et je suis retard. J'espère que tout se passera bien. *Adios !* »

Sur ces mots, Gerard raccrocha. Un peu perplexe, Philip contempla le téléphone.

« Alors ? s'enquit Chloe.

— Eh bien… apparemment nous sommes coincés. D'après Gerard, nous n'aurons pas de chambre d'hôtel à cette époque de l'année. Donc, il ne nous reste plus qu'à… trouver un compromis, ce sont ses mots.

— Trouver un compromis ? répéta Amanda avec méfiance. Qu'est-ce qu'il entend par là ?

— Je l'ignore. Il n'est pas entré dans les détails.

— S'est-il excusé ? interrogea Chloe.

— Euh… il a dit qu'il était désolé, mais, pour être franc, je l'ai senti davantage préoccupé de savoir s'il avait la maladie d'Alzheimer.

— La maladie d'Alzheimer ?

— Son discours était totalement incohérent.

— Si vous voulez mon avis, lança Amanda d'un ton tranchant, ce type est la pagaille incarnée. Il lance des invitations comme un grand seigneur et, quand les choses tournent mal, il s'en lave les mains.

Qu'est-ce qu'on est censés faire ? Dormir tous ensemble ? » La voix d'Amanda vibrait d'indignation. « De toute façon, il n'y a pas de place, sans compter le reste. »

La porte s'ouvrit, laissant s'engouffrer un instant le soleil et la chaleur, puis se referma sur Hugh. Celui-ci regarda tour à tour chacune des personnes présentes, puis le téléphone, toujours dans la main de Philip.

« Alors, on a trouvé une solution ? interrogea-t-il.

— Pas vraiment, répondit Philip. Apparemment, Gerard n'était pas au courant.

— Ou il s'en fiche, renchérit Amanda. En gros, nous sommes condamnés à rester ici tous ensemble. » Elle dévisagea Chloe. « Non que j'aie quelque chose contre vous, naturellement... vous avez l'air très sympathiques, et je ne voudrais pas sous-entendre que...

— Non, bien sûr, fit Chloe avec un tic nerveux au coin de la bouche.

— Mais vous comprenez ce que je veux dire.

— Oui, je comprends. »

Hugh regarda Chloe, puis se tourna vers Amanda. « Peut-être pourrions-nous trouver un hôtel.

— Oui, mon chéri. Excellente idée. Tu te rappelles à quelle époque de l'année nous sommes ? Si tu réussis à trouver de la place pour nous cinq dans un hôtel, sans avoir réservé...

— Bon, bon, d'accord, marmonna Hugh, un peu irrité. Dans ce cas... l'une des deux familles devrait peut-être rentrer en Angleterre, et laisser l'autre seule ici.

— Rentrer en Angleterre ? s'écria Amanda, horrifiée. Hugh, tu te rends compte de l'état de la maison ? On pose aujourd'hui même le nouveau carrelage de la cuisine.

— Il n'est pas question que nous retournions en Angleterre, affirma Chloe posément. Nous avons besoin de ces vacances. » Elle traversa le hall et s'assit sur la troisième marche de l'escalier, comme pour affirmer une revendication. « Nous en avons besoin, et nous n'y renoncerons pas. » Sa voix résonnait sous le dôme et ses yeux brillaient dans la pénombre.

« Vous avez des métiers très stressants ? interrogea Amanda en la dévisageant avec un intérêt nouveau. « Que faites-vous ?

— Je refuse de parler travail cette semaine, répliqua Chloe, tandis que Philip ouvrait automatiquement la bouche pour répondre. Nous avons décidé de bannir ce sujet de nos conversations. Nous sommes venus ici pour ne plus penser à tout cela, pour couper avec le quotidien.

— Et, au lieu de ça, vous tombez sur nous, commenta Hugh après un bref silence. Je suis désolé, ajouta-t-il en inclinant la tête.

— Ce n'est pas à nous de nous excuser, protesta Amanda, mais à Gerard ! Je ne lirai plus jamais sa chronique. En fait, je suis décidée à boycotter son "vin du mois". » Elle se tourna vers Chloe : « Je vous suggère d'en faire autant.

— De toute façon, ses "vins du mois" sont trop chers pour nous, dit Philip. Tout ça, c'est du snobisme.

— Je suis bien d'accord, renchérit Hugh. Je n'ai

jamais eu une haute opinion de lui. Pas en tant que critique de vins, en tout cas.

— Quels sont donc vos liens avec lui ? interrogea Philip. Pas le vin, manifestement. Êtes-vous un ami à lui ?

— Nous étions à la fac ensemble. Nous avions perdu contact depuis longtemps, et nous nous sommes revus par hasard. Il semblait très désireux de renouer notre ancienne amitié.

— Oh, Gerard adore rassembler ses ouailles autour de lui, commenta Philip d'un ton sarcastique. Vous allez être submergés d'invitations, maintenant. Il organise une réception environ une fois par mois.

— Vous voulez dire que nous jouons les figurants ? demanda Hugh avec un petit rire. Des amis de seconde zone ?

— Non, répliqua Chloe en lançant un regard réprobateur à Philip. Ce n'est pas juste. Gerard n'est pas comme ça. Pas avec ses vrais amis. »

Philip haussa les épaules, se dirigea vers une des grandes portes-fenêtres et contempla l'allée en demi-cercle.

« Et vous deux ? interrogea Amanda en désignant Hugh et Chloe. Si vous êtes l'un et l'autre des amis de Gerard, vous êtes-vous déjà rencontrés ? »

Il y eut un silence.

« Nous avons dû nous croiser une fois ou deux, répondit Chloe d'un ton vague. Je ne me souviens pas. » Elle cligna des paupières. « Et vous, Hugh ?

— ... Non, dit-il après une légère hésitation. Non, je ne me rappelle pas.

— Très beau, ce parc, apprécia Philip, qui s'était perdu dans la contemplation du paysage. Cet

72

endroit est superbe ! » Il se retourna et croisa les bras. « Eh bien, vous nous faites visiter les lieux ? »

Tandis qu'Amanda les conduisait d'une pièce à l'autre, Chloe traînait en arrière et regardait, sans vraiment les voir, les tapis, les vases et les tentures. Le premier choc passé, elle ressentait maintenant une colère grandissante contre la situation, contre tous les autres, contre elle-même en train de suivre cette ridicule procession. Chaque fois que ses yeux se posaient sur Hugh, un sentiment d'incrédulité quasi vertigineux s'emparait d'elle à l'idée qu'ils se retrouvaient là, tous les deux, dans ces circonstances grotesques, et faisaient semblant de ne pas se connaître. Cela lui donnait presque envie de rire. Pourtant, tout au fond d'elle-même, des émotions plus anciennes commençaient à se réveiller.

« Et voici la chambre principale », indiqua Amanda en s'effaçant pour les laisser passer.

Chloe, sans un mot, inspecta la pièce. Au milieu trônait un immense lit à baldaquin, dont les colonnes en acajou étaient tendues d'un épais tissu aux tons pastel. Dans l'embrasure de la fenêtre, un sofa sur lequel étaient empilés des coussins de style oriental. De chaque côté du lit, des étagères couvertes de livres reliés en cuir ; sur le mur opposé, un miroir doré. La porte-fenêtre, entourée de plantes grimpantes agréablement parfumées, ouvrait sur un grand balcon avec des ficus dans des pots vernissés, et des sièges de bambou disposés autour d'une table de verre.

Par terre, au pied du lit, deux valises, vides. En passant devant la penderie, Chloe remarqua qu'elle était remplie de vêtements. Elle contempla de nouveau le lit, tourna la tête et croisa le regard de Hugh. Malgré elle, elle sentit le rouge lui monter aux joues et détourna aussitôt les yeux.

« Vous vous êtes installés ici, je suppose, dit-elle à Amanda.

— Euh… fit Amanda, sur la défensive. Évidemment, nous avons défait nos bagages ici…

— Mais nous ne sommes pas obligés de garder cette chambre, affirma Hugh. Ce n'est pas plus notre chambre que la vôtre.

— En effet, acquiesça Amanda après un court silence. Nous pouvons facilement changer. Très facilement.

— Sans aucun problème, renchérit Hugh.

— Non, je vous en prie, restez ici, répondit Chloe. Après tout, vous êtes arrivés les premiers, et vous avez déjà déballé vos affaires…

— Cela ne signifie rien, protesta Hugh. Et cela nous est égal de dormir dans une chambre ou dans une autre. N'est-ce pas, ma chérie ?

— Naturellement, mon chéri, assura Amanda avec un sourire un peu crispé. Cela ne nous dérange pas du tout.

— Nous non plus, dit Chloe. Franchement…

— Nous allons tirer à pile ou face, décida Hugh avec fermeté. C'est la solution la plus juste, non ?

— Oui, je suis d'accord, approuva Philip.

— Non, arrêtez, s'interposa Chloe au vu de l'expression figée d'Amanda. Peu importe dans quelle chambre nous dormons… »

Mais Hugh avait déjà lancé une pièce en l'air.

« Pile », annonça Philip au moment où la pièce atterrissait sur le sol carrelé.

Hugh se baissa pour la ramasser. « Pile. Vous avez gagné. Sans conteste. »

Il y eut un silence gêné.

« Bien, trancha enfin Amanda. Parfait. Nous allons remballer nos affaires...

— Ne vous pressez pas, je vous en prie, dit Chloe.

— Oh, ce n'est pas un problème. Je suppose que vous avez hâte de défaire vos bagages, et je ne voudrais pas vous retarder. »

Amanda se dirigea vers la penderie et, avec des gestes saccadés, commença à sortir les vêtements suspendus aux cintres. Chloe jeta un coup d'œil à Philip et fit la grimace.

Philip toussota. « Euh... à propos, combien y a-t-il de chambres, exactement ?

— Seulement quatre, répondit Amanda sans se retourner. Hélas.

— Donc... si nos deux garçons occupent une chambre, et vos deux filles une autre chambre... le problème sera résolu, non ?

— En fait, nous avons emmené une baby-sitter avec nous, indiqua Hugh.

— Oh, dit Philip, surpris.

— Évidemment, marmonna Chloe en se détournant.

— Elle n'a pas besoin d'une chambre pour elle seule, intervint Amanda en lançant une pile de tee-shirts dans sa valise. Elle pourra dormir avec les filles. Ou dans la petite pièce, à l'arrière de la maison. Il y a un canapé.

— Vous êtes sûre ? s'inquiéta Philip. Elle n'y verra pas d'inconvénient ?

— Elle n'est pas payée pour avoir des états

75

d'âme, répliqua sèchement Amanda. De toute façon, ces Australiennes sont des dures à cuire. Une fois, j'avais engagé une fille…

— Amanda… l'interrompit Hugh pour attirer son attention.

— Quoi ? » Amanda fit volte-face et aperçut Jenna. « Ah, Jenna, dit-elle sans se démonter. Nous parlions justement de vous. »

Philip et Chloe échangèrent un regard.

« Je suis venue chercher de la crème solaire pour les enfants », expliqua Jenna, puis elle regarda Philip et Chloe. « Nous avons de la visite ?

— Il y a eu un petit… changement d'organisation, répondit Hugh, embarrassé. Il se trouve que ces personnes, Philip et Chloe, vont passer eux aussi la semaine à la villa.

— Ah bon ? s'étonna gaiement Jenna. Super ! Plus on est de fous, plus on rit.

— Euh… oui, balbutia Hugh. Le seul problème, c'est… les chambres. Ils ont deux garçons, et… en tout, il n'y a que quatre chambres. »

Un silence tendu suivit ses paroles. Philip se passa la main sur le front et regarda Chloe, qui leva les sourcils. La seule personne qui ne paraissait pas gênée était Amanda.

« Oh, je comprends, s'écria soudain Jenna. Vous attendez que je cède ma chambre à ces personnes. C'est de ça que vous discutiez, n'est-ce pas ? » Elle dévisagea tout le monde d'un air accusateur. « Vous me flanquez à la porte de ma chambre, vous m'obligez à dormir sur le canapé. » Sa mâchoire se crispa. « Réfléchissez bien. S'il n'y a pas assez de chambres, vous devrez m'installer à l'hôtel. »

Les autres se turent, stupéfaits.

« Écoutez-moi bien, objecta enfin Amanda d'un ton furieux. Nous allons mettre les choses au point. Pour commencer…

— Je plaisante ! » lança Jenna, avec un grand sourire, à l'assemblée ébahie. Vous pouvez me mettre où vous voulez. Je peux dormir n'importe où. Ou avec n'importe qui, d'ailleurs. » Elle lança un clin d'œil à Philip, stupéfait, et Chloe réprima un sourire. Jenna saisit un flacon en plastique sur la coiffeuse. « C'est l'écran total ? Bon, alors à plus tard. »

Elle rejeta ses cheveux en arrière et sortit de la chambre d'un pas nonchalant. Les autres se regardèrent, un peu gênés.

« Eh bien, dit Philip au bout d'un moment, elle a l'air… » Il se racla la gorge. « Elle a l'air… amusante. »

Sam et Nat avaient découvert la piscine.

« Waouh ! s'exclama Nat quand ils aperçurent l'eau bleue qui tombait en cascade, ondulant et scintillant au soleil. Waouh !

— Cool, admit Sam en se dirigeant tranquillement vers une chaise longue.

— Cette maison est géniale ! » Nat s'arrêta net en voyant deux petites filles, une centaine de mètres plus loin. Tout à coup, il eut l'impression de pénétrer sans autorisation dans une propriété privée. « C'est qui, à ton avis ?

— J'en sais rien, répondit Sam en croisant les mains sous sa nuque. Qu'est-ce que ça peut faire ? »

Nat regarda son frère, puis les deux fillettes. Elles

étaient plus jeunes que lui, avec des maillots de bain identiques, bleus avec des marguerites. Il reconnut les deux petites filles de l'avion.

« Bonjour, salua-t-il d'un ton prudent en s'adressant à l'aînée. Vous allez nager ?

— On ne doit pas se baigner sans être accompagné par une grande personne, répliqua-t-elle d'un ton sévère.

— OK. De toute façon, je n'ai pas mon maillot. » Nat s'installa avec précaution sur une chaise longue et observa les deux sœurs qui s'asseyaient dans l'herbe. « Tu crois qu'elles habitent ici ? demanda-t-il à voix basse à Sam.

— J'en sais rien.

— Papa et maman font quoi ?

— J'en sais rien. » Sam envoya valdinguer ses chaussures, puis soudain se figea. « Merde, alors ! »

Nat suivit son regard. Une jeune fille était apparue au coin de la maison. La fille avec les cheveux rouges coiffés à la rasta.

« C'est elle ! chuchota Nat. La fille qui a été sympa avec nous ! »

Sam n'écoutait pas. Ébahi, en extase, il contemplait, juste devant lui, la fille aux cheveux rouges qui, sans la moindre gêne, retirait son tee-shirt et dévoilait un corps mince à la peau mate. Elle portait un minuscule bikini noir, un anneau d'argent brillait à son nombril, un serpent tatoué s'enroulait de manière suggestive autour d'une de ses cuisses. Sam sentit un début d'érection ; sans toutefois détourner les yeux, il changea de position. À cet instant, comme si elle lisait dans ses pensées, la fille releva la tête.

« Bonjour, dit-elle aimablement aux deux garçons. Vous n'étiez pas dans l'avion ?

— Si, répondit Nat. On passe les vacances ici. Je m'appelle Nat, et voici mon frère Sam.

— Bonjour, Nat. Bonjour, Sam, fit-elle en fixant sur lui un regard pétillant.

— Bonjour, dit Sam en lui tendant nonchalamment la main. Ça va ?

— Bien, merci. »

Elle se baissa pour ramasser un flacon de crème solaire, sourit aux garçons, puis s'éloigna pour rejoindre les petites filles.

« Alors, vous deux, à qui je vais mettre de la crème en premier ? »

Nat se tourna vers Sam. « Elle est vraiment super, tu ne trouves pas ? » Silence. Nat fronça les sourcils, perplexe. « Sam ?

— Elle n'est pas super, répondit son frère sans bouger la tête. Elle est... c'est une déesse ! » Il contempla encore quelques instants la jeune fille, puis parut reprendre ses esprits. Il se redressa, enleva son tee-shirt, observa avec satisfaction son torse bronzé et musclé, puis sourit à Nat. « Et... » Il s'allongea sur le dos. « Et je l'aurai. »

Le temps de défaire tous les bagages, l'après-midi touchait à sa fin. Debout sur le balcon de la chambre, Chloe admirait la végétation luxuriante et bien agencée du parc. Le soleil s'était couché, la lumière s'était adoucie. Aucun bruit de voix en bas, aucun signe de la présence des autres. Rien que le calme, la paix, la tranquillité.

Pourtant, Chloe était loin d'être sereine ; elle se

sentait au contraire agitée, nerveuse. Tandis que son regard glissait du jardin aux montagnes, à l'arrière-plan, elle éprouva le désir de parcourir ces montagnes, de marcher, marcher sans s'arrêter…

La voix de Philip, derrière elle, la fit sursauter. « Eh bien, qu'en penses-tu ? »

Elle se retourna. « De quoi ?

— De ces vacances. » Philip se passa la main dans les cheveux. « Pas exactement ce que nous avions prévu, n'est-ce pas ?

— Non, répondit Chloe après un court silence. Pas exactement.

— Cela dit, ils ont l'air plutôt agréables. Je pense que nous devrions pouvoir faire avec. »

Chloe garda le silence. Un sentiment qu'elle ne parvenait pas à identifier l'envahissait : agacement contre Philip qui acceptait si aisément la situation, colère à cause de ladite situation, et surtout déception. Elle avait tant compté sur l'oubli que leur procureraient un pays étranger, un environnement différent, une atmosphère autre. Elle avait tant attendu cette occasion, pour elle et pour Philip, d'oublier leurs problèmes, de s'allonger au soleil et de parler, de se redécouvrir eux-mêmes.

Au lieu de cela, ils seraient obligés de jouer un rôle toute la semaine vis-à-vis de l'autre famille. Ils ne pourraient pas discuter ni se comporter avec naturel. Pendant ces huit jours, ils seraient en représentation permanente, ils n'auraient aucune intimité, pas de temps pour eux. À la place de l'évasion tant espérée, ce serait la torture.

Sans compter qu'il ne s'agissait pas exactement d'inconnus. Elle n'aurait même pas le bénéfice de l'anonymat.

Chloe revit en un éclair l'expression stupéfaite de Hugh au moment où elle était descendue de voiture. Elle se toucha le visage, comme pour effacer cette vision, faire taire l'animosité et la curiosité qui commençaient à la démanger. C'était il y a longtemps, se dit-elle avec force. Une éternité. Tous deux étaient devenus différents, aujourd'hui. Il ne la troublait plus. D'ailleurs, ce n'était pas une si grande surprise de le revoir. Après tout, ils vivaient l'un et l'autre à Londres, même si c'était dans des quartiers très éloignés. L'étonnant, c'était qu'ils ne se soient pas croisés plus tôt.

Mais pourquoi fallait-il que cela arrive cette semaine, pendant ces vacances dont Philip et elle avaient un tel besoin ?

« Qu'est-ce qu'on prépare pour le dîner ? » Philip s'accouda au balcon et regarda le paysage. « Je crois que les garçons se débrouillent tout seuls, ils ont trouvé des pizzas dans le congélateur. Mais peut-être pourrions-nous avoir des exigences un peu plus élevées. »

Chloe se tut. Impossible de penser à manger, dans l'état d'agitation où elle était.

Philip s'approcha d'elle. « Chloe ? Ça va ? »

— Partons, dit-elle soudain d'un ton pressant. Prenons la voiture et allons ailleurs. Quittons cette villa. » Elle désigna les montagnes, au loin. « Nous trouverons bien un endroit où loger, des chambres d'hôtes ou autre chose.

— Partir ? » Philip la regarda avec surprise « Tu parles sérieusement ? »

Chloe le dévisagea en silence, cherchant par le regard à lui communiquer ses émotions confuses et à éveiller en lui la réaction qu'elle espérait – sans

81

savoir très bien laquelle. Puis, avec un soupir, elle se détourna et arracha une fleur qu'elle se mit à effeuiller.

« Oh, je ne sais pas. Je suis idiote. C'est simplement que… » Elle s'interrompit et contempla la fleur abîmée. « Nous avions envie d'autre chose. Nous voulions du temps pour nous seuls. Une occasion de… résoudre les problèmes. » Elle détacha d'un geste brusque les derniers pétales et les jeta par-dessus la rambarde.

« Je sais. » Philip s'approcha d'elle et posa la main sur son épaule. Il regarda la tige nue entre les doigts de Chloe et leva les sourcils. « Pauvre fleur. »

Et moi, je ne suis pas à plaindre ? songea Chloe avec rage. Et nous, nous ne sommes pas à plaindre ?

Tout d'un coup, elle eut envie de hurler. Elle se sentait irritée par la présence de Philip, par son apathie, par sa façon d'accepter leurs conditions de vie. Pourquoi ne se mettait-il pas en colère, comme elle ? Pourquoi ne se révoltait-il pas ? Elle avait l'impression que tout ce qu'elle disait se perdait dans un néant de douceur et d'indifférence.

Elle lui jeta un regard en coin, vit qu'il fixait un point devant lui et paraissait perdu dans ses pensées – des pensées qui ne concernaient pas les vacances, comprit-elle alors. En esprit, il était toujours en Angleterre et ruminait des soucis stériles. Il ne faisait même pas l'effort de se détendre, constata-t-elle avec rancune.

« À quoi penses-tu ? » Elle n'avait pu réprimer sa question, et Philip sursauta d'un air coupable.

« À rien. À rien du tout. » Il tourna la tête vers elle et esquissa un sourire auquel elle ne répondit pas.

« Je sors, déclara-t-elle brusquement en s'écartant de lui. Je crois que je vais aller faire un tour dans le parc.

— D'accord. Je descendrai à la cuisine dans un moment et je nous préparerai quelque chose à manger.

— Très bien, dit-elle sans le regarder. Comme tu veux. »

Debout près de la baignoire, Hugh observait Amanda qui frottait les épaules d'Octavia pour éliminer la crème solaire.

« Dommage, quand même, grommela Amanda, d'être relégués ici…

— Relégués, n'exagérons rien. » Hugh parcourut du regard la vaste salle de bains en marbre attenante à la chambre. « Et ils ont parfaitement le droit d'occuper l'autre chambre.

— Je sais. Mais nous ne sommes pas venus en vacances pour nous voir chassés de notre chambre par des gens que nous ne connaissons ni d'Ève ni d'Adam. Ce n'est pas comme si c'étaient des amis. Nous ignorons tout d'eux !

— Ils ont l'air très sympathiques.

— Tu trouves tout le monde sympathique, de toute façon, commenta-t-elle avec dédain.

— Manman ! cria Octavia. Tu me fais mal ! »

Hugh s'avança. « Amanda, pourquoi ne me laisses-tu pas m'occuper d'elles ?

— Non, c'est bon, répondit Amanda avec un léger soupir. Va boire ton gin tonic. Je n'en ai pas pour longtemps, et Jenna sera là dans un instant.

— Je pourrais les mettre au lit, aussi. Ça ne me dérange pas.

— Écoute, Hugh, j'ai eu une journée assez longue comme ça. Je veux simplement coucher les enfants le plus vite possible, après on pourra peut-être se détendre, d'accord ?

— D'accord », acquiesça Hugh après un silence. Il se força à sourire. « Eh bien… bonne nuit, les filles. Faites de beaux rêves.

— Bonne nuit, papa », répondirent sagement les enfants en le regardant à peine.

Hugh sortit de la salle de bains avec un petit pincement au cœur qui lui était devenu familier.

Sur le seuil de la chambre, il croisa Jenna qui entrait, deux pyjamas à la main.

« Ah ! dit-elle, vous savez si c'est bien ceux-là ? »

Hugh examina les pyjamas en coton, avec leurs petites manches et leurs poches minuscules.

« Je suppose. Ce n'est pas vraiment mon domaine. » Et il s'éloigna rapidement, avant que la jeune fille ait eu le temps d'ajouter autre chose. Puis il descendit à la cuisine, dénicha un placard rempli de bouteilles et, avec des gestes lents et méthodiques, entreprit de se préparer un gin tonic.

Pas vraiment son domaine. La vérité, c'était que rien concernant ses filles n'était son domaine. D'une certaine façon, depuis la naissance d'Octavia, cinq ans plus tôt, il était devenu un père qui n'avait pas de contacts réels avec ses enfants. Un père qui passait tant de temps au bureau qu'il lui arrivait souvent de ne pas voir ses filles durant toute une semaine. Un père qui ignorait totalement à quoi ses enfants aimaient jouer, ce qu'elles regardaient à la télévision, ou quels étaient leurs desserts préférés. Un père qui, à ce stade, n'osait même plus poser de questions.

Hugh avala une gorgée d'alcool et savoura l'arôme puissant du gin. Le gin tonic du soir était devenu l'un de ses réconforts habituels, avec le journal et, dernièrement, l'e-mail. Quand, après dîner, Beatrice refusait qu'il lui raconte une histoire et pleurnichait après sa maman, il se détournait et cachait derrière le journal son visage sans expression. Quand les filles et Amanda allaient au cours de danse classique, le samedi matin, il s'installait devant son ordinateur, consultait ses e-mails et tapait des réponses inutiles ; parfois, il relisait dix fois le même message.

Quand il avait terminé et qu'elles n'étaient toujours pas rentrées, il s'attaquait aux problèmes de l'entreprise récemment portés à son attention. Il lisait les données, traitait les informations, puis fermait les yeux et se plongeait dans l'univers qu'il connaissait le mieux. Dans le silence de la maison, il élaborait différentes stratégies, tel un joueur d'échecs ou un général d'armée. Plus c'était compliqué, plus c'était amusant – et mieux c'était. Certaines de ses solutions les mieux inspirées lui étaient venues le samedi.

Il n'ignorait pas qu'Amanda le décrivait souvent à ses amies comme un drogué du travail. « C'est comme si tu étais une mère célibataire, s'indignaient-elles, compatissantes, en buvant le café dans sa cuisine impeccablement tenue. Qu'est-il arrivé aux hommes d'aujourd'hui ? »

Trois ans plus tôt, Hugh était rentré un soir, transi et fatigué, et avait exposé à Amanda une idée qu'il avait concoctée dans le train : abandonner son poste dans la société et travailler en free-lance comme conseiller en gestion d'entreprise. Il gagnerait moins d'argent, mais pourrait travailler à domicile et passer plus de temps avec elle et les enfants.

Il avait rarement vu chez Amanda une expression aussi horrifiée.

Hugh but une autre gorgée d'alcool, quitta la cuisine pour le salon, sortit par la porte-fenêtre pour se rendre dans le parc. Le ciel était encore assez clair, l'air était chaud, l'atmosphère calme. Manifestement, Gerard employait des jardiniers qui connaissaient leur métier : arbustes taillés avec soin, plates-bandes bien alignées, petite fontaine de pierre d'où coulait un filet d'eau claire et fraîche. Hugh tourna au coin de la maison, en se demandant quelles étaient les limites de la propriété, puis il s'arrêta net.

Chloe, debout près d'un mur, se tenait la tête dans les mains, comme si elle priait. Hugh voulut aussitôt faire demi-tour, mais elle avait entendu du bruit et releva la tête. Elle avait les joues en feu, et ses yeux bleus exprimaient une vive émotion qu'il ne sut déchiffrer. Ils se dévisagèrent un moment en silence, puis Hugh – geste banal – leva son verre.

« Santé. À… » Il haussa les épaules.

« À des vacances réussies ? »

Le ton sarcastique de Chloe le fit tressaillir.

« Oui. Pourquoi pas ?

— Alors, à des vacances réussies. »

Hugh avala une gorgée de gin tonic. Ici, le goût lui parut amer, âpre, discordant. Un vin rouge moelleux aurait mieux convenu.

« Pourquoi as-tu menti ? questionna-t-il

brusquement. Pourquoi as-tu prétendu que nous ne nous connaissions pas ? »

Un silence s'installa. Chloe se passa la main dans les cheveux. Elle avait l'air tendue, remarqua Hugh tout à coup. Tendue et épuisée.

« Je suis venue ici en famille pour faire une pause, pour échapper au quotidien, pour oublier tous nos problèmes et... pour nous retrouver, tous les quatre, seuls.

— Quels problèmes ? »

Hugh posa son verre par terre et avança d'un mètre.

« Peu importe, répliqua sèchement Chloe. Cela n'a rien à voir avec toi. Le fait est que Philip et moi, et les garçons aussi d'ailleurs, nous avons besoin de ces vacances. Un besoin vital. Et je n'ai pas envie que des complications nous en empêchent. Surtout pas une... une petite aventure de rien du tout. »

Hugh la dévisagea. « Tu pensais que c'était une petite aventure de rien du tout ?

— À l'époque, non. Mais, avec le temps, on apprend à distinguer ce qui était réellement important et ce qui ne l'était pas. On apprend beaucoup de choses avec le temps, tu ne crois pas ? »

Un silence pesant succéda à ses paroles. Derrière Chloe, une fleur blanche qui commençait à se faner oscillait lentement sous la brise ; Hugh vit un pétale se détacher et suivit du regard sa trajectoire jusqu'au moment où il atterrit sur le sol.

« Je n'ai jamais eu l'occasion de m'expliquer, dit-il en relevant la tête, conscient de la gêne qui perçait dans sa voix. Je... je m'en suis toujours voulu.

— Tu as été très clair, Hugh, répondit-elle d'un

ton à la fois léger et cinglant. Clair comme de l'eau de roche. Et, de toute façon, cela n'a plus aucune importance maintenant. » Il ouvrit la bouche pour parler mais Chloe leva la main pour l'en empêcher. « Alors, faites ce que vous avez à faire, et nous, de notre côté, nous en ferons autant. D'accord ? De cette façon, peut-être que ça se passera bien.

— J'aimerais vraiment te parler. J'aimerais vraiment avoir une chance de… »

Chloe l'interrompit. « Oui, eh bien moi, il y a un tas de choses que j'aimerais. » Avant que Hugh puisse répliquer, elle s'éloigna, le laissant seul dans la pénombre.

5

Le lendemain matin, Hugh se sentait en piteux état. La veille au soir, il avait trouvé une bouteille de rioja et l'avait bue presque entièrement à lui tout seul, s'accordant ce plaisir parce qu'il était en vacances. Maintenant, couché sur une chaise longue, un chapeau de paille sur le visage, il tressaillait chaque fois qu'un petit point de lumière réussissait à atteindre ses paupières closes. Il entendait, comme dans le lointain, la voix d'Amanda et, de temps à autre, celle de Jenna qui répondait.

« N'oubliez pas de leur mettre de la crème dans le cou. Et aussi sur les mollets et l'arrière des cuisses.

— D'accord.

— Et les plantes des pieds.

— C'est déjà fait.

— Vous êtes sûre ? » Hugh perçut vaguement le mouvement d'Amanda qui se redressait sur la chaise longue à côté de la sienne. « Je ne veux pas prendre le moindre risque.

89

« — Madame Stratton, dit Jenna en se contrôlant manifestement, s'il y a un sujet que je connais bien, ce sont les dangers du soleil. Moi non plus, je ne veux pas prendre le moindre risque.

— Parfait. » Quelques instants plus tard, Amanda reprit la position allongée puis, à voix basse, dit à Hugh : « On ne les a pas encore vus.

— Qui ? murmura-t-il sans ouvrir les yeux.

— Eux. Les autres. J'avoue que je n'ai aucune idée de la manière dont tout cela va tourner. »

Hugh enleva son chapeau, cligna des yeux, se redressa à grand-peine et regarda Amanda. « Comment ça ? Il y a la piscine, les chaises longues, le soleil... »

Amanda fronça légèrement les sourcils. « C'est que... cela risque d'être un peu gênant.

— Je ne vois pas pourquoi. » Hugh observa Jenna qui descendait les marches de la piscine avec Octavia et Beatrice. « J'ai parlé à... » Il hésita.

« ... à Chloe. La femme... » Coup d'œil à Amanda. « ...hier soir, pendant que tu faisais prendre leur bain aux filles.

— Ah bon ? Qu'a-t-elle dit ?

— Que nous ferions, chacun de notre côté, ce que nous avons à faire. Il n'y a pas de raison pour que nous nous gênions les uns les autres.

— C'est pourtant ce qui s'est produit hier soir, non ? Tu parles d'un fiasco ! »

Hugh haussa les épaules, s'allongea de nouveau, ferma les yeux. Il n'avait pas assisté à l'incident qu'évoquait Amanda : la veille au soir, Philip et Jenna s'étaient trouvés à la cuisine au même moment pour préparer le dîner, chacun pour leur famille respective. Apparemment, tous deux avaient jeté leur dévolu sur le même poulet. Quand ils s'en étaient rendu compte – avaient-ils attrapé le poulet en même temps ? leurs mains s'étaient-elles rencontrées autour du cou de l'animal ? ou bien avaient-ils pris conscience peu à peu de la situation ? –, Philip avait aussitôt décidé de préparer autre chose, et Jenna l'avait remercié avec gratitude.

Aux yeux de Hugh, cela n'avait rien d'un fiasco. Cependant, Amanda, elle, y avait vu la confirmation que leurs vacances allaient être complètement fichues – qu'elles l'étaient déjà, en fait. Tout au long du repas – ils avaient dîné dans la salle à manger, alors que Philip et Chloe mangeaient dehors sur la terrasse – elle n'avait cessé de répéter cela sur tous les tons. À la fin, Hugh, excédé, était monté s'installer sur le balcon de leur chambre avec sa bouteille de vin, et avait bu jusqu'à la nuit tombée. Quand il était rentré se coucher, sa femme dormait déjà, devant la télévision allumée.

La voix d'Amanda tira Hugh de ses pensées. « Tiens, regarde, les voilà, chuchota-t-elle. Bonjour ! lança-t-elle.

— Bonjour, répondit Philip.

— Belle journée, commenta Chloe.

— N'est-ce pas ? renchérit Amanda d'un ton enjoué. Quel temps merveilleux ! »

Le silence retomba et Amanda se rallongea.

« Au moins, ils n'ont pas l'air de vouloir nous prendre nos chaises longues, dit-elle tout bas à Hugh. Du moins, pour l'instant. » Pendant un moment, on n'entendit que les craquements de son siège tandis qu'elle cherchait la meilleure position pour bronzer, attrapait son Walkman et mettait les écouteurs à ses oreilles. Une minute plus tard, elle les retira et releva la tête. « Hugh ?

— Mmm ?

— Tu peux me passer ma crème indice 8 ? »

Hugh ouvrit les yeux, se redressa et se figea. De l'autre côté de la piscine, lui tournant le dos, Chloe se déshabillait. Sa robe en coton s'étala à ses pieds, et Hugh, fasciné, contempla la jeune femme. Elle portait un maillot de bain démodé, à motifs roses, et ses cheveux blonds étaient retenus sur la nuque par une barrette en forme de fleur. Ses jambes étaient pâles et minces, ses épaules frêles et fragiles comme celles d'un enfant. Elle se retourna et il ne put s'empêcher de l'examiner de bas en haut, jusqu'à la naissance des seins.

« Hugh ? » Amanda se redressa sur sa chaise longue. Au même instant, Chloe regarda juste dans la direction de Hugh ; quand leurs yeux se croisèrent, Hugh constata avec stupeur qu'il ressentait du désir. Du désir, et de la culpabilité – ce qui semblait presque la même chose. Il se détourna à la hâte, attrapa un tube de crème au hasard et le tendit à Amanda.

« Ce n'est pas celle-là ! maugréa-t-elle. Je t'ai demandé la crème indice 8. Le grand flacon.

— D'accord. » Hugh fouilla dans le sac, trouva le flacon en question, le passa à sa femme et se rallongea, le cœur battant. Il ne pouvait détacher sa pensée du visage de Chloe, de ses yeux bleus au regard perçant, légèrement dédaigneux. Évidemment, elle savait ce qu'il pensait. Chloe avait toujours su exactement ce qu'il pensait.

Ils s'étaient rencontrés quinze ans plus tôt, à l'occasion d'une fête à Londres – une fête organisée par des étudiants en économie et en médecine, et qui avait lieu dans un appartement en colocation à Stockwell. Gerard avait été invité car il était l'ami d'un des économistes et – Gerard étant Gerard – il avait emmené avec lui tout un groupe de garçons et de filles qui, comme lui, étudiaient l'histoire de l'art au Courtauld Institute. Parmi eux se trouvait Chloe.

Avec le recul, Hugh avait l'impression d'être immédiatement tombé amoureux d'elle. Sa robe un peu étrange la distinguait des autres. Ils avaient commencé par discuter de peinture – domaine que Hugh connaissait mal –, puis la conversation avait dévié sur les costumes d'époque – dont il ignorait à peu près tout, et Chloe, incidemment, avait avoué qu'elle avait dessiné et cousu la robe qu'elle portait.

« Je ne te crois pas », avait dit Hugh, passablement éméché et désireux de parler d'autre chose que d'agrafes et de fibules. « Prouve-le-moi.

— D'accord. » Avec un petit rire, elle s'était baissée et avait relevé l'ourlet de sa robe. « Regarde les coutures. Regarde les points, je les ai tous faits à la main. »

Hugh avait obéi et, en apercevant les jambes minces de Chloe, gainées de bas très fins, il s'était senti tout d'un coup submergé de désir. Reprenant une gorgée de vin pour se donner une contenance, il avait observé la jeune femme. Il s'attendait à lire dans ses yeux de l'indifférence, ou même de l'hostilité. Au lieu de cela, il avait vu un regard clair, lucide. Chloe avait compris ce qu'il désirait. Elle désirait la même chose.

Plus tard, cette nuit-là, dans la chambre de Hugh à Kilburn, elle l'avait obligé à lui retirer lentement sa robe, de façon à lui montrer, l'une après l'autre, les coutures faites à la main. Chloe enfin complètement déshabillée, il l'avait désirée plus qu'aucune autre femme jusqu'alors.

Après, ils étaient restés couchés sans parler. Hugh pensait déjà au lendemain matin, et au moyen d'éviter de passer la journée entière avec elle. Elle avait murmuré quelque chose et s'était levée, mais c'est à peine s'il s'en était rendu compte. C'est seulement en la voyant tout habillée qu'il avait compris, désagréablement surpris, qu'elle s'apprêtait à partir.

« Il faut que je rentre, avait-elle dit en effleurant son front d'un baiser. Mais on pourra peut-être se revoir. » Tandis qu'elle refermait la porte derrière elle, Hugh, dépité, avait réalisé que, pour la première fois, c'était lui qui demeurait seul dans un lit pendant que l'autre s'éclipsait. À son grand étonnement, il n'en éprouva guère de plaisir.

La fois suivante, elle était partie de la même façon. La fois d'après, également. Au bout d'une quinzaine de jours, l'air détaché, il lui avait demandé pourquoi, et elle avait parlé d'une tante avec qui elle vivait dans la banlieue londonienne, qui était du genre casse-pieds. Jamais elle ne s'expliqua davantage, jamais elle ne varia d'attitude. Durant ces trois mois d'été, par ailleurs parfaits, pas une seule fois elle ne resta une nuit entière avec lui. À la fin, abandonnant tout orgueil, il l'avait suppliée de passer au moins une nuit avec lui. « J'ai envie de voir à quoi tu ressembles quand tu te réveilles le matin », avait-il prétexté sur le ton de la plaisanterie, mais en le pensant réellement. Elle s'était montrée implacable. La tentation – il le comprenait maintenant – avait dû être très grande, mais elle avait refusé de se laisser fléchir. En fermant les yeux, il pouvait encore entendre le frottement de son jean, le froissement de son tee-shirt, le cliquetis de la boucle de sa ceinture – autant de sons qui accompagnaient les moments où elle se rhabillait en silence dans le noir avant de disparaître là où il n'était jamais invité.

Elle paraissait si frêle, si délicate… Pourtant, Chloé était une des personnes les plus fortes qu'il eût connues. Même à l'époque, il avait pu mesurer cette force. Il se trouva qu'un des copains de fac de Hugh se tua dans un accident de montagne. Gregory n'était pas un ami intime, mais sa mort le bouleversa. Jamais jusqu'alors il n'avait été confronté à la mort, et la violence de sa réaction l'effraya. Après le premier choc, il était tombé dans une dépression qui avait duré plusieurs semaines. Chloé resta auprès de lui, heure après heure, à l'écouter, à le conseiller, à le réconforter. Jamais elle n'était pressée ni impatiente, et faisait toujours preuve d'un bon sens solide. Ce bon sens et cette force, aujourd'hui encore, manquaient à Hugh. Il n'avait pas besoin de s'expliquer, elle savait la façon dont son esprit fonctionnait ; apparemment, elle le comprenait mieux qu'il ne se comprenait lui-même.

Hugh émergea de cette période noire et douloureuse plein d'une vigueur nouvelle, décidé à prendre sa vie en main et à en faire quelque chose : réussir, gagner de l'argent, mener à bien un maximum de projets. Il commença à envisager une carrière ambitieuse et, à cette fin, se fit envoyer de luxueuses plaquettes de sociétés et se documenta auprès du centre d'orientation professionnelle de l'université de Londres.

À peu près à la même époque, tandis qu'il assistait à des entretiens d'embauche et rencontrait des conseillers en recrutement, Chloe se mit, pour la première fois, à évoquer sa vie avec sa tante et ses jeunes cousins, et à parler d'un certain Sam qu'elle était désireuse de lui faire connaître.

Hugh se souvenait de ce jour dans les moindres détails : le trajet jusqu'à cette ville de banlieue aux rues bien alignées, toutes identiques, dans lesquelles ils avaient déambulé avant de s'arrêter devant une petite maison de style Tudor. Timidement, Chloe avait ouvert la porte et s'était effacée pour le laisser passer. Un peu crispé à l'idée de rencontrer la famille de Chloe, Hugh avait néanmoins fait bonne figure. Mais, au moment d'entrer au salon, il était resté figé par la surprise : assis sur le tapis, un bébé lui souriait.

Bravement, il avait souri à son tour, pensant que le bébé était un neveu de Chloe ou l'enfant d'une de ses amies – rien à voir avec elle, qui n'avait que vingt ans et paraissait elle-même une enfant. Il était sur le point de lancer une remarque désinvolte quand il avait vu le visage de Chloe rayonnant d'amour.

« Tu lui plais », avait-elle murmuré, puis elle s'était penchée pour prendre le bébé dans ses bras. « Dis bonjour à Hugh, Sam. » Perplexe, Hugh avait contemplé le visage radieux de l'enfant et, peu à peu, l'horrible vérité lui était apparue.

Il se rappelait encore la panique qui s'était emparée de lui, sa colère contre Chloe, son sentiment d'avoir été trahi, dupé. À l'heure du thé, un sourire plaqué sur le visage, il avait répondu avec application aux questions pleines d'espoir de la tante. Pourtant, son esprit était loin et préparait déjà sa fuite. Impossible de regarder Chloe sans éprouver du dégoût et de la fureur. Comment avait-elle pu tout gâcher de cette façon ? Comment pouvait-elle être mère d'un bébé ?

Plus tard, pendant que la tante faisait la vaisselle, Chloe avait pris Hugh à part pour lui expliquer qu'elle avait longtemps hésité avant de lui révéler l'existence de Sam et qu'elle avait préféré attendre qu'il se soit remis de la mort de Gregory. « Je craignais, en t'avouant que j'avais un enfant, que tu ne t'intéresses plus à moi. Mais je pensais que, le jour où tu le verrais et où tu te rendrais compte à quel point il est adorable… » Elle s'était tue, les joues roses d'émotion, et Hugh, sans rien révéler de ses sentiments, avait hoché la tête.

Chloe avait évoqué brièvement les circonstances de la naissance de Sam : sa liaison avec un professeur beaucoup plus âgé, sa naïveté, sa décision douloureuse de garder l'enfant. C'est à peine s'il l'avait écoutée.

Le lendemain, profitant d'une offre de dernière minute d'une agence de voyages, il avait quitté le pays et était parti seul pour Corfou. Assis sur la plage, face à la mer, les yeux dans le vague, il avait ruminé sa haine contre Chloe. Il la désirait toujours, il la désirait follement. Mais il ne voulait pas d'un bébé dans sa vie. Elle aurait dû le savoir, pensait-il, plein de rancœur. Tout allait merveilleusement bien entre eux, et voilà qu'elle avait tout gâché.

Il était resté deux semaines à Corfou. Chaque jour qui passait le voyait plus bronzé et plus déterminé. Il ne ficherait pas sa vie en l'air à cause de l'enfant d'un autre homme. Il ne se laisserait pas aller à un geste irréfléchi qu'il risquait de regretter plus tard. Au contraire, il poursuivrait les buts qu'il s'était fixés, la route ambitieuse et solitaire à laquelle il était destiné. Il mènerait la vie qu'il voulait.

À son retour, un nombre incalculable de messages de Chloe l'attendaient. Ne répondant à aucun, il avait rempli des dossiers de candidature pour tous les grands cabinets de recrutement, et avait repris ses cours à l'université. Quand il entendait la voix de Chloe sur son répondeur, quand il voyait l'écriture de Chloe sur les mots qu'elle glissait sous sa porte, une douleur lui étreignait la poitrine. Mais il se forçait à ignorer cette douleur, à continuer comme si de rien n'était et, au bout d'un certain temps, la souffrance diminua. Peu à peu, les messages de Chloe devinrent moins nombreux et plus brefs. À la fin, ils cessèrent – comme un enfant qui s'endort à force de pleurer.

Hugh bougea avec embarras sur sa chaise longue et ouvrit un œil. De l'autre côté de la piscine, Chloe était maintenant allongée et il ne pouvait pas voir son visage. Philip, en revanche, était assis et, sous prétexte de ramasser le journal, Hugh en profita pour l'observer. Il n'était pas mal physiquement, dans le style décontracté, concéda Hugh, mais il était pâle, mal rasé, et un pli lui barrait le front ; les yeux dans le vague, il avait l'air perdu dans ses pensées.

« Papa ? »

Philip releva brusquement la tête, Hugh en fit autant. Sam arrivait en courant, une raquette de badminton à la main. Il jeta un coup d'œil autour de lui, nota la présence de Hugh mais sans manifester le moindre intérêt. Au moment où leurs yeux se croisèrent, Hugh sentit monter en lui une émotion absurde. Le bébé assis sur le tapis, dans le salon d'un pavillon de banlieue, des années plus tôt, était devenu un grand et beau jeune homme. Hugh éprouvait l'envie ridicule d'aller vers lui et de lui dire : *Je t'ai connu alors que tu n'avais pas encore un an*.

Mais Sam s'était déjà tourné vers son père – son beau-père, plutôt.

« Papa, on veut jouer au badminton.

— Eh bien, jouez au badminton.

— Oui, mais le filet n'arrête pas de tomber.

— Vous l'avez fixé correctement ? » Avec une indifférence suprême, Sam haussa les épaules et se baissa pour prendre une canette de Coca-Cola. « Espèce de fainéant ! dit Philip. Je suppose que tu attends que ce soit moi qui le fixe ?

— Oui. »

Philip secoua la tête, regarda Chloe et esquissa un sourire.

« C'est incroyable ce que ce garçon peut être paresseux, remarqua-t-il.

— Paresseux comme une couleuvre », renchérit Sam d'un air satisfait. Il but à même la canette et, à cet instant, son regard croisa celui de Hugh.

Hugh détourna aussitôt les yeux ; il se sentait indiscret, à écouter ainsi leur conversation, il avait l'impression de s'immiscer dans leur vie privée.

« Un instant, dit Philip à Sam. Vas-y, je te rejoins dans une seconde.

— On est dans le champ, là-bas, derrière les arbres », précisa Sam en indiquant du doigt la direction.

Il s'éloigna, et Hugh le regarda disparaître avec un pincement de jalousie : il était jaloux de ce garçon aux cheveux blond doré, de sa relation facile avec un homme qui n'était même pas son père biologique, des liens simples, évidents qui semblaient unir les membres de cette famille.

Tout à coup, il se leva et, pour dissiper sa gêne, s'approcha du petit bassin où Octavia pataugeait en lançant des éclaboussures. Il lui sourit.

« Tu veux jouer à la balle ? proposa-t-il d'un ton jovial. Jouer à la balle avec papa ? » Octavia lui lança un regard perplexe et il s'aperçut qu'il n'avait pas de balle. « Ou... ou à cache-cache. Ou à autre chose d'amusant. » Il désigna la pelouse, sur sa droite. « Allons jouer à un jeu ! »

Au bout de quelques instants, Octavia, hésitante, sortit de la piscine et entreprit de suivre son père. Hugh se dirigea rapidement vers la pelouse, tout en cherchant de l'inspiration. À quoi jouaient les enfants ? À quoi jouait-il quand il était gamin ? Au Meccano, se rappelait-il, et aussi au train électrique – un superbe train qu'on avait installé au grenier. Il en offrirait un aux filles, décida-t-il dans un élan d'enthousiasme. Pourquoi n'aimeraient-elles pas les trains électriques, elles aussi ? Sitôt de retour à Londres, il leur achèterait le plus beau train

électrique qu'il pourrait trouver. Mais en attendant… pourquoi ne pas jouer tout simplement à
chat ?

« Bon, Octavia, je sais ce que nous allons faire »,
dit-il gaiement. Il se retourna… et resta figé sur
place.

Octavia ne l'avait pas suivi sur l'herbe. Elle trottinait en sens inverse derrière Jenna, apparue comme
par magie, un jouet gonflable aux couleurs éclatantes dans les mains.

Abandonné bêtement sur la pelouse, les jambes
soudain tremblantes, Hugh se sentit ridicule – un
homme de trente-six ans, rejeté, laissé en plan par
son enfant, et qui attendait qu'on joue avec lui.

Il demeura quelques secondes complètement
immobile, incapable de décider quelle attitude
adopter. Bien que personne n'eût entendu ce qu'il
avait dit à Octavia, il éprouvait une gêne cuisante.
Les joues en feu, il s'approcha d'un arbre dont il se
mit à examiner l'écorce d'un air très concentré.

Au bout de quelques minutes, Amanda enleva
ses écouteurs et releva la tête. « Mais qu'est-ce que
tu fais, Hugh ? »

Il se retourna, sans cesser de triturer l'écorce.
« Je… je me disais que j'allais téléphoner au bureau,
pour savoir comment ça se passe. Je n'en ai pas
pour longtemps. »

Amanda leva les yeux au ciel. « Comme tu
voudras. » Elle se laissa retomber sur sa chaise
longue. Sans le faire exprès, Hugh arracha un morceau d'écorce, l'étudia un instant, le jeta par terre
puis, avec une expression guindée, se dirigea vers la
villa.

Les garçons, lassés de regarder Philip monter le filet de badminton, étaient revenus à la piscine. Chloe observa avec tendresse Nat qui nageait une brasse prudente, et se retint juste à temps de lui donner des conseils. Au bout d'un moment, elle se rallongea, s'efforçant de se détendre, de se dire qu'elle était en vacances, d'obéir à ses propres instructions.

Pourtant, cela lui était aussi difficile qu'à Philip de se relaxer. Son mari s'était levé ce matin-là avec le même air anxieux qu'en se couchant la veille au soir. Et elle, elle s'était réveillée avec la même frustration, à la fois physique et mentale. C'était la frustration physique qui la rendait folle alors qu'elle était allongée au soleil, apparemment calme et contente.

L'un des accords tacites de sa vie de couple avec Philip était qu'ils feraient l'amour, sinon toutes les nuits à chaque période de vacances, en tout cas plus souvent en vacances qu'en temps ordinaire. De toute façon, la première nuit. Toujours la première nuit. Ils en avaient besoin, estimait Chloe : pour fêter leur arrivée, pour relâcher la tension du voyage, pour marquer le début d'une semaine de plaisir. Et, par-dessus tout, pour se retrouver tous les deux en tant que couple, loin de leur cadre habituel, de leur environnement familier où vie domestique et amour avaient une fâcheuse tendance à se confondre.

La nuit précédente, cela ne s'était pas produit. Quand elle avait tendu la main vers Philip, il l'avait doucement repoussée. En y repensant, elle en tremblait presque. Sur le coup, elle avait été trop

surprise pour réagir ; les yeux fixés sur le baldaquin, elle s'était dit : voilà où nous en sommes
arrivés.

« Je suis épuisé », avait murmuré Philip, la tête
dans l'oreiller, si bien qu'elle avait eu du mal à saisir
ses paroles.

Telle avait été son excuse, mais il ne s'était même
pas retourné pour la regarder, ne l'avait même pas
embrassée pour lui souhaiter bonne nuit. Comment
Philip, si dynamique, si enthousiaste, était-il tombé
dans une telle apathie ?

« Je t'aime, Chloe », avait-il ajouté en lui pressant
doucement la jambe.

Elle n'avait pas répondu. Ce matin, ils s'étaient
réveillés séparément, s'étaient habillés séparément,
avaient pris leur petit déjeuner séparément. Ils
s'étaient installés sur leurs chaises longues, côte à
côte, tels deux étrangers courtois et circonspects.
Combien de temps serait-elle capable de supporter
cela, elle l'ignorait.

Cela faisait des mois, maintenant, que leur vie
tout entière était dominée par le rachat de la
banque de Philip par cette fichue société PBL, des
mois que Philip semblait incapable de penser à
autre chose. Combien de fois, à la fin d'une journée
de travail, alors qu'elle désirait un verre de vin et un
moment de tendresse, avait-elle trouvé Philip et son
directeur adjoint, Chris Harris, assis dans la cuisine
à boire de la bière et à discuter sans fin, de manière
stérile. Ils spéculaient sur le sens de la dernière note
de la PBL, sur le rapport Mackenzie qui aurait dû
être publié depuis longtemps – ce fameux rapport
dont dépendait leur sort à tous. Taisez-vous ! avait-
elle envie de leur crier. Parler ne changera rien à

103

rien, ce n'est pas ça qui sauvera vos emplois ! Mais ils continuaient ; ils tentaient d'anticiper les points de vue de personnes inconnues, lointaines, rapportaient des bribes d'informations sans intérêt, répétaient des mantras pour se remonter le moral. « On ne peut pas faire fonctionner une banque sans les hommes et les femmes », disait Philip en décapsulant deux autres bouteilles de bière. « On ne peut pas », répétait Chris en écho, et il levait son verre à la santé de Philip.

Ils continuaient donc à se rassurer, à affirmer que tout irait bien ; toutefois, derrière l'attitude bravache de Philip, Chloe voyait bien que la peur le rongeait. Toute cette histoire avait rendu son mari méconnaissable. Fini l'homme enthousiaste, confiant en lui, un brin non conformiste, qu'elle avait rencontré des années plus tôt ; s'y était substitué un homme craintif, déprimé, accablé par un malheur qui n'avait pas encore frappé, qui ne frapperait peut-être jamais.

Philip avait eu une vie trop facile, se disait Chloe, jusque-là, il n'avait connu aucun revers grave, voilà pourquoi il redoutait tant ce genre de choses. Il croyait vraiment que leurs vies s'arrêteraient s'il perdait son emploi, et s'ils ne se remettraient jamais d'un coup pareil. Il sous-estimait les capacités de résistance de l'être humain.

On se remet d'un désastre, songea Chloe en se retournant sur sa chaise longue et en fermant les yeux. Quoi qu'il leur arrive, les gens finissent toujours par se débrouiller pour aller de l'avant. Quand j'avais vingt ans, tomber enceinte de mon professeur pouvait paraître une catastrophe ; pourtant, cela s'est avéré une des plus grandes joies de

mon existence, un bonheur fabuleux. Et, franchement, il y a pire dans la vie que de se retrouver au
chômage.

Le problème avec Philip, ce n'était pas le travail
ou l'absence de travail, mais son état d'esprit. Avec
un peu de chance, ces vacances lui seraient
bénéfiques…

Depuis un moment, Chloe avait vaguement
conscience de cris et de bruits d'éclaboussures.
Soudain, un cri plus fort la ramena au présent et elle
se redressa sur son siège. Nat et Sam plongeaient
dans la piscine et faisaient gicler de l'eau sur la terrasse, sur la pelouse et – Chloe s'en aperçut tout à
coup – sur Amanda, qui tressaillait chaque fois
qu'une goutte l'atteignait.

« Les garçons ! ordonna aussitôt Chloe.
Arrêtez ! »

Trop tard. Sam avait déjà bondi dans les airs en
repliant les jambes. Il atterrit à environ trente centi-
mètres du bord, provoquant une énorme vague qui
déborda sur la terrasse et trempa complètement
Amanda.

« Oooooh ! hurla celle-ci en se levant d'un bond.
Espèces de petits monstres !

— Sam ! cria Chloe à Sam. Sam, sors
immédiatement !

— Pardon, dit Nat d'un ton nerveux, à l'autre
bout de la piscine. Pardon, maman.

— Ce n'est pas à moi qu'il faut demander
pardon, répliqua sa mère, exaspérée, mais à
Mme Stratton.

— Pardon, madame Stratton, reprit Nat, obéis-
sant, et Amanda lui adressa un petit signe de tête
contraint.

— Sam, répéta Chloe, sors de la piscine et excuse-toi auprès de Mme Stratton. »

Sam se hissa sur le bord et regarda Amanda.

« Excusez-moi », commença-t-il, puis il s'interrompit, comme s'il avait du mal à parler. « Excusez-moi, madame…

— Stratton.

— Stratton », fit Sam d'une voix rauque.

Chloe suivit le regard de Sam et comprit alors ce qui le troublait : Amanda avait les seins nus. Debout, plantée sur ses longues jambes largement écartées, la poitrine ruisselante de gouttelettes d'eau, le visage rouge de contrariété, elle ressemblait vaguement à certaines des affiches que Sam épinglait dans sa chambre à Londres. À la stupéfaction de Chloe, elle semblait totalement inconsciente de l'effet qu'elle produisait sur Sam.

« Je suis sûre que tu ne l'as pas fait exprès, dit Amanda à Sam, d'un ton guindé. Mais, s'il te plaît, rappelle-toi que nous partageons cette piscine. »

Elle lui sourit froidement, et il répondit par un hochement de tête, sans pouvoir détacher ses yeux des seins nus d'Amanda. Ce n'est pas possible qu'elle ne s'en rende pas compte, pensait Chloe, elle n'est quand même pas idiote à ce point. Mais, manifestement, Amanda interprétait le silence de Sam comme un signe de repentance, rien de plus.

« Je suis désolée, remarqua Chloe en s'efforçant de garder les yeux fixés sur le visage d'Amanda. Les garçons peuvent être un peu chahuteurs, parfois. Alors, je vous en prie, n'hésitez pas à les reprendre quand ils dépassent les limites.

— Oui, d'accord », répondit Amanda. Elle

106

s'assit sur sa chaise longue, attrapa une serviette et s'essuya. « Ce n'est facile pour aucun d'entre nous.

— Non, en effet. »

Chloe observa en silence Amanda qui étalait de la crème sur sa peau hâlée, parfaite.

« Bon, eh bien... à plus tard. Excusez-les encore. » Chloe s'éloignait déjà quand Amanda releva la tête.

« Attendez, dit-elle en fronçant les sourcils. Je voulais vous parler du problème de la cuisine, hier soir.

— Oh, fit Chloe, quelque peu contrariée. Oui, c'était un peu ennuyeux. Peut-être devrions-nous... je ne sais pas... coordonner les menus, par exemple. » Elle poussa un soupir. « C'est un peu formel...

— J'allais vous suggérer autre chose. À partir de ce soir, notre baby-sitter préparera tous les jours le dîner.

— Vraiment ? C'est elle qui l'a proposé ?

— Nous l'avons engagée à cette condition, répliqua Amanda comme si c'était une évidence.

— Ah bon.

— En fait, si vous voulez, je pourrai lui demander de préparer à manger pour quatre. Nous pourrions dîner tous ensemble. »

Chloe dévisagea Amanda avec étonnement. « Vous êtes sûre ? Je veux dire...

— Naturellement, ce n'est pas une obligation. Si vous avez d'autres projets...

— Non, non. C'est juste que... c'est... vraiment très généreux de votre part. Merci beaucoup.

— Bon, c'est décidé, alors. » Amanda reprit sa position allongée et ferma les yeux.

Chloe l'observa un instant, puis se racla la gorge.

« Excusez-moi, Amanda, mais… nous serons six, non, avec Sam et Nat ?

— Les enfants ? » Amanda rouvrit les yeux et fronça les sourcils. « Ils prennent leurs repas avec vous, d'habitude ?

— En vacances, oui. Et Sam n'est plus un enfant…

— Je vous avoue que je préfère voir mes filles couchées à une heure raisonnable, pour pouvoir parler entre adultes. »

Toi, peut-être, pensa Chloe, agacée. Mais tes enfants sont très jeunes.

« Les garçons sont habitués aux conversations d'adulte, dit-elle avec amabilité. C'est vrai qu'ils sont plus âgés. »

Elle lança un regard de défi à Amanda. Après quelques secondes de silence, celle-ci finit par accepter : « Bon, d'accord. Je demanderai à Jenna de préparer à manger pour six.

— Formidable, s'exclama Chloe avec un sourire chaleureux. Je m'en réjouis d'avance. »

Parvenu à l'angle de la villa, Hugh s'arrêta net. Sa femme était en train de discuter avec Chloe ; elles étaient seules et paraissaient en grande conversation. Il ne voyait pas l'expression d'Amanda derrière ses lunettes de soleil, ni le visage de Chloe. Que pouvaient-elles bien se raconter ? Que disait Chloe ?

Un frisson d'inquiétude le parcourut. Ne voulant pas être vu, il recula et se dissimula derrière des buissons. La terre était fraîche et douce sous ses pieds nus, et l'odeur des pins emplissait ses narines. Il attendit en silence, le cœur battant – voilà qu'il se retrouvait, une fois de plus, dans une situation gênante.

Sa secrétaire, Della, avait eu l'air surprise de l'entendre au téléphone. « Vous allez bien ? avait-elle répété à plusieurs reprises. Tout se passe sans problèmes ?

— Absolument ! avait-il répondu en s'efforçant d'adopter un ton léger. Je voulais juste me tenir au courant de la situation. Rien dont je doive être informé ?

— Je ne pense pas. Attendez, je regarde. » Il avait entendu le bruit des papiers qu'elle déplaçait sur la table. En fermant les yeux, il pouvait presque s'imaginer dans le petit bureau de Della. « Les recommandations de l'équipe de John Gregan sont arrivées.

— Enfin ! Qui va y jeter un œil ?

— Eh bien, Mitchell en a fait une photocopie. Alistair est venu également en prendre copie pour son équipe...

— Bien. Parfait. » Il s'était appuyé contre le mur frais. Transporté dans le monde du travail, il se rendait compte qu'il se détendait peu à peu. Ce domaine était le sien : c'était là qu'il réussissait, là qu'il reprenait vie. « J'espère seulement qu'Alistair a tenu compte de ce que je lui ai dit la semaine dernière, avait-il continué d'un ton plus énergique. Ce qu'il doit garder à l'esprit, c'est qu'il faut que nous poursuivions la mise en œuvre sans tarder. Comme je l'ai déjà expliqué, la clé de la réussite de cette opération, c'est que la période de transition soit aussi courte que possible. » Hugh s'était interrompu, avait rassemblé ses pensées, ordonné dans sa tête la liste des arguments. « Nous devons nous attaquer de toute urgence aux problèmes structurels, sinon nous perdrons les bénéfices de la consolidation, et l'entreprise court un risque réel de déstabilisation. Ainsi que je l'ai dit à Alistair, certains signes indiquent déjà que…

— Hugh, l'avait interrompu doucement Della, vous êtes en vacances. »

Brusquement, il était revenu sur terre. Il avait cessé de parler et observé son reflet dans une vitrine placée de l'autre côté du hall circulaire : le reflet d'un homme pâle, aux yeux cernés, qui s'accrochait au téléphone comme à une bouée de sauvetage.

Soudain, il s'était senti très embarrassé. Que faisait-il là, bon sang, debout dans l'obscurité de la villa, à parler de problèmes structurels à quelqu'un que cela n'intéressait pas, au lieu de profiter du soleil avec sa femme et ses enfants ? Qu'est-ce que Della devait penser de lui ? Il y avait seulement vingt-quatre heures qu'il avait quitté le bureau !

« Oui, avait-il répondu avec un petit rire. Je sais. Je voulais juste… me tenir informé, au cas où quelqu'un attendrait de moi une réaction rapide…

— Hugh, tout le monde sait que vous êtes en vacances. Personne n'attend de réaction de votre part avant votre retour.

— Exact, avait concédé Hugh après un bref silence. Vous avez raison. Bon, eh bien, je vous verrai à mon retour. Soyez sage ! » Son effort pour plaisanter le fit grimacer.

« Passez de bonnes vacances, lui avait souhaité gentiment Della. Et surtout, ne vous inquiétez pas, nous tenons la situation en main.

110

— J'en suis certain. Au revoir, Della. » Il avait reposé le récepteur et contemplé quelques minutes encore son reflet dans la vitrine.

En voyant Chloe qui s'éloignait d'Amanda, il se sentit soulagé. Il sortit avec précaution de l'ombre des buissons et se dirigea d'un pas vif vers la piscine. La chaleur du soleil sur sa tête lui procura une sensation agréable.

« Hello, chérie, dit-il d'un ton léger. Tu as parlé avec l'ennemi, à ce que je vois.

— Eh bien, oui. On ne peut quand même pas les ignorer. Je leur ai proposé de dîner avec nous ce soir. » Amanda tourna la page de son magazine et examina l'image d'un manteau de fourrure.

« Ce soir ? répéta Hugh d'un air bête.

— Oui, pourquoi pas ? C'est Jenna qui fait la cuisine, donc pas de problème. » Amanda releva la tête. « Autant nous comporter en personnes civilisées, tu ne crois pas ?

— Si, reconnut Hugh après un silence. Absolument. » Son regard se porta de l'autre côté de la piscine, à l'endroit où Chloe s'était rassise. Elle lui jeta un coup d'œil, puis se replongea dans sa lecture. Lentement, elle leva de nouveau les yeux. Hugh la contempla et éprouva soudain un désir presque douloureux.

« Hugh, soupira Amanda, tu me caches le soleil.

— Oh, pardon. » Il s'écarta, s'installa sur une chaise longue à côté de celle de sa femme et prit un livre. Il l'ouvrit et tourna la première page, les yeux toujours fixés sur ceux de Chloe.

Après qu'un volant eut disparu dans un arbre, et l'autre dans un buisson, Sam et Nat cessèrent de jouer au badminton. Affalés sur l'herbe rabougrie du champ, ils ingurgitaient du Coca en contemplant le ciel infiniment bleu.

« Alors, qu'est-ce que tu penses des autres ? interrogea Sam au bout d'un moment.

— J'sais pas, répondit Nat en haussant les épaules. Ils ont l'air sympas.

— Tu pourrais jouer avec les deux filles, organiser un jeu, par exemple.

— C'est des bébés, dit Nat d'un ton dédaigneux. Elles jouent sûrement avec des hochets.

— Ouais, peut-être.

— Et toi, qu'est-ce que tu penses d'eux ? » Nat baissa la voix, sans réelle nécessité. « La mère a l'air vachement autoritaire !

— Je ne sais pas. » Sam avala une gorgée de Coca. « Elle est OK.

— Je veux dire, on l'a juste éclaboussée un peu, on l'a même pas fait ex… » Il s'interrompit et donna un coup de coude à Sam. « Hé, regarde, les voilà. Voilà la fille. »

Sam se déplaça sur le ventre et observa Jenna qui traversait le pré ; elle portait deux sièges de jardin et une couverture, les deux fillettes la suivaient, l'une avec un coussin, l'autre avec un ours en peluche.

« Salut, les garçons, fit-elle en approchant. On va construire une cabane. Vous voulez nous aider ?

— Non, merci, répondit Sam d'un ton tranquille.

— Non, merci », répondit Nat en imitant son frère du mieux possible.

Jenna haussa les épaules. « Comme vous voudrez. »

Sam et Nat reprirent leurs poses décontractées, et l'on n'entendit plus rien pendant quelque temps. Puis Nat jeta un coup d'œil du côté de Jenna.

« En fait, avança-t-il d'une voix où, malgré lui, pointait l'admiration, en fait, il est super, ce campement. »

Sam suivit son regard et retint son souffle. « Merde, alors ! »

Jenna avait attaché ensemble les branches pendantes de deux arbres, elle avait formé des murs avec les sièges pliants, arrangé la couverture par-dessus, et camouflé l'ensemble à l'aide de feuilles de palmier et de branches mortes. À ce moment, penchée en avant, elle étendait quelque chose par terre pour former le sol.

« Super, non ? dit Nat.

— Fantastique ! » répondit Sam, les yeux fixés sur les cuisses de Jenna. « Viens, ajouta-t-il en se levant. Allons donner un coup de main.

— D'accord ! »

Nat bondit sur ses pieds et trotta en direction de la cabane. Sam et lui passèrent devant une grille en fer qui donnait sur la route, et Sam s'arrêta pour observer ce qu'il y avait de l'autre côté. La perspective n'était guère alléchante : une petite route étroite serpentait au loin ; pas de voitures, personne en vue. Ils étaient vraiment dans un coin perdu.

Jenna leva la tête. « Salut, vous deux.

— Salut, répondit Sam en s'écartant de la grille. Comment ça va ?

— Très bien. » Jenna se redressa, un peu essoufflée. « Alors, les filles, qu'est-ce que vous en
pensez ?

— Elle est à moi, riposta aussitôt Beatrice. C'est
ma cabane.

— Non, dit Jenna. C'est la mienne. Mais vous
pouvez y jouer si vous partagez gentiment. »

Les deux petites filles se regardèrent, puis disparurent à l'intérieur. Au bout d'un instant, Nat, l'air
plutôt penaud, les suivit.

Sam s'appuya nonchalamment contre un arbre et
lança un coup d'œil à Jenna. « Eh bien, on devrait
se mettre ensemble, tous les deux.

— Ah oui ? fit Jenna en levant les sourcils. Et
pourquoi ?

— Ça me paraît évident, non ?

— Pas vraiment, lança Jenna, une lueur dans le
regard. Mais tu peux peut-être m'expliquer. »

Les yeux de Sam se promenèrent lentement sur
le corps de la jeune fille.

« J'aime bien le serpent, commenta-t-il. Très
sexy. »

Jenna le fixa un moment, puis rejeta la tête en
arrière et éclata de rire.

« Oh là là, t'en peux plus, hein ? Tu en meurs
d'envie. »

Sam devint écarlate. « Pas du tout ! protesta-t-il
avec véhémence. Je veux juste…

— Baiser avec moi, je sais.

— Et merde ! »

Sam se détourna et repartit, furieux, vers la grille.
À ce moment-là, il aperçut à quelque distance une
silhouette qui grimpait la colline, et il se concentra

dessus, préférant ne pas penser au regard moqueur de Jenna

Puis il se rendit compte que c'était un garçon à peu près de son âge, qui conduisait deux chèvres sur la route.

Oubliant momentanément sa gêne, il se retourna du côté du pré. « Regarde ça ! Tu as un appareil photo ?

— Quoi ? » Jenna jeta un coup d'œil par-dessus la haie. « Tu veux prendre une photo de lui ?

— Pourquoi pas ? C'est super. Un type et ses chèvres. »

Jenna leva les yeux au ciel. « T'es vraiment un touriste ! »

Sam avait envie de riposter, mais il reporta son attention sur la route.

« Bonjour », dit-il au jeune Espagnol qui se rapprochait, et il leva la main pour le saluer.

Le garçon s'arrêta et regarda dans sa direction. Il était plus petit que Sam mais paraissait plus costaud. Il sourit à Sam qui, l'espace d'un instant, se sentit plein d'espoir : ce serait cool, il ferait la connaissance de ce type, et après il traînerait avec lui et ses copains ; peut-être même qu'il rencontrerait des Espagnoles – des filles super attirées par les Anglais.

« *Hijo de puta !* » Le garçon rejeta la tête en arrière et cracha sur la grille en fer.

Sam sursauta. Il regarda, atterré, le garçon qui lui adressa un signe insultant avant de poursuivre son chemin, tandis que les clochettes des chèvres tintaient doucement.

Sam se retourna vers Jenna, qui, assise sur l'herbe, examinait un de ses orteils. « Tu as vu ce qu'il a fait ?

— Non, quoi ?

— Il a craché sur la grille ! Il a... il a craché dessus ! » Jenna haussa les épaules et Sam la regarda fixement. « Tu ne trouves pas que... qu'il est gonflé ?

— Ce n'est pas ta grille, souligna Jenna. Ni ta maison.

— Je sais, mais quand même. Tu cracherais sur la grille de quelqu'un, toi ?

— Pourquoi pas, si j'avais une raison.

— Hum, fit Sam après un court silence. Ça ne m'étonne pas. »

Jenna leva la tête et lui sourit.

« T'es en rogne contre moi.

— Possible. » Sam haussa les épaules d'un air boudeur et s'appuya contre la grille.

Jenna le considéra avec attention, puis se releva. « Ne sois pas fâché, dit-elle en s'approchant de lui, un petit sourire aux lèvres. Ne sois pas en colère. » Elle lui effleura la poitrine et, d'un doigt, traça lentement une ligne jusqu'à la ceinture de son maillot de bain. « On ne sait jamais... tu as peut-être une chance. »

Elle avança d'un pas et glissa la main sous l'élastique du maillot. Sam, paralysé, en proie à une excitation soudaine, la regarda. Il vit dans les yeux de Jenna la promesse de secrets, la promesse de plaisirs. Oh là là, se dit-il. Ça y est, ça arrive pour de vrai.

La main de Jenna se faufila un peu plus loin. Elle écarta légèrement le tissu, et, malgré lui, Sam eut une érection. Les pensées se bousculaient dans sa tête : jusqu'où allons-nous… ? Qu'est-ce qu'elle va… ? Et le… ?

Le claquement de l'élastique contre son ventre lui fit l'effet d'une gifle. Même chose pour l'éclat de rire bruyant de Jenna. Il la contempla d'un air stupéfait, et elle lui fit un clin d'œil presque gentil avant de lui tourner le dos et de s'éloigner, le petit serpent se tortillant sur sa cuisse.

6

Beaucoup plus tard, ce jour-là, en allant dans sa chambre pour se changer, Chloe s'attarda un moment dans le couloir ; la fraîcheur du marbre était un baume pour ses pieds brûlants ; les murs aux tons pastel et les tableaux sombres, un repos pour ses yeux après l'éclat éblouissant du soleil. Mais, intérieurement, elle se sentait en ébullition, comme si, depuis le matin, s'était développé en elle un état émotionnel élevé à son paroxysme et qui, ne trouvant pas d'exutoire, ne se dissiperait pas facilement.

Toute la journée, consciente de la présence de Hugh de l'autre côté de la piscine, elle avait feint autant que possible de ne pas le voir, ni lui ni sa famille ; pourtant, chaque fois qu'il faisait un mouvement, elle le remarquait, chaque fois qu'il regardait dans sa direction, elle s'en apercevait. Au fil des heures, sa sensibilité s'était exacerbée au point que l'univers avait fini par se réduire à eux deux – lui et elle s'observant sans s'observer, happés par une fascination mutuelle, déconcertante.

Elle avait eu l'impression de visionner un vieux film : images sans paroles, alternance d'ombre et de lumière, nostalgie vague, douloureuse. En voyant Hugh passer de la crème solaire sur le corps de sa femme, elle avait éprouvé des picotements dans le dos : elle connaissait la caresse de cette main. Il avait relevé la tête, leurs regards s'étaient croisés, et une drôle de sensation s'était logée au creux de son estomac.

Elle n'avait rien dit. Le silence était devenu un barrage contre lequel affluaient et cognaient ses émotions. Plus le désir voulait s'exprimer avec force, plus elle résistait avec fermeté, prenant plaisir à se sentir maîtresse d'elle-même. Hugh Stratton l'avait meurtrie plus qu'elle ne l'admettrait jamais devant personne, et il n'était pas question qu'elle lui révèle quoi que ce soit de ses sentiments, si ce n'est une indifférence teintée de mépris. Jamais elle ne reconnaîtrait, même en son for intérieur, que son cœur s'était mis à battre plus vite quand elle l'avait aperçu la veille. Et qu'il continuait à battre encore maintenant.

Chloe s'arrêta devant le seuil de la chambre, inspira à fond, rassembla ses pensées et se concentra sur le moment présent. Ensuite, elle ouvrit la porte. Philip, debout à la fenêtre, contemplait le jardin ; un rideau blanc, transparent, s'agitait doucement près de lui. Il se retourna et, pendant quelques instants, Chloe et lui se regardèrent sans prononcer un mot, comme suspendus dans le temps. Puis Chloe s'avança et posa son sac sur le lit.

« Déjà rentré ? dit-elle avec un sourire. Il faisait trop chaud ?

— J'avais un peu mal à la tête. » Philip se replongea dans la contemplation du jardin, et elle remarqua qu'il tenait un verre à la main.

« Tu commences de bonne heure, commenta-t-elle d'un ton léger. Cela ne va pas arranger ton mal de tête.

— Peut-être pas, non », répondit Philip distraitement, sans se retourner.

Un sentiment de frustration envahit Chloe. Elle voulait un accueil à la mesure de ses propres émotions, intenses, à vif, un baiser, un sourire, un sursaut de colère, même.

« Bon, eh bien… dit-elle après un silence, je vais prendre une douche.

— D'accord. » Philip avala une gorgée de whisky. « À quelle heure dîne-t-on ?

— Huit heures.

— Les garçons sont au courant ?

— Ils ne mangent pas avec nous. »

Chloe était encore furieuse contre ses fils. Après s'être décarcassée pour qu'ils puissent dîner à la table des adultes, après avoir expliqué à Amanda qu'ils étaient des grandes personnes, voilà qu'ils avaient discuté âprement pour obtenir le droit de manger des cochonneries en regardant un film à la télévision. « On est en vacances », répétaient-ils sans cesse, en s'empiffrant de chips mexicaines et en buvant du Coca-Cola, et elle avait dû se retenir pour ne pas hurler.

Finalement, elle avait renoncé. Inutile de forcer Sam à venir à table contre son gré si elle voulait que le repas se déroule dans de bonnes conditions. Au moins, elle n'aurait pas à s'inquiéter de leurs manières.

Chloe entra dans la salle de bains et ouvrit le robinet de la douche. Tout à coup, elle se souvint du flacon de shampooing, dans la trousse de toilette offerte par la compagnie aérienne. Sans refermer le robinet, elle revint dans la chambre et, surprise, s'arrêta net. Philip était au téléphone. Il se tenait de biais, si bien qu'il ne pouvait pas la voir, et il parlait à voix basse. Quand elle comprit de quoi il s'agissait, Chloe sentit une violente colère l'envahir.

« Alors, qu'est-ce qu'il a dit ? demandait Philip à son interlocuteur. Tu m'étonnes ! Dans ce service, ils ne savent rien du tout. Donc, d'après toi, on doit se contenter d'attendre. » Il hocha la tête. « Les cons. Bon, eh bien, je vais essayer. Tu as mon numéro. Merci, Chris, il faut que je te laisse, maintenant. »

Il raccrocha, saisit son verre et se retourna. En voyant Chloe, il sursauta.

« Oh, fit-il d'un ton hésitant, je te croyais… » Il désigna la salle de bains.

« C'est incroyable ce que tu peux être égoïste ! s'écria Chloe d'une voix tremblante de rage. Tu as promis de ne même pas y penser. Tu l'as promis ! Et là, qu'est-ce que je vois ? Dès que j'ai le dos tourné…

— Mais non, protesta Philip. J'ai juste passé un coup de fil, point final.

— Non, ce n'est pas le point final. Je t'ai entendu ! Tu lui as donné le numéro d'ici ! Je croyais que nous étions en vacances, et tu donnes notre numéro de téléphone !

— Je suis en vacances ! Je suis en Espagne, bon

sang ! J'ai juste passé un coup de fil à Chris, et il me rappellera uniquement si... si... s'il y a du nouveau. »

Chloe secoua la tête. « Un coup de fil, ou vingt coups de fil, c'est pareil. Tu es incapable de te détacher de ça. Chaque fois que je te regarde, tu es en train d'y penser. Nous aurions mieux fait de ne pas venir.

— Ah, tu contrôles les pensées des gens, maintenant ? riposta Philip. Tu lis dans l'esprit des autres ? Bravo, félicitations ! »

Chloe inspira à fond et s'efforça de garder son calme.

« Tu m'avais promis d'oublier toute cette histoire pendant huit jours. Tu me l'avais promis.

— Exact, dit Philip d'un ton sarcastique. Je suis censé oublier le fait que, cette semaine, notre vie risque de basculer. Oublier que ma carrière est en jeu. Oublier que j'ai une famille à nourrir, un emprunt à rembourser...

— Je sais tout ça ! Évidemment, je le sais ! Mais y penser à longueur de temps, c'est inutile, ça ne changera rien au problème ! » Chloe avança de quelques pas vers Philip. « Il faut que tu fasses un effort, il faut que tu tâches de te sortir ça de l'esprit, juste pendant huit jours.

— Facile, hein ? Juste me sortir ça de l'esprit. »

Le ton de Philip fit tressaillir Chloe.

« Ce n'est pas facile, mais tu peux y arriver.

— Non, je ne peux pas.

— Tu pourrais si tu essayais !

— Seigneur ! s'écria Philip, soudain hors de lui. Mais tu n'as aucune imagination ! Treize ans qu'on

122

vit ensemble et tu es incapable de comprendre ce que je ressens ! »

Chloe le fixa des yeux, la gorge serrée, les joues en feu.

« C'est affreux de dire une chose pareille, protesta-t-elle en déglutissant. Je me mets toujours à ta place…

— En effet ! Tu *te* mets toujours à ma place ! Tu ne fais jamais l'effort d'imaginer ce que ça signifie, d'être moi. Moi, dans ma situation. » Philip s'interrompit et se passa la main sur le visage, puis reprit plus calmement : « Peut-être que j'ai *besoin* d'y penser. Peut-être que j'ai *besoin* de téléphoner à Chris, d'en parler et d'apprendre ce qui se passe. Peut-être que, si je ne le fais pas, je risque de devenir fou. » Il la dévisagea quelques secondes, puis hocha la tête. « Toi et moi, nous sommes très différents. Tu as une telle volonté ! Rien ne te désarçonne jamais.

— Il y a des tas de choses qui me désarçonnent, répliqua Chloe, au bord des larmes. Bien plus que tu ne crois.

— Peut-être, mais tu t'en débrouilles facilement, et tu attends que tout le monde en fasse autant. » Philip se laissa tomber sur le lit. « Mais moi, je ne suis pas comme ça. Je ne peux pas faire abstraction des problèmes et continuer comme si de rien n'était. Je ne peux pas feindre d'être un… un pilote de ligne. » Il avala une gorgée de whisky, releva la tête et regarda Chloe, le visage fermé. « Je ne suis pas un pilote de ligne. Je suis un banquier médiocre, sur le point d'être licencié.

— Non, ce n'est pas vrai, objecta Chloe après un silence exagérément long.

« — Non quoi ? Je ne suis pas médiocre, ou je ne vais pas être licencié ? »

Chloe rougit. Sans un mot, elle s'approcha de Philip et lui mit la main sur l'épaule, mais il s'écarta brusquement et se leva.

« Ce ne sont que des suppositions, dit-elle en désespoir de cause. Tu ne peux pas savoir si tu seras licencié.

— Et je ne peux pas savoir si je ne le serai pas. »

Au regard qu'il lui lança en partant, Chloe ressentit un pincement au cœur. Philip referma la porte de la chambre derrière lui, et la pièce fut plongée dans le silence, à part l'eau qui coulait dans la salle de bains, avec un bruit de pluie d'orage.

Beatrice souffrait d'insolation : elle était pâle et avait la nausée. Debout sur le seuil de la chambre des enfants, Hugh, embarrassé, observait Amanda, assise sur le lit, qui caressait le front de la petite fille et lui parlait tendrement, d'une voix qu'elle ne prenait jamais avec lui.

« Je peux faire quelque chose ? s'enquit-il, connaissant d'avance la réponse.

— Non, merci. » Amanda se retourna et fronça les sourcils, apparemment irritée de le voir encore là. « Descends. Commencez à dîner sans moi, je vous rejoindrai dès que je pourrai.

— Veux-tu que j'appelle Jenna ?

— Jenna prépare le repas. Tu peux y aller, je t'assure.

— Bon, si tu es certaine... Bonne nuit, les filles. »

Pas de réponse. Amanda était de nouveau penchée sur Beatrice, tandis qu'Octavia feuilletait un livre d'images. Hugh contempla un instant sa femme et ses filles, puis sortit de la pièce.

En descendant l'escalier, il entendit de la musique au salon – un vieux disque qui lui rappelait plus ou moins quelque chose. Il traversa le hall et, au moment de franchir la porte, s'arrêta net, la gorge serrée. Chloe, debout au milieu de la pièce faiblement éclairée, regardait dans le vague, d'un air énigmatique. Elle portait une robe évasée, de couleur sombre, ses cheveux blonds ondulaient sur sa nuque, et elle tenait à la main un verre à pied. Elle paraissait d'une autre époque, songea Hugh en la fixant des yeux – un dessin de Beardsley, peut-être, ou une gravure de mode des années trente. Sa peau était pâle malgré le soleil de la journée mais, quand elle se retourna et l'aperçut, ses joues se colorèrent.

« Bonsoir, dit-elle en buvant une gorgée.

— Bonsoir, répondit Hugh en entrant avec précaution dans la pièce.

— Il y a du gin, du vin, du whisky… » Chloe désigna une petite table, puis se dirigea d'un pas nonchalant vers la cheminée. « Où est Amanda ? »

Plus qu'une question, cela ressemblait à une affirmation, un résumé de la situation.

« Là-haut avec les enfants », répondit Hugh. Il n'avait pas envie de penser à Amanda. « Où est Philip ? questionna-t-il en retour.

— Je n'en ai aucune idée. Nous n'avons pas en permanence l'œil l'un sur l'autre. »

Avec des gestes très lents, pour gagner du temps, Hugh se prépara un gin tonic ; il ajouta deux cubes de glace et observa le mouvement que cela créait dans le liquide.

« Belle musique, fit-il en se retournant.

— Oui. C'est un vieux 78 tours que Jenna a trouvé.

— Ça ressemble bien à Gerard, d'avoir des antiquités de ce genre », commenta-t-il en esquissant un sourire. Puis il leva son verre. « Santé.

— Santé, répéta Chloe d'un ton légèrement moqueur. Excellente santé. »

Ils burent sans échanger un mot, mais en s'observant par-dessus leurs verres. L'air de jazz des années trente continuait de crachouiller gaiement.

« Tu es ravissante, dit enfin Hugh. Quelle jolie robe ! Est-ce toi qui… »

Il s'interrompit tout à coup – trop tard cependant : une expression à la fois incrédule et méprisante parcourut le visage de Chloe.

« Oui, Hugh, lâcha-t-elle en pesant chaque mot. Il se trouve que c'est moi qui l'ai faite. »

Un silence s'installa entre eux. La musique s'arrêta, remplacée par le grattement du disque qui tournait toujours.

« Bon ! » La voix enjouée de Jenna brisa le silence, et Hugh et Chloe relevèrent la tête en même temps. « Oh, que s'est-il passé avec la musique ?

— Elle est finie », répondit Hugh. Il jeta un coup d'œil sur Chloe mais elle avait détourné le regard.

« Eh bien, remettons-la ! dit Jenna. C'est facile. »

Elle s'approcha du gramophone, posa son plateau par terre, et actionna vivement la manivelle. La musique reprit, plus gaie et plus rapide même qu'au moment où Hugh était entré dans la pièce.

« Vous avez raison. C'est facile. »

Hugh regarda de nouveau Chloe, et, cette fois, leurs yeux se croisèrent. L'espace d'un instant, une sorte de fil invisible, ténu et brillant, parut s'étirer entre eux, un peu à la façon d'une toile d'araignée. Puis Chloe se détourna et le fil cassa.

Lorsqu'ils passèrent à table, Philip avait déjà bu trois whiskies et s'en versait un quatrième. En entrant dans la salle à manger, il avait à peine prêté attention à Chloe, avait salué les autres d'un signe de tête et s'était affalé sur sa chaise, sans cesser de ruminer les mêmes pensées.

Pourquoi ne lui fichait-elle jamais la paix ? Pourquoi fallait-il qu'elle fasse toute une histoire pour un simple coup de fil ? Si elle n'avait rien dit, il aurait pu maîtriser ses peurs, conserver son faux calme intérieur, préserver son équilibre factice. Mais, en le harcelant de questions, elle avait remué la surface trouble de son esprit et fait remonter des tourbillons d'anxiété, particules en suspension qui refusaient de se dissiper. Une anxiété qui tuait toutes les pensées nouvelles et ne laissait surnager que les soucis habituels, les vieilles inquiétudes nauséabondes.

On appelait cela une fusion, on disait que PBL avait absorbé la National Southern. « Absorbé », c'était bien le mot, pensait Philip : absorbé ses pensées, sa vie, sa femme et ses enfants. Il avala une gorgée de whisky, comme s'il espérait que l'alcool le purifierait, et il se répéta la phrase qui lui servait de mantra. « Cinquante pour cent des agences seraient maintenues. » Cinquante pour cent. Cela avait été écrit dans la presse, et dans la note qui avait circulé le jour même de l'annonce de la fusion. Une promesse claire au milieu de tout le baratin, des expressions codées concernant la rentabilité, les synergies, la stratégie à long terme.

On avait promis, officiellement, de maintenir cinquante pour cent des agences. Ce qui signifiait que, logiquement, il avait une chance sur deux. Plus, même, car son agence obtenait d'excellents résultats, son équipe travaillait bien, et il avait remporté un prix, bon sang ! Même si ces dirigeants, qui gagnaient de l'argent sur le dos des employés, agissaient selon des règles tordues, même s'ils portaient sur la banque un regard froid et impitoyable, pourquoi diable auraient-ils assassiné un de leurs meilleurs éléments ?

Malgré lui, un mince espoir, insidieux, familier, assaillit son esprit. Peut-être que tout irait bien, et que le rapport Mackenzie recommanderait de garder l'agence d'East Roywich. Lui, Philip, serait distingué parmi les autres et recevrait une promotion. À cette pensée, un certain soulagement pointa sous sa morosité. Il se vit tel qu'il serait à ce moment-là : un homme confiant en lui, avec un emploi sûr, qui repenserait à ces mois d'anxiété avec une pitié à la fois triste et amusée.

« Ça a été dur, pendant une période, dirait-il à ses amis tout en servant l'apéritif d'un air décontracté. De ne pas savoir comment les choses tourneraient. Mais maintenant... » Il accompagnerait ces mots d'un petit haussement d'épaules – un simple geste pour indiquer que cela s'était bien arrangé pour lui. Puis il mettrait son bras autour des épaules de Chloe, et elle le regarderait avec fierté, comme elle l'avait toujours fait – comme elle ne le faisait plus depuis longtemps.

Philip ferma les yeux et s'abîma dans cette vision. Il désirait de toutes ses forces être cet homme qui aurait surmonté les difficultés ; il désirait voir dans le regard des siens amour et admiration ; il désirait faire partie des gagnants, pas du lot des laissés-pour-compte, des gens entre deux âges, rejetés du monde du travail à cause de leur lenteur à s'adapter aux nouvelles technologies.

« Tu pourrais te reconvertir, lui répétait sans cesse Chloe, avec son optimisme indéfectible, épuisant. Tu pourrais te reconvertir dans l'informatique. »

Cette phrase lui donnait froid dans le dos. En effet, que signifiait, de nos jours, se reconvertir dans l'informatique ? Que vous étiez un raté, incapable de vous hisser aux échelons où d'autres appuyaient sur les boutons à votre place. Cela voulait dire que votre destin était d'appuyer sur les boutons toute votre vie.

« Il adore les ordinateurs. Mais ils sont tous comme ça, non ? »

La voix de Chloe interrompit le fil de ses pensées et la surprise le fit sursauter. Parlait-elle de lui ? Il releva la tête, elle était en train de regarder Amanda, de l'autre côté de la table. Sans doute parlait-elle de Sam.

« Il a l'air d'un très gentil garçon, dit Amanda. Adorable avec son petit frère… comment s'appelle-t-il, déjà ? » Elle semblait participer à la conversation mais sans y être vraiment. C'est toujours plus que moi, pensa Philip.

« Nat, répondit Chloe après une seconde

d'hésitation. Oui, Sam est gentil avec lui. En fait, c'est un garçon formidable.

— Quel âge a-t-il ?

— Seize ans. Presque un adulte. »

Elle jeta un coup d'œil à Hugh, puis regarda son verre. Ses yeux étaient étrangement brillants, comme sous le coup d'une vive émotion. Philip se demanda quelle en était la raison : une bouffée de tendresse pour Sam ? La prise de conscience que son fils était presque un adulte ? Peut-être était-elle encore contrariée par leur dispute de tout à l'heure ? Ou alors c'était juste l'alcool. Il saisit son verre, le vida, attrapa la bouteille de vin. Tant qu'à s'enivrer, il préférait être complètement soûl.

Ils n'avaient toujours pas mangé, et Chloe sentait l'alcool lui monter à la tête. À son côté, Philip, morose, était affalé sur sa chaise et buvait du vin rouge. Il ne lui avait pas adressé la parole, se comportant comme si elle n'était pas là. Elle avait l'impression que tout le monde pouvait voir qu'ils s'étaient disputés. Quant à Hugh… cela devenait surréaliste : assise en face de lui à la table du dîner, voilà qu'elle discutait de Sam avec son épouse. Quand Amanda lui avait demandé l'âge de son fils, Chloe avait revu en un éclair la scène où Hugh avait rencontré Sam pour la seule et unique fois. Sam avait alors neuf mois. Neuf mois. À cette pensée, elle avait envie de pleurer.

« Alors, il a… déjà passé ses examens ? demanda Amanda. Ou pas encore ?

— Il vient juste de les réussir. » Chloe se força à

revenir au présent et à respirer calmement. « Dieu merci.

— Dans combien de matières ? » s'enquit poliment Amanda. On aurait cru qu'elle énumérait les questions d'une liste standard, et Chloe se retint de hurler : *Qu'est-ce que ça peut bien vous faire ?*

« Onze, répondit-elle.

— Bravo ! » Amanda se tourna vers Hugh. « J'espère que nos filles seront aussi brillantes.

— En quoi est-il doué ? interrogea Hugh en se raclant la gorge. Qu'est-ce qu'il aime ? » C'était la première fois qu'il ouvrait la bouche, et Chloe sentit des picotements lui monter au visage.

« La plupart des choses qu'aiment en général les garçons de son âge : le football, le cricket…

— Le cricket ? Oh ! s'écria Amanda, Hugh se plaint toujours parce que les filles ne voudront pas jouer au cricket avec lui.

— Ah bon, dit Chloe, et elle avala une gorgée de vin.

— Et que veut-il faire plus tard ? » Apparemment, Amanda abordait une nouvelle rubrique de son questionnaire type.

« Je n'en ai aucune idée. » Chloe esquissa un sourire. « Quelque chose d'intéressant, j'espère. Je n'aimerais pas le voir coincé dans un travail qui ne lui plairait pas.

— Il existe tant de possibilités, de nos jours. Cela doit être très difficile de choisir.

— De toute façon, rien ne presse, affirma Chloe. Il peut se lancer dans différents domaines avant de se fixer. Ce n'est pas un problème pour les employeurs, de nos jours. » Elle se rendit compte que Philip, à sa gauche, levait la tête. D'un coup d'œil, elle s'aperçut avec horreur qu'il était soûl. Il était soûl, et il s'apprêtait à prendre la parole.

« Très intéressant, commenta Amanda, l'air de s'ennuyer à mourir. Et croyez-vous que…

— Eh bien, Chloe », dit alors Philip. Chloe retint son souffle. « Tu sais ce que pensent les employeurs, maintenant ? Tu es experte dans les problèmes du travail, comme dans tous les autres domaines.

— Pas du tout, répondit Chloe d'un ton délibérément calme. Je crois simplement…

— Peut-être que tu es capable de lire dans leurs pensées. » Il se tourna vers les autres. « Vous savez, Chloe a le don de double vue. Quoi que vous pensiez, elle le devine. Vous êtes prévenus ! »

Il se tut et porta son verre à ses lèvres. Hugh et Amanda baissèrent le nez vers leurs assiettes.

« Philip… tenta Chloe. Tu pourrais peut-être manger quelque chose, ou boire un café… »

La porte s'ouvrit et Jenna apparut, un plat en terre cuite dans les mains.

« Désolée pour le retard ! » Elle s'approcha de la table, sans prêter attention à la tension qui planait dans l'air. « Voilà, puisque nous sommes en Espagne, j'ai eu l'idée de vous préparer un plat genre Tex-Mex. Tout le monde aime ça, j'espère ?

— Bien sûr, répondit Amanda après une seconde d'hésitation.

— Naturellement, marmonna Chloe.

— Donc, voici le riz… » Jenna posa le plat sur la table et souleva le couvercle, révélant un mélange de rose et de jaune vif, tel un tableau abstrait aux couleurs lumineuses. « C'est de la fraise et de la banane. J'ai vu ça un jour à l'émission de télé

132

Masterchef. » Elle fit un grand sourire. « Je plaisante ! Je l'ai juste décoré avec du colorant alimentaire. » L'air ravie, elle examina les visages où se lisait une profonde stupéfaction. « C'est plus gai, comme ça, vous ne trouvez pas ? Eh bien, attaquez ! »

Il y eut un moment d'hésitation, puis Hugh saisit la cuillère et la tendit à Chloe.

« Merci. » Chloe se tourna vers Philip. « Je te sers ? »

Philip la dévisagea quelques secondes sans rien dire, puis il repoussa sa chaise. « Vous savez quoi ? Je crois que je vais faire un tour. » Il leva la main. « Ne vous vexez pas, Jenna, je n'ai simplement pas faim pour l'instant.

— Pas de problème, répliqua la jeune fille. Vous êtes en vacances.

— Bon appétit », dit Philip, et il sortit de la pièce sans même un regard vers Chloe.

Après son départ, un silence gêné s'installa. Chloe baissa la tête et sentit ses joues s'empourprer sous l'effet de la colère. Elle savait bien que la situation était dure pour Philip. Elle l'était pour eux deux. Mais le but de ces vacances était d'oublier tout cela. Ne pouvait-il pas faire un minimum d'efforts ?

« Eh bien, vous autres, servez-vous ! » ordonna Jenna. Puis elle s'adressa à Chloe : « Qu'est-ce que vous dites de ce riz ?

— Il est… magnifique.

— Super, non ? » La jeune fille se dirigea vers la porte. « Et attendez de voir le chili ! »

Un silence accueillit cette annonce. Dès qu'elle fut sortie, Chloe releva la tête.

« Je suis désolée pour l'attitude de Philip.

— Aucune importance, dit poliment Amanda.

— Il… il a été très stressé, ces derniers temps. Tous les deux, nous avons été stressés.

— Ne vous inquiétez pas, je vous en prie. Ce genre d'incident arrive à tout le monde. Entre mari et femme, il y a des hauts et des bas…

— Nous ne sommes pas mariés, précisa Chloe, d'un ton plus sec qu'elle n'aurait voulu.

— Oh ! » Amanda lança un coup d'œil à Hugh. « Excusez-moi, je pensais que…

— Philip ne croit pas au mariage. Quant à moi… » Chloe se tut et passa la main sur son visage.

« C'est vrai que beaucoup de gens ne se marient pas, de nos jours, continua Amanda sur le ton de quelqu'un de bien informé. Une de mes amies a organisé une cérémonie laïque, à la place. Au sommet d'une falaise. C'était tout simplement fantastique. Elle portait une robe de chez Galliano. » Elle se tut un instant. « Évidemment, ils se sont séparés un an plus tard mais, franchement, je ne crois que cela aurait changé grand-chose s'ils s'étaient mariés…

— Prends donc du riz rose, Amanda, suggéra Hugh en poussant le plat vers sa femme.

— Philip et moi, nous sommes engagés l'un envers l'autre autant que si nous étions mariés, souligna Chloe d'une voix un peu tendue. Plus, même.

— Et puis vous avez un enfant ensemble, dit Hugh.

— Nous avons deux enfants ensemble. Deux enfants. » Chloe regarda Hugh dans les yeux, et il y eut un moment de silence.

« Ce riz est vraiment bizarre. » Amanda renifla

d'un air soupçonneux. « Vous croyez qu'il est bon ?

— Allez-y, mangez ! » les incita Jenna, de retour avec un autre plat qu'elle posa sur la table. « Voici du guacamole pour patienter. »

Tous examinèrent sans un mot la substance vert vif ; cela rappelait à Chloe un horrible jouet que Nat avait reçu une fois à Noël et qui s'appelait Beurk.

« Ça paraît délicieux, observa enfin Hugh. Très… vert.

— N'est-ce pas ? dit Jenna. L'avocat tout seul était un peu pâlichon. Pas très excitant, pour être franche. » Elle jeta un coup d'œil satisfait sur la table. « Bon. Maintenant, il ne manque plus que le chili. »

Elle s'apprêtait à repartir quand elle s'arrêta soudain. « Octavia, mon chou, qu'est-ce que tu fais là ? »

Les autres tournèrent la tête. Octavia, en pyjama de vichy, un éléphant en peluche dans les bras, avançait avec précaution dans la pièce.

« Maman, Beatrice pleure. Elle veut que tu viennes.

— Oh, mon Dieu, fit Amanda en se levant.

— Assieds-toi, ma chérie, lui dit Hugh. J'y vais.

— Non ! cria Octavia. Elle veut maman.

— Vous voulez que je monte, proposa Jenna, et que j'essaie de la calmer ?

— Ce n'est pas la peine, répondit Amanda avec un petit soupir. Il vaut mieux que j'y aille moi-même. Désolée de vous abandonner, ajouta-t-elle à l'intention de Chloe. Je ne suis pas de très bonne compagnie, ce soir.

« Je vous en prie, protesta Chloe. Ce n'est pas grave. » Elle prit conscience que Hugh tournait la tête vers elle, ce qui la fit rougir un peu. « Je veux dire... je sais ce que c'est quand les enfants sont malades.

— Vous voulez que je vous prépare une assiette ? demanda Jenna.

— Non, merci, je me servirai plus tard. Viens, Octavia. » Amanda prit la main de sa fille et sortit de la pièce.

« Eh bien, il ne reste plus que nous deux, constata Hugh.

— Oui, dit Chloe après un silence. En effet. » Elle but une gorgée de vin, puis une autre.

« Comme ça, vous aurez encore plus à manger, commenta Jenna. Bon, je vais aller voir ce que devient le chili. »

Quand la jeune fille eut refermé la porte derrière elle, Chloe poussa un profond soupir. Elle aurait voulu dire quelque chose de léger, de gai, d'impersonnel, mais les mots s'évanouissaient avant même de franchir ses lèvres. Elle croisa le regard de Hugh et remarqua que lui aussi était incapable de parler. La pièce, un instant figée dans le silence et l'immobilité, ressemblait à une nature morte : la table éclairée aux bougies, les verres qui étincelaient, eux deux, pétrifiés.

Se forçant à briser le charme, Chloe attrapa son verre et le vida. Sans un mot, Hugh la resservit.

« Merci, murmura-t-elle.

— De rien. »

Il y eut encore un silence irréel.

« Je crois que je vais prendre du guacamole », dit

Chloe, et elle versa dans son assiette une cuillerée de substance verte.

« Tu es belle », chuchota Hugh.

Malgré elle, Chloe ressentit une vive émotion.

« Merci », dit-elle sans le regarder. Elle se servit une deuxième cuillerée de guacamole. « L'hypocrisie, ça te connaît.

— Non, je ne suis pas… » rétorqua Hugh, piqué au vif, puis il se ressaisit. « Chloe, j'aimerais te parler de… » Quelques secondes après, il reprit : « J'aimerais te parler de ce que j'ai fait. »

Silence. D'un geste délibéré, Chloe versa une troisième cuillerée de purée verdâtre dans son assiette.

« Je veux que tu saches pourquoi j'ai agi de cette façon. Et… et à quel point la décision a été dure…

— Dure ? répéta Chloe d'une voix sans timbre. Mon pauvre. »

Hugh tressaillit. « J'étais différent, à l'époque. J'étais jeune.

— Moi aussi, j'étais jeune. » Chloe faillit se servir pour la quatrème fois, mais elle se ravisa et reposa la cuillère.

« Je ne savais rien de la vie, ni des gens ni… », continua Hugh.

Elle l'interrompit. « Le problème, Hugh, c'est que ça ne m'intéresse pas. » Elle le regarda droit dans les yeux. « Ça ne m'intéresse pas le moins du monde de… de savoir ce que tu pensais ou pourquoi tu as fait ce que tu as fait. Comme tu l'as dit, c'était il y a très longtemps. » Elle but une gorgée de vin et poussa le plat de guacamole vers lui. « Sers-toi donc de cette infâme bouillie.

— Chloe, écoute-moi, implora Hugh en se

penchant vers elle. Si seulement je pouvais t'expliquer ce que j'ai ressenti à ce moment-là, la façon dont j'ai paniqué...

— Qu'est-ce que tu veux ? » Chloe sentait la colère monter en elle. « Le pardon ? L'absolution ?

— Je ne sais pas. Peut-être que j'ai juste envie de... de te parler.

— Pourquoi ? »

Sans rien dire, Hugh prit une fourchette, l'examina longuement, puis releva la tête. « Peut-être que j'aimerais connaître la femme que tu es devenue. Et j'aimerais que tu connaisses l'homme que je suis devenu. »

Chloe le regarda et hocha la tête d'un air incrédule.

« Tu es en territoire très dangereux, avertit-elle.

— Je le sais. » Sans la quitter des yeux, Hugh but une gorgée de vin.

Chloe attrapa son verre et but également, pour tenter de se donner une contenance. Cette conversation l'ébranlait beaucoup plus qu'elle ne l'aurait imaginé. Derrière son calme apparent, elle sentait l'ancienne blessure se raviver, la vulnérabilité d'autrefois refaire surface. Elle avait envie de hurler contre Hugh, de le meurtrir, de lui infliger un peu de la souffrance qu'il lui avait fait endurer.

« Chloe... » Elle leva la tête. Hugh la contemplait d'un air grave. « Je regrette. Je... je regrette sincèrement. »

Ces mots lui firent l'effet d'un coup de tonnerre. Horrifiée, elle sentit les larmes lui monter aux yeux.

« Je regrette ce que j'ai fait, reprit Hugh. Si seulement je pouvais... je ne sais pas... revenir en arrière.

— Non ! » Ce « non » était un coup de poing qu'elle lançait pour se défendre. Elle inspira à fond et secoua la tête. « Arrête. Arrête immédiatement. Les regrets sont inutiles. C'est stérile de dire qu'on regrette si on ne peut pas changer la situation. Et tu ne peux pas la changer. Nous ne pouvons pas revenir en arrière. Ce qui s'est passé, nous ne pouvons rien y changer. »

Elle se tut, consciente que son visage et sa voix trahissaient plus d'émotion qu'elle ne l'aurait voulu. Hugh l'observait avec une expression avide, comme s'il buvait ses paroles.

« Nous ne pouvons pas revenir en arrière, répéta-t-elle d'un ton plus calme. Nous ne pouvons rien changer à ce qui s'est passé. » Elle recula sa chaise, se leva, jeta sur Hugh un regard neutre. « Et, de toute façon, je ne le voudrais pas. »

Sa serviette atterrit sur la table tandis qu'elle fonçait vers la porte. Au moment où elle sortait, Jenna arrivait, un grand plat ovale dans les mains.

« Excusez-moi », dit Chloe d'un ton brusque, et elle passa devant la jeune fille.

Hugh était en train de contempler la table d'un air absent.

« Alors, vous êtes tous prêts à vous brûler la langue ? » Jenna posa le plat et sourit. « Je plaisante ! Ce n'est pas si épicé que ça, j'y suis allée mollo avec le piment. En réalité, il y a du Tabasco à la cuisine au cas où ce ne serait pas assez relevé. Tout dépend comment vous l'aimez… » Elle saisit la cuillère. « À votre avis, Chloe en mangera beaucoup ?

— En fait… répondit Hugh en relevant la tête au prix d'un immense effort. En fait, je ne crois pas que Chloe revienne.

— Oh, fit Jenna, la main sur la poignée du couvercle. Bon. Donc, vous êtes seul à manger, c'est ça ? »

Hugh parcourut du regard la table désertée.

« Vous savez, Jenna, je pense que, moi aussi, je vais remettre ça à une autre fois. C'est sûrement délicieux, ajouta-t-il en désignant le plat, mais… je n'ai pas faim.

— Je vois. » La cuillère toujours en l'air, Jenna regarda le plat quelques instants. « Eh bien, j'espère que ce sera mangé demain.

— Je suis désolé. Je sais que vous vous êtes donné beaucoup de mal…

— Oh, ce n'est pas un problème ! affirma la jeune fille d'un ton enjoué. Vous êtes en vacances. Si vous ne voulez pas manger, OK !

— Merci de prendre si bien les choses. » Hugh lui adressa un sourire contrit, puis sortit de la pièce.

Aussitôt la porte refermée, le sourire de Jenna s'évanouit. La table soigneusement mise, la nourriture intacte, les serviettes froissées, abandonnées, s'offraient à son regard.

« Super ! dit-elle tout haut. Vraiment super ! Génial ! »

Elle se laissa tomber sur une chaise, l'air morose. Puis elle souleva le couvercle du plat de chili. Les mots BONNES VACANCES À TOUS, écrits à l'aide de petits pois et de grains de maïs, semblaient lui faire un clin d'œil.

7

Lorsque Chloe se réveilla, la chambre était plongée dans le silence et l'obscurité. Elle resta un moment allongée, les yeux au plafond, laissant les fragments de pensées et de rêves incohérents se détacher du magma de son esprit et se mettre lentement en place. Bribes de souvenirs, vestiges d'émotions, ébauches de désirs se déposèrent doucement, telles les billes d'argent d'un jeu de casse-tête. Une fois certaine que le moindre mouvement ne les délogerait pas, elle s'autorisa à s'asseoir dans le lit et à regarder autour d'elle.

La lumière filtrait à travers les persiennes et formait des rayures sur le sol carrelé. En étudiant les motifs du carrelage, Chloe remarqua un bout de papier posé au centre de la pièce. Probablement un mot de Philip, pensa-t-elle avec détachement, et elle se demanda si elle avait envie de le lire. Il avait dû dormir une partie de la nuit à côté d'elle, mais elle n'en était pas sûre. Après avoir quitté la table du dîner, la veille au soir, elle était montée directement dans la chambre. Philip n'y étant pas, elle avait pris un bain et lu plusieurs chapitres d'un livre dont elle n'avait rien retenu. Ensuite elle avait éteint la lumière, gardant les yeux ouverts dans le noir, puis avait fini par s'endormir, sans doute plus tôt qu'elle ne l'imaginait.

Un sursaut de colère la traversa au souvenir de la frustration qu'elle avait éprouvée de ne pas pouvoir parler à Philip. Elle l'avait attendu, le cœur battant, élaborant des arguments, levant la tête chaque fois qu'elle entendait des pas. Mais il n'était pas venu. Plus le temps passait, plus elle était décidée à ne pas aller le chercher. S'il ne voulait pas être auprès d'elle, c'était son choix. S'il préférait se soûler et provoquer une dispute, c'était aussi son choix.

D'un mouvement vif, elle se leva, ramassa le morceau de papier et le parcourut du regard.

Ma chère Chloe,
Tu mérites une journée sans moi. J'emmène les garçons sur la côte. Passe une bonne journée, nous parlerons ce soir. Je m'excuse.
Philip

Chloe examina un instant l'écriture familière, puis froissa le bout de papier. Ce mot était un appel à sa tendresse de bonne épouse, une incitation à passer l'éponge et à pardonner. Mais elle n'en avait pas la moindre envie ; tout ce qu'elle ressentait, c'était de l'agacement.

Elle ouvrit les volets et contempla le jardin. D'en haut, les parterres de fleurs paraissaient impeccables, la piscine était d'un bleu étincelant, les chaises longues invitaient à se prélasser. Mais ce n'était pas du goût de Chloe. Son regard se porta plus loin, plus haut, du côté des montagnes, et elle fut prise du désir subit de sortir, de s'éloigner de cette villa et de ses occupants, des tensions, des frictions, des problèmes qui la rendaient claustrophobe. Elle voulait être seule, anonyme, dans ces paysages sauvages.

Après avoir enfilé une vieille robe en coton et une paire de sandales, elle s'enduisit de crème solaire, prit un chapeau et versa de l'eau fraîche dans une bouteille d'Évian qu'elle mit dans son panier.

Puis elle descendit l'escalier. Pas un bruit, aucun signe de vie. Elle se sentait pareille à Alice au Pays des Merveilles, *si seulement je réussis à franchir la grille sans rencontrer personne,* pensait-elle superstitieusement. *Si seulement je réussis à franchir la grille... alors, tout ira bien.*

Elle referma la lourde porte d'entrée derrière elle et avança dans l'allée ombragée qui menait à la grille principale. Elle commençait à faire le vide dans son esprit, n'ayant conscience que du bruit de ses pas, tel un tic-tac obsédant.

« Hé ! Chloe ! »

Elle sursauta et chercha, le cœur battant, d'où venait la voix qui l'appelait. Personne. Son cerveau lui jouait-il un tour ? Était-elle en train de devenir folle ?

« Par ici ! »

Chloe aperçut la tête de Jenna au-dessus d'une haie, et elle se sentit soulagée et contrariée à la fois.

« On joue à cache-cache, expliqua Jenna. Hein, Octavia ? » Elle sourit à la fillette invisible, puis regarda avec curiosité le chapeau et le panier de Chloe. « Vous sortez ?

— Oui, répondit Chloe à contrecœur.

— Ah bon. Où allez-vous ?

— Je ne sais pas. » Chloe se força à sourire et, avant que Jenna lui pose d'autres questions, elle agita la main en signe d'adieu et continua son chemin.

La route était déserte, l'asphalte miroitait sous la chaleur. Chloe traversa et se mit à marcher sur le bas-côté, sans réfléchir à la direction qu'elle prenait. Arrivée à un virage, elle s'arrêta, observa la route qui serpentait devant elle, puis la pente de la montagne qui tombait à pic sur sa gauche. Après un bref moment d'hésitation, elle enjamba la rambarde et entreprit de descendre la pente, d'abord en marchant, puis en courant. Au fur et à mesure qu'elle gagnait de la vitesse, elle glissait sur le sol sec, sableux ; elle avançait de plus en plus vite et elle faillit perdre l'équilibre. Parvenue à un petit monticule rocheux, un peu hors d'haleine, elle fit une pause. Jetant un coup d'œil vers la route au-dessus d'elle, elle fut surprise et ravie de voir la distance qu'elle avait parcourue en si peu de temps. Un sentiment de libération, d'évasion la remplissait déjà : elle était dans la nature, elle était libre.

Perchée sur un gros rocher blanc, elle contempla le paysage aride, silencieux, autour d'elle, le sol sec, calciné par le soleil, les buissons ratatinés qui poussaient à l'ombre des arbres maigres et nus. Au loin, elle entendait les clochettes des chèvres qu'on emmenait paître. Que pouvaient-elles bien manger ? se demanda-t-elle en regardant la végétation clairsemée.

Le tintement des clochettes s'éloigna, le silence retomba. Le soleil était brûlant. Sur une impulsion,

Chloe ramassa une pierre et la lança de toutes ses forces vers le bas de la montagne. Elle en jeta une deuxième, puis une troisième, et crut qu'elle allait se démettre l'épaule. Chaque fois qu'une pierre dévalait la pente et disparaissait de sa vue, Chloe éprouvait un sentiment de délivrance, étrange et puissant. Sur le point de ramasser une autre pierre, elle se ravisa : trois, c'était suffisant.

Elle s'attarda encore un peu, but de l'eau, laissa son esprit vagabonder, tout son être devenir partie intégrante du paysage. Un petit lézard courut sur le rocher où elle était assise, puis fit demi-tour, une fois, deux fois ; la troisième fois, il passa sur sa main, et elle se surprit à ressentir du plaisir d'avoir été acceptée si aisément.

Finalement elle se leva, s'étira et reprit sa marche, en choisissant le chemin le plus difficile, comme un défi qu'elle se lançait à elle-même. Le soleil lui tapait sur la tête – plus fort que la veille, lui semblait-il. Bientôt, ses jambes lui firent mal, ses bras dégoulinèrent de sueur. Elle continua néanmoins à marcher, de plus en plus vite, comme si elle voulait battre son propre record. Une sorte de fièvre l'avait saisie : elle devait aller aussi loin que possible, par-delà les montagnes, dans un autre pays. Elle avait à peine conscience de ce qui l'entourait, seulement attentive au rythme de ses pas, à la cadence de son souffle, à la sueur qui coulait sur son front. À un certain moment, elle suivit du regard le vol d'un papillon et, tout à coup, s'arrêta, stupéfaite.

Là-haut, à sa droite, surgi de nulle part, elle aperçut un groupe de maisons blanches que dominait un clocher. Le village qu'ils avaient vu en arrivant, réalisa-t-elle soudain. Comment s'appelait-il, déjà ? San quelque chose. San Luis. Chloe resta interdite. Elle n'avait pas prévu de visiter San Luis, mais de se perdre dans les montagnes. Et maintenant, elle se sentait observée : peut-être quelqu'un la regardait-il depuis l'une de ces étroites fenêtres, se demandant ce que faisait cette folle qui courait sur le flanc de la montagne. Peut-être même qu'on alerterait le médecin du coin.

Une Mobylette passa en pétaradant sur la route, au-dessus, faisant sursauter Chloe. Quelle idiote je suis ! se dit-elle. Elle se remit en chemin, essaya de reprendre son rythme, puis s'arrêta encore une fois. Des pensées d'un autre genre lui venaient à l'esprit. Le soleil était haut au-dessus de sa tête, il devait être environ midi. Il y avait sûrement un restaurant à San Luis. Un verre de vin frais, une assiette de chorizo peut-être. Des champignons marinés. Des crevettes à l'ail. Chloe se rendit compte qu'elle avait une faim de loup : elle n'avait pas dîné la veille, ni rien avalé le matin. Après avoir vérifié qu'elle avait bien emporté son porte-monnaie, elle prit la direction du village.

Amanda était restée une bonne partie de la nuit auprès de Beatrice. Quand Hugh sortit sans bruit de la chambre, toutes deux dormaient profondément, un drap froissé jeté sur elles. Il but en vitesse un café à la cuisine, puis se dirigea vers la piscine. Il n'y avait personne, sauf Jenna et Octavia, qui barbotaient dans le petit bassin.

« Bonjour, monsieur Stratton, lança Jenna d'un ton enjoué. Beatrice va mieux ?

— Elle dort. Amanda aussi. » Hugh s'installa

146

sur une chaise longue et regarda autour de lui. « Eh bien, où sont passés les autres ?

— Tous partis. Philip a emmené Sam et Nat à la mer.

— Pas Chloe ?

— Non, elle est partie se promener à pied.

— Ah bon. » Hugh prit une des revues laissées la veille par Amanda, la feuilleta d'un air absorbé, s'arrêta sur un article concernant des sculptures en verre, lut les trois premières lignes, puis reposa le magazine. « Savez-vous de quel côté elle est partie ? s'enquit-il d'un air détaché.

— Pas du tout.

— Ah. » Hugh sentait le soleil lui cogner sur le crâne. Paralysé par l'indécision, il demeura un instant complètement immobile, puis finit par relever la tête. « Je crois que je vais aller faire quelques courses. Je prends la voiture, vous n'en aurez pas besoin ?

— Sûrement pas. » Jenna éclata de rire. « Si nous avons besoin d'une voiture, nous en fabriquerons une, n'est-ce pas, Octavia ?

— Parfait. »

Hugh attendit quelques secondes encore, puis adressa un signe de tête à Jenna et se dirigea aussi lentement que possible vers la voiture. Alors qu'il ouvrait la portière, il entendit Octavia crier : « Au revoir, papa ! Au revoir ! » Un peu mal à l'aise, il s'installa derrière le volant et mit le contact.

Parvenu à la route, il stoppa. Chloe n'avait pas pu aller bien loin. Si elle n'était pas partie dans un sens, elle était forcément partie dans le sens opposé. Hugh jeta un coup d'œil dans une direction, puis dans l'autre, et, connaissant Chloe, il se dit qu'elle avait dû prendre la route qui montait.

Au moment où il franchit la grille, un garçon qui conduisait ses chèvres sur la colline lui cria quelque chose. Hugh fronça les sourcils et vérifia son tableau de bord. Il regarda dans le rétroviseur : le garçon criait toujours. Hugh haussa les épaules et passa en troisième. La voiture gravit la côte en vrombissant. Hugh, penché en avant, scruta le paysage, à la recherche de Chloe.

Chloe déambulait dans les rue pavées de San Luis, avec l'impression d'avoir pénétré dans un monde enchanté. De part et d'autre de la chaussée, la blancheur des maisons était ponctuée par les toits de tuile, les balcons de fer forgé, les lourdes portes de bois clouté, les fleurs en pot. Le village était pratiquement juché à flanc de montagne. En grimpant vers la place principale, Chloe sentait ses jambes la tirailler.

Elle s'arrêta pour reprendre son souffle et contempler ce qui l'entourait. La rue était vide, à part un chien efflanqué qui reniflait le sol. Le village semblait désert. Pourtant elle entendait, au-dessus d'elle, des voix qui s'interpellaient et, au loin, un air de musique. Après avoir inspiré à fond, elle rejeta ses cheveux en arrière et continua sa promenade dans les ruelles aux portes fermées. À un coin de rue, elle croisa deux femmes âgées, vêtues de robes à fleurs, et leur sourit d'un air hésitant. La musique devenait plus forte maintenant, sans doute approchait-elle du centre du village.

Un bruit attira son attention et elle se retourna ;

une seconde plus tard, sans prévenir, deux adolescents à Mobylette déboulèrent à toute vitesse. Au passage, ils lui crièrent quelque chose qu'elle ne put évidemment comprendre, mais elle les salua d'un signe de tête et poursuivit son chemin, en direction de la musique qui augmentait à chaque pas.

Elle coupa par un petit passage ombragé, tourna encore à un coin de rue… et s'arrêta, stupéfaite. Elle avait atteint la place principale du village. Le clocher, aperçu depuis la montagne, se dressait face à elle ; au centre de la place, de l'eau jaillissait d'une tête de lion sculptée et se déversait dans une superbe vasque de pierre. Dans l'une des rues latérales s'alignaient des boutiques avec, en vitrine, des assiettes peintes de couleurs vives, des jambons énormes, des figuiers en pot. Chloe, immobile, un peu étourdie à force d'avoir grimpé, regarda autour d'elle. Voici un village, se dit-elle avec le sentiment d'être un peu ridicule. Voici une église. Voici le clocher. Et voici les habitants.

Après le silence aride de la montagne, après le calme feutré des rues pavées, Chloe avait pénétré dans une atmosphère de sons, de couleurs, de mouvements. L'air embaumait l'ail et la viande rôtie, les voix résonnaient sur les murs blancs. Un groupe de vieux étaient attablés à la terrasse d'un petit café, une femme avec un bébé dans les bras criait quelque chose à un homme penché sur un balcon. Pendant que Chloe observait la scène devant elle, deux jeunes gens s'approchèrent de la fontaine au lion, enlevèrent leurs chemises et se lavèrent la figure et le torse, tout en échangeant des propos en espagnol. L'un des deux releva la tête, vit la jeune femme qui le regardait et lui lança un clin d'œil. Elle rougit, détourna les yeux et fit semblant d'examiner un carreau richement décoré, inséré dans le mur d'une maison.

Quelques touristes, peu nombreux, reconnaissables à leur peau blanche, leurs casquettes de baseball et leurs appareils photo, déambulaient sans but. Un homme roux, des chaussures de marche aux pieds, un guide à la main, lisait un écriteau sur la porte de l'église ; sa femme, un peu à l'écart, le regard perdu dans le vide, avait l'air de s'ennuyer à mourir. Au bout d'un moment, l'homme se dirigea vers Chloe.

« Apparemment, pour manger il faut aller à Santa Margarita, dit-il à sa femme. Environ une demi-heure de route. À moins qu'on ne reste déjeuner ici… »

Partez, supplia Chloe en silence. *Partez, je vous en prie.*

« Partons, dit alors la femme d'un ton morne. Ça vaut mieux. Il n'y a pas grand-chose à voir ici, de toute façon. Où est la voiture ? »

Tandis que le couple d'Anglais s'éloignait, Chloe emprunta la rue commerçante. Elle passa devant la fontaine de pierre où les deux jeunes gens se faisaient maintenant sécher au soleil. Celui qui lui avait lancé un clin d'œil lui sourit et lui cria quelque chose, sans doute une remarque sexiste qui l'aurait exaspérée en Angleterre. Mais, en espagnol, tout paraissait romantique, ce qu'ils disaient pouvait aussi bien être de la poésie. Malgré elle, Chloe se surprit à répondre à l'attention masculine : elle ralentit un peu le pas, sentit ses hanches se balancer plus souplement sous sa robe, au rythme de la musique qu'on entendait toujours, quelque part, au loin.

Au moment où elle s'enfonçait dans la rue aux nombreuses boutiques, elle croisa une Espagnole en robe rouge, qui portait une miche de pain ; elle avait la peau brune et lisse, sa robe sans bretelles épousait les courbes de son corps, et elle avançait d'une démarche souple et élégante. Fascinée, Chloe admira le port de tête de cette femme, son assurance : on aurait dit qu'elle était enchantée de sa propre personne.

La femme disparut dans une boutique dont la vitrine regorgeait de robes aux couleurs vives, de jupes à volants et de chaussures à fanfreluches. Poussée par la curiosité, Chloe s'approcha du magasin et s'arrêta, consternée, en apercevant son reflet dans la glace. Ce qu'elle vit lui causa un choc : une femme d'âge indéterminé, en robe de lin défraîchie et sandales de marche. C'était le genre de vêtement typique du bon goût anglais : fibres naturelles, tons discrets, formes amples. Ici, dans ce décor, elle avait l'air fagotée comme un sac.

En se regardant, Chloe eut envie de couleurs, de gaieté. Envie de l'assurance, de la beauté, du maintien que les femmes espagnoles semblaient posséder naturellement. Elle entra dans le magasin et cligna des yeux plusieurs fois, le temps de s'habituer à l'éclairage. La femme en robe rouge vint vers elle d'un pas nonchalant et lui sourit. Chloe à son tour sourit poliment et tendit le bras vers une robe en coton bleu suspendue à un cintre ; elle l'examina quelques instants, puis croisa le regard de la femme.

« Très jolie, dit-elle.

— Elle est jolie, oui. » La femme avait une voix

mélodieuse et parlait anglais avec un très léger accent espagnol. « Elle est jolie, mais je vous verrais bien dans… hum, voyons voir. »

Elle étudia un moment la silhouette de Chloe, sans rien dire, et Chloe attendit avec un petit frisson d'impatience. En tant que couturière, elle était habituée à détailler les autres femmes, à essayer des vêtements sur elles, à les rendre belles. Ces derniers temps, elle n'avait pas eu souvent l'occasion de s'étudier elle-même avec objectivité, de se voir telle que les autres la voyaient.

« Quelque chose comme ceci. » La femme traversa la boutique et décrocha une robe rouge écarlate. « Ou cela. » Elle brandit le même modèle, mais en noir.

« Oh. Euh… je ne sais pas. » Chloe sourit pour cacher sa déception. Elle s'était attendue à une découverte magique, un passeport pour l'élégance méditerranéenne, mais ces robes – courtes, moulantes, décolletées dans le dos – n'étaient pas du tout son style. « C'est peut-être un peu jeune pour moi…

— Jeune ? Mais vous *êtes* jeune ! Quel âge avez-vous ? Trente ans ? »

Chloe sourit. « Un peu plus que ça. En fait, je suis mère d'un adolescent. »

La femme sourit et secoua la tête. « Vous avez l'air d'une jeune fille et vous voulez vous habiller comme une grand-mère ?

— Je ne m'habille pas comme… » Chloe se tut en voyant, reflétés dans la glace, ses vêtements informes, sans éclat. La femme, percevant sans doute son hésitation, lui tendit les cintres.

« Passez-les. Essayez la noire. »

La cabine d'essayage était un réduit sans miroir, fermé par un rideau. Chloe enfila la robe étroite et moulante. Elle était furieuse contre elle-même : quel besoin avait-elle eu de gâcher une journée si parfaite en entrant dans un magasin de fringues de second ordre ? La mine renfrognée, elle émergea de la cabine.

« Franchement, je ne crois pas que… » Elle s'interrompit. Dans le miroir en pied, elle aperçut son reflet.

« Joli, non ? dit la femme. Très sexy. »

Chloe se contempla, le cœur battant, incapable d'émettre un son. La jeune femme dans le miroir avait vingt-cinq ans, de longues jambes, un dos lisse et hâlé, et portait la robe la plus simple et la plus sexy qu'elle eût jamais eue. Instinctivement, elle releva ses cheveux sur sa nuque.

« Très bien, approuva l'Espagnole. Nous allons vous mettre une fleur dans les cheveux. Et un châle, peut-être, pour le soir. Très chic… » Elle croisa le regard de Chloe dans la glace et lui sourit – un sourire complice, de femme à femme. « Vous voyez… vous n'êtes pas si vieille que vous le pensiez. »

Chloe continua à sourire sans rien dire. Elle commençait à se sentir ridiculement euphorique. D'un moment à l'autre, elle allait se mettre à pouffer de rire.

La femme prit dans un panier un lis en soie qu'elle attacha dans les cheveux de Chloe ; ensuite, elle l'observa dans la glace d'un air pensif, et tendit la main vers un présentoir de lunettes de soleil.

« Voilà pour compléter votre look, dit-elle en lui posant sur le nez une paire de lunettes en écaille. Maintenant, vous avez l'air d'une vraie star. »

Chloe examina son reflet dans le miroir. Elle n'en revenait pas : une blonde mystérieuse la regardait d'un air décontracté.

« Ce n'est pas moi, murmura-t-elle en riant. Ce n'est pas moi !

— Si, c'est vous », répondit l'Espagnole avec un sourire, et elle ajouta en affectant un accent américain : « Il suffit d'y croire, baby. »

Un quart d'heure plus tard, Chloe ressortait de la boutique en robe noire moulante, lunettes de soleil et sandales élégantes à fines lanières. Elle avait réglé ses achats par carte de crédit, sans même se donner la peine de calculer le montant. L'Espagnole lui avait proposé d'emporter ses vieux vêtements dans un sac, mais Chloe avait refusé et les avait regardés disparaître à la poubelle sans sourciller.

En déambulant dans la rue, elle prit soudain conscience de son corps exposé au soleil et aux regards masculins. Sa démarche devint plus provocante et elle se mit à fredonner. Elle jouait à moitié la comédie, mais à moitié seulement : une partie d'elle-même réagissait aux frustrations des derniers jours et avait besoin des regards admiratifs des inconnus. Passant devant trois jeunes Espagnols assis sur le seuil d'une maison, elle eut envie de voir leur réaction et leur lança un regard provocant. Ils répondirent par des sifflements, ce qui la ravit. Cela faisait longtemps qu'elle ne s'était pas sentie si jeune, si pleine de vitalité, si riche de possibilités. Quelque part dans sa tête trottait la pensée qu'elle avait un mari et deux fils – mais c'était une pensée lointaine, qui lui parvenait à travers une sorte de brouillard. Tout ce qui comptait, c'était l'instant présent.

La musique qu'elle avait entendue en arrivant sur la place du village s'amplifiait ; Chloe en comprit l'origine quand elle atteignit le petit restaurant au coin d'une rue. Elle pénétra dans la salle fraîche, sombre, quasi déserte. Son corps vibrait déjà au son de la musique. Elle avait envie de danser, ou de se soûler. Envie de se perdre complètement.

Calme en apparence, elle s'assit à une table de bois près de la fenêtre et commanda un verre de vin rouge. La première gorgée lui parut un régal suprême. Elle grignota une olive, ferma les yeux, écouta le rythme des guitares et les conversations en espagnol, à l'autre bout de la salle. Dégustant son vin à petites gorgées, elle laissa l'alcool prendre possession d'elle, rompre doucement ses amarres. Peu à peu, elle se sentit dériver, flotter.

Une fois son verre presque fini, elle rouvrit les yeux et chercha du regard le serveur pour en commander un autre. Tout à coup, elle éprouva un choc immense.

Assis dans un coin de la salle, la fixant des yeux, se trouvait Hugh Stratton. Un verre de cognac devant lui, ainsi qu'une coupelle d'olives et un journal, il l'observait.

Le cœur de Chloe se mit à battre la chamade. Elle but une gorgée de vin, s'efforçant de rester calme, mais ses doigts tremblaient et ses lèvres frémissaient.

C'est l'effet de surprise, se dit-elle, tu ne t'attendais pas à le voir ici, tu ne t'attendais pas à rencontrer quelqu'un que tu connais.

Pourtant, tout au fond d'elle-même, quelque

chose commençait à bouger, à s'éveiller, à s'animer, à se manifester. Elle jeta un coup d'œil du côté de Hugh ; il la regardait toujours, ses yeux sombres la transperçaient, comme s'il lisait en elle. Sans se presser, il avala une gorgée de cognac et reposa son verre, les yeux toujours rivés sur ceux de Chloe. Elle soutint son regard, prête à défaillir d'appréhension et de désir.

La musique s'arrêta, quelques clients applaudirent. Ni Chloe ni Hugh ne firent un mouvement. Un serveur vint enlever le verre de Chloe, elle ne le remarqua même pas.

Finalement, Hugh se leva, replia son journal, le lança sur la table. Il traversa lentement la salle et s'approcha de la table de Chloe.

« Bonjour, dit-il d'un ton grave, en lui tendant la main. Permettez-moi de me présenter. Je m'appelle Hugh Stratton. »

Chloe le dévisagea, le cœur battant à se rompre. « Bonjour », répondit-elle d'une voix tremblante. Quand les doigts de Hugh se refermèrent sur les siens, elle sentit des picotements dans tout son corps. « Je m'appelle Chloe. Asseyez-vous, je vous en prie. »

8

Installé à une table de café à Puerto Banus, Philip
dégustait un cappuccino hors de prix tout en observant la foule des gens bien habillés qui flânaient
dans les rues inondées de soleil. Certains admi-
raient les vitrines de luxe, d'autres contemplaient
les yachts alignés le long du port. Une voiture de
sport, une Ferrari rouge, se frayait un chemin au
milieu des piétons, sans impatience, sans hâte,
comme si elle profitait du paysage.

L'intention de Philip n'avait pas été d'aller dans
ce genre d'endroit mais de s'enfoncer dans la montagne et de découvrir quelques-uns des villages
andalous décrits dans son guide. Il se voyait déjà,
assis sous un olivier dans une cour ombragée,
s'imprégnant des odeurs, du spectacle et des sons
de cette région d'Espagne. Mais les garçons avaient
tenu à venir sur la côte. Sam, en particulier, aspirait
à davantage d'animation après l'ennui de la villa. Ils
étaient donc là, sous le soleil brûlant, au milieu du
clinquant, de la frime et du bla-bla international.

Après avoir fini leurs boissons, les garçons étaient allés voir les voiliers ; d'une minute à l'autre, Philip le savait, ils demanderaient à entrer dans l'une des nombreuses galeries de jeux.

Une femme passa dans un nuage de parfum entêtant. Philip fit la grimace. Il aurait aimé que Chloe soit là. Elle aurait observé les gens en sa compagnie et lui aurait donné des coups de pied discrets sous la table pour lui signaler cet homme, là-bas, avec sa bedaine, sa moumoute et sa Rolex incrustée de diamants. Et ils se seraient souri sans rien dire.

Machinalement, il tâta le petit paquet dans sa poche. Dans une des boutiques où il avait traîné avec les garçons, il lui avait acheté un cadeau : une fine chaîne en or, avec un pendentif pareil à une larme. Il n'avait pas prévu cet achat mais, en voyant le bijou, il avait soudain pensé à Chloe, à son cou mince, à son ossature fine, à sa peau laiteuse – et à sa fureur contre lui, la veille au soir.

Philip ferma les yeux et se massa le front. Il voulait se faire pardonner, se réconcilier avec elle. L'incertitude quant à son travail les éloignait l'un de l'autre et exerçait une pression sur eux deux. Il n'aurait pas dû lui tenir les propos qu'il avait tenus la veille, il n'aurait pas dû s'en prendre à elle, ni s'enivrer. Pourtant, il y avait du vrai dans ce qu'il avait dit, il n'abordait pas les problèmes de la même façon qu'elle, il ne possédait pas sa force de caractère – peu de gens, d'ailleurs, la possédaient.

La première fois qu'il l'avait rencontrée, elle éclipsait tout le monde. Philip avait accepté d'assurer temporairement un cours du soir, pour rendre service à un ami, et avait accueilli une toute nouvelle classe d'élèves.

« Je ne serai pas votre professeur permanent, avait-il annoncé, mais c'est moi qui, durant les premières semaines, vous initierai à ce sujet fascinant et ô combien sous-estimé… » Il avait souri et des gloussements de rire appréciateurs avaient parcouru la salle. La seule personne qui n'avait pas souri était une jeune femme blonde aux yeux bleus et au regard pénétrant, assise dans les premiers rangs. Elle avait levé la main, et il s'était tourné vers elle, heureux d'avoir l'occasion de la regarder.

« Savez-vous de quoi vous parlez ? avait-elle dit avec une certaine véhémence, en le fixant dans les yeux. Je paie une baby-sitter pour venir assister à ce cours. Je n'ai pas envie d'avoir affaire à un remplaçant qui ne pourra pas m'enseigner ce que j'ai besoin de savoir. »

Philip l'avait dévisagée, impressionné.

« Soyez rassurée, avait-il répondu. Je suis titulaire d'un diplôme de comptabilité et je travaille dans une banque depuis quatre ans. S'il y a une chose que je sais, c'est comment tenir des comptes. Mais si vous préférez attendre votre professeur permanent, ou suivre un autre cours…

— Non, l'avait-elle interrompu froidement. C'est bon. Continuez. »

Après ce premier échange, il avait eu du mal à détacher ses yeux de Chloe. Sous prétexte de trouver un exemple pour illustrer son cours, il lui avait demandé pourquoi elle désirait apprendre la comptabilité, et il avait découvert qu'elle était couturière et montait sa propre entreprise à domicile. Plus tard, au moment de la pause café, il avait appris qu'elle était célibataire et possédait un diplôme – plus élevé que le sien – du Courtauld Institute.

« Vous pourriez obtenir un emploi bien rémunéré, avait-il avancé d'un ton prudent. Cela vous permettrait d'engager une nourrice, ou de payer des frais de crèche...

— Oui, sans doute, avait-elle répliqué en haussant les épaules. Mais à quoi bon ? »

Tout en buvant son café, Philip s'était demandé quand il pourrait l'inviter à sortir.

Finalement, il avait attendu le dernier cours pour lui proposer de dîner un soir dans une pizzeria. Elle l'avait dévisagé avec attention un long moment, puis avait acquiescé. Une lueur amusée était passée sur les traits de Philip.

« Vous êtes sûre ? avait-il lancé sur le ton de la plaisanterie.

— Oui, avait-elle répondu avec sérieux. J'ai intérêt à l'être. »

Dès le début, Sam avait fait partie de leur relation. À la pizzeria, Chloe, avec un petit air de défi, avait sorti des photos de son petit garçon, et Philip les avait admirées avec plus de sincérité qu'il ne s'y attendait. Quand, vers la fin du dîner, il lui avait demandé si elle aimerait qu'ils se revoient, elle avait accepté. « Dimanche, avait-elle dit en rougissant un peu. Au parc. J'emmènerai Sam. » Pas question de refuser, intimait le regard de ses yeux bleus.

Quelques mois plus tard – à ce moment-là, il vivait pratiquement chez elle et ils projetaient de passer des vacances ensemble – il lui avait rappelé, en plaisantant, l'empressement qu'elle avait mis à lui présenter Sam. Il avait été étonné de constater qu'il touchait là un point sensible.

160

« Je ne voulais pas t'annoncer son existence par surprise, avait expliqué Chloe d'un ton un peu distant, en regardant ailleurs. Je ne voulais pas que tu penses que je gardais cela comme... comme un secret.

— Tu as très bien fait, avait répondu Philip en la serrant dans ses bras. Lors d'un second rendez-vous, il devrait toujours y avoir des jeunes pour animer la soirée. » Puis il avait ajouté, pince-sans-rire : « Franchement, ta seule compagnie peut être si ennuyeuse.

— Tais-toi, espèce de salaud ! » avait-elle répliqué en esquissant un sourire.

À la vérité, Philip avait craqué pour Sam presque aussi vite que pour Chloe. Qui n'aurait pas craqué pour ce gamin de trois ans, gentil, débordant d'énergie, facile à vivre ? Un gosse qui assistait le dimanche aux matches de football et rugissait de plaisir chaque fois que vous tapiez dans un ballon, qui réclamait des glaces en plein hiver, qui se cramponnait affectueusement à votre jambe quand vous vouliez partir. La première fois qu'il avait appelé Philip « papa », celui-ci s'était raidi et avait jeté un coup d'œil sur Chloe. Elle ne l'avait pas regardé, indiquant ainsi qu'elle ne lui fournirait pas la réponse. Les traits figés, retenant son souffle, elle avait attendu.

« Papa ? » avait répété Sam.

Philip s'était entendu dire : « Oui ? » d'une voix que l'émotion rendait plus aiguë. « Qu'y a-t-il, Sam ?

— Regarde. »

L'enfant lui avait montré quelque chose, au loin, et Philip avait feint de suivre la direction qu'il lui

161

indiquait. En réalité, ses yeux étaient fixés sur Chloe, sur la façon dont ses joues avaient rosi. Elle s'était rapprochée de lui, et il avait levé les sourcils d'un air interrogateur. Lentement, très lentement, elle avait acquiescé d'un signe de tête.

Ils évoquaient rarement le vrai père de Sam. Ils évoquaient rarement le passé, un point c'est tout. Elle avait dû avoir d'autres amants, mais ils n'en avaient jamais parlé. Tout ce qu'il savait, c'est qu'il y avait eu beaucoup de souffrance dans la vie de Chloe. Un jour, elle avait déclaré qu'elle voulait repartir de zéro avec lui, tirer un trait sur le passé. Philip n'avait pas discuté. Tout ce qu'il pourrait faire pour l'aider, il le ferait.

Un rire bruyant, familier, interrompit ses pensées, et il redressa la tête. Tout d'abord, il ne vit pas les garçons puis, à un nouvel éclat de rire de Sam, il les repéra. Surpris et légèrement horrifié, il remarqua qu'ils étaient en pleine conversation avec une femme d'une quarantaine d'années – une blonde décolorée, en tailleur blanc moulant, qui tenait un sac à main doré au bout d'une chaîne. À la voir, ce devait être la propriétaire d'un des yachts les plus imposants et les plus luxueux du port.

Philip vit Sam relever son tee-shirt et désigner le logo inscrit sur la ceinture de son bermuda. Il se leva aussitôt et traversa la rue.

« Je suis désolé, dit-il en s'avançant vers la femme. Mes fils vous importunent.

— Pas du tout, répondit-elle avec un accent scandinave. Ils sont charmants. Très amusants. » Elle sourit à Philip.

« Eh bien, vous m'en voyez heureux, reprit-il,

gêné. De toute façon, il est temps que nous partions...

— Je venais juste de proposer un verre à Agnethe, fit Sam d'un air effronté. On pourrait peut-être prendre un pot tous ensemble ?

— Sam ! s'écria Philip, partagé entre la réprobation et l'envie de rire. Franchement, je ne crois pas que... » Il lança un coup d'œil à Agnethe, s'attendant à un refus de sa part, ce qui lui permettrait d'emmener les garçons ailleurs. Mais elle souriait et le regarda en haussant les sourcils d'un air engageant. Malgré lui, Philip ne put s'empêcher de rougir légèrement. « Il faut vraiment que nous partions, s'excusa-t-il d'un ton brusque. Venez, les garçons.

— Au revoir, Aggie », cria Nat quand ils commencèrent à s'éloigner, et son père lui décocha un regard consterné. « Elle m'a dit que je pouvais l'appeler Aggie, se défendit le gamin. Je n'arrivais pas à prononcer son nom.

— Agnethe, articula Sam avec délectation. Agnethe l'Ange. Je l'ai draguée.

— J'espère que tu n'as pas fait une chose pareille.

— Eh bien, si, je l'ai fait. Ce n'est pas vrai, Nat ? Elle était d'accord, ajouta l'adolescent d'un air satisfait.

— Sam ! s'exclama Philip.

— Il l'a draguée », confirma Nat. Puis il avisa une enseigne et ralentit l'allure. « Papa ?

— Quoi ? » Philip regarda son fils et s'interrogea : Nat, lui aussi, aborderait-il un jour une inconnue plus âgée que lui de vingt-cinq ans et lui offrirait-il un verre ? Il avait du mal à l'imaginer.

« Je peux avoir un paquet de chips ?

— D'accord. Un paquet de chips pour chacun. » Il palpa le petit sachet dans sa poche. « Ensuite, on rentre retrouver maman. »

Assise face à Hugh, Chloe avait le souffle court et le cœur battant. Elle se sentait un peu étourdie à cause du soleil et des trois verres de vin qu'elle avait bus, à cause du regard de Hugh fixé sur elle, telle une interrogation muette. Chaque fois que la main de Hugh effleurait la sienne, elle éprouvait un pincement au creux de l'estomac. Tout au fond d'elle-même, une puissante vague de désir, instinctive, primitive, enflait d'instant en instant.

Ils n'avaient pas échangé trois phrases depuis le moment où Hugh était venu s'installer à sa table. Pourtant, un dialogue silencieux, sans paroles, était né entre eux et devenait peu à peu plus intime, plus intense. Chaque geste, chaque regard avait une signification – laquelle, cela ne faisait aucun doute.

Hugh avait commandé à manger. Le plat restait inentamé devant eux.

Le restaurant se remplissait et, dehors, dans la cour, un groupe de guitaristes s'était mis à jouer une musique au rythme syncopé. Cette atmosphère enivrante et sensuelle – cocktail de chaleur, de lumière et de sons – donnait à Chloe l'envie de bouger au rythme de la musique. En fermant les yeux, elle sentit l'odeur de l'ail, du thym, du romarin et, de l'autre côté de la table, le parfum discret de l'after-shave de Hugh. Après tant d'années, sa peau avait toujours cette légère odeur de musc.

À cette pensée, un désir violent monta en elle, si

puissant qu'elle en fut effrayée. Elle but gorgée après gorgée, releva la tête, vit que Hugh la regardait. Ils demeurèrent les yeux dans les yeux, unis dans une sorte de connivence. Chloe avait du mal à déglutir. Sans un mot, Hugh lui resservit du vin. Un serveur débarrassa le plat auquel ils n'avaient pas touché ; ils n'y prêtèrent pas même attention.

« On ne peut pas parler ici, dit Hugh au bout d'un moment. Avec la musique, le… » Il laissa sa phrase en suspens et fronça les sourcils, comme s'il tentait de résoudre un problème mathématique. Puis il se décida. « Je pourrais peut-être leur demander s'il n'y aurait pas un coin plus… intime. »

Il y eut un silence puis, lentement, très lentement, Chloe acquiesça d'un signe de tête.

Au fur et à mesure qu'ils remontaient vers les montagnes, le moral de Sam chutait. Il s'était bien amusé, toute la matinée, à se balader sur le front de mer en reluquant les belles étrangères et louchant sur les voitures de leurs maris. Maintenant, retour à la piscine et aux minables programmes du câble.

« On peut aller à San Luis ? demanda-t-il alors qu'ils passaient devant le panneau. Voir à quoi ça ressemble.

— Non, répondit Philip. Je veux rentrer à la villa.

— Mais on s'ennuie là-bas.

— Si tu t'ennuies, Sam, je peux te trouver quelque chose à faire. »

L'adolescent se renfrogna et se renfonça dans son siège.

Quand ils approchèrent de la grille qui menait de la route au pré brûlé par le soleil, Sam jeta un coup d'œil et, surpris, aperçut, au-dessus de la haie, le visage de Jenna : elle renversait la tête en arrière, riait et… fumait ? Il vit une deuxième tête : il y avait quelqu'un d'autre avec elle.

Merde, se dit Sam, il se passe quelque chose, ici. Les gens s'amusent, apparemment, et j'ai bien l'intention d'être de la partie. Au moment où son père garait la voiture dans l'allée, il consulta sa montre et se tourna vers Nat.

« Je crois qu'il y a *Les Simpson* sur la 9, annonça-t-il d'un ton tranquille. Double programme.

— Super ! s'écria Nat.

— La télévision ? dit Philip, incrédule.

— *Les Simpson*, papa ! » Nat regarda son frère, leva les yeux au ciel, et sortit de la voiture en courant.

Sam descendit à son tour mais ne suivit pas Nat dans la villa. L'air décontracté, il se baissa pour renouer les lacets de ses baskets, et attendit que Nat ait disparu à l'intérieur de la maison. Quelques instants plus tard, Philip s'éloigna du côté de la piscine. Sam se redressa, vérifia brièvement son apparence dans la vitre de la voiture, et se dirigea vers le pré.

Il les vit tout de suite : Jenna et l'Espagnol qui avait craché contre la grille, assis par terre et se passant une cigarette. Avec eux – Sam sentit son cœur battre plus vite –, une fille, une Espagnole de seize ans environ, en jean moulant et tee-shirt noir.

Une légère appréhension le saisit. Les deux Espagnols le considéraient avec un petit sourire hautain. Qu'est-ce que Jenna leur avait dit à son sujet ?

« Salut, fit Jenna dès qu'il fut à portée de voix. Vous êtes allés où ?

— Puerto Banus. »

Elle haussa les épaules, cela n'évoquait rien pour elle.

« Tiens », dit-elle en lui passant la cigarette. Sam, étonné, constata que c'était un joint.

« Est-ce que... » Il se racla la gorge. « ... ce n'est pas comme boire pendant le service ?

— Je ne suis pas de service, répliqua-t-elle d'un ton méprisant. C'est mon après-midi de congé, et je fais ce que je veux, OK ? » Ses yeux étincelaient de façon menaçante, et Sam avala sa salive.

« Bien sûr. »

Elle le dévisagea puis, tout à coup, lui sourit.

« Ça va, je sais que tu ne diras rien, n'est-ce pas ? » Elle lui effleura tendrement le torse. « Mmm, tu es bien musclé. » Puis elle désigna le joint : « Vas-y, tire une bouffée. »

Sam obéit, tout en se félicitant d'avoir déjà fumé de l'herbe. Au moins, il n'aurait pas l'air totalement idiot, comme certains garçons au lycée. Jenna l'observa avec attention, l'air de guetter une nouvelle occasion de rire, puis elle esquissa un sourire.

« Il faut qu'on parte », dit la jeune fille espagnole en jetant un coup d'œil sur la grosse montre d'homme qu'elle avait au poignet.

Sam releva la tête, consterné. « Pourquoi ? Restez !

— Désolée. » La fille haussa les épaules. « Salut, Jenna.

— Salut, dit le garçon.

167

— À plus tard », répondit Jenna.

Sam les regarda s'éloigner, franchir la grille et rejoindre la route.

« Qui est-ce ? demanda-t-il au bout d'un moment.

— Eux ? fit Jenna. Ana et José. Ils habitent un peu plus loin. Leur mère fait le ménage à la villa.

— Ah bon. Pourquoi sont-ils…

— Nous avions une petite… affaire à régler, répondit Jenna avec un sourire lascif.

— Oh. » Sam tira sur le joint et contempla le sol. Pourquoi n'était-il pas arrivé plus tôt ? se demanda-t-il, contrarié. C'était trop injuste.

« J'ai appris des tas de trucs, grâce à eux, reprit Jenna en examinant ses orteils aux ongles vernis. Des trucs *très* intéressants.

— Vraiment ? À propos des boîtes de nuit ?

— Non. » Elle le dévisagea comme s'il était fou. « Au sujet de notre hôte, Gerard Machin Chose. Et de ce micmac dans lequel on est tombés. » Jenna reprit le joint et aspira plusieurs bouffées, sans cesser d'observer Sam d'un air satisfait. « Tu croyais que c'était un malentendu, si nous sommes tous arrivés ici en même temps, n'est-ce pas ? »

Sam l'examina avec méfiance.

« Euh… oui. C'était un malentendu. »

Jenna souffla un nuage de fumée, puis secoua la tête.

« Eh bien, non, pas du tout. Gerard avait tout prévu.

— Comment ça, il avait tout prévu ?

— Il avait tout arrangé à l'avance, dit Jenna sur le ton de quelqu'un qui s'adresse à un idiot. Il a fait

168

exprès d'inviter nos deux familles la même semaine, et ensuite il a joué les innocents. »

Sam la regarda, perplexe. Essayait-elle de le faire marcher pour se moquer de lui et achever de l'humilier ?

« Comment le sais-tu ? questionna-t-il, soupçonneux.

— Gerard a demandé à la mère d'Ana et José d'attendre huit personnes à la villa cette semaine, et d'acheter de la nourriture en grande quantité.

— Et alors ? Ça ne prouve rien.

— Allons, Sam, fais fonctionner ta cervelle. Huit personnes, ce n'est pas une famille, mais deux. Il a évidemment manigancé tout ça exprès. Il nous a joué un tour. Et un bon tour, si tu veux mon avis. »

Jenna souriait. Sam lui lança un regard furieux. « Non ! protesta-t-il. Gâcher les vacances des gens, juste pour le plaisir… C'est dingue ! J'ai du mal à y croire. » Il regarda du côté de la route, mais Ana et José avaient disparu. « Ces deux-là cherchent à faire des histoires. Ils n'aiment pas Gerard, c'est évident.

— Ils le détestent. Apparemment, il y avait un sentier qui passait sur ce terrain, et Gerard en a interdit l'accès quand il a acheté la villa. Tout le monde le déteste, dans le coin.

— Tu vois bien.

— Ça ne change rien aux faits. Gerard savait que vous arriveriez tous au même moment mais il a fait comme s'il s'était trompé. Alors ? » Elle tira sur le joint. « Ah, et il paraît qu'il va venir, lui aussi.

— Il va venir ici ? »

Jenna haussa les épaules. « C'est ce qu'a dit Ana. »

Sam se renfrogna. « Tout ça, c'est des conneries, si tu veux mon avis. Pourquoi ferait-il une chose pareille ?

— Qui sait ? Il s'attend peut-être à quelque chose. » Jenna eut un sourire malicieux. « Il se dit que vous allez vous battre. »

Sam secoua la tête. « C'est ridicule. Nos deux familles ne se connaissent même pas. »

La chambre était située sous les toits – une chambre claire, aux murs blancs, avec des meubles en bois tout simples et un lit haut, à l'ancienne. Les toilettes étaient sur le palier, avait expliqué le propriétaire du restaurant en tendant la clé à Hugh, voilà pourquoi les touristes la boudaient, mais peut-être que, señor…

Hugh l'avait interrompu. « Cela ira, je vous remercie. »

Sans un mot, ils avaient grimpé l'escalier étroit, aux marches qui grinçaient. Ils étaient montés loin des bruits du restaurant, loin du reste du monde.

Quand la porte se referma derrière eux, Chloe ressentit au fond d'elle-même un tremblement, pareil au grondement du tonnerre dans le lointain, pareil à une secousse sismique quelque part dans une région éloignée, inconnue.

Les vibrations des guitares, dans la cour, traversaient le plancher et passaient de la plante de ses pieds à ses veines. Les gens, en bas, continuaient à rire, à manger, à bavarder. Pendant ce temps, Hugh et elle, dans cette chambre sous les combles, se tenaient debout, dans la pâle lumière, à quelque

170

distance l'un de l'autre, sans se parler, sans se regarder, suspendus dans l'attente.

D'un geste lent, Hugh posa une main sur l'épaule de Chloe, ce qui fit naître en elle une vague de désir presque intolérable. Elle ferma les yeux et se mordit les lèvres pour s'empêcher de crier. Pourtant, elle ne bougea pas. Aussi longtemps qu'elle le put, elle demeura immobile.

À la fin, elle se tourna vers lui. Hugh passa son autre main autour de la taille de Chloe, et ils commencèrent à se balancer doucement au rythme de la musique, en se rapprochant de plus en plus, jusqu'à ce que leurs corps se touchent presque. Hugh effleura légèrement de ses lèvres les lèvres de Chloe, qui sentit une nouvelle vague de désir la submerger. Elle s'écarta de lui, s'infligeant exprès cette torture afin de prolonger ce moment, de le savourer, en sachant exactement ce qui allait se passer.

Dans la cour, la musique prit fin et l'on n'entendit plus aucun bruit. L'espace d'un instant, tout resta figé dans l'immobilité et le silence. Puis Hugh pressa sa bouche contre celle de Chloe, avec plus d'insistance, avec plus de passion. Cette fois, Chloe n'opposa aucune résistance. Tandis que la musique reprenait en bas, elle se livra tout entière aux baisers, aux caresses, aux souvenirs, au désir, à la découverte, à la redécouverte. À la fin, elle cria le nom de Hugh, sanglota et s'abandonna au plaisir, telle une plume qui tombe lentement et se pose sur le sol.

9

Cela faisait une éternité, semblait-il, qu'ils repo-
saient dans une immobilité et un silence absolus
– mi-conscients, mi-éveillés, enlacés dans une
douce chaleur, tandis que peu à peu la fraîcheur
gagnait du terrain. Chloe cligna des yeux, tourna la
tête et regarda autour d'elle. Tout avait changé : la
lumière blanche, éclatante, s'était adoucie et jetait
des ombres dorées sur le sol. Dehors, les guitares
s'étaient tues, et de jeunes Espagnoles préparaient
les tables pour le dîner tout en bavardant.

Elle n'avait pas envie de bouger, elle se sentait
lourde, lente, léthargique. Quelque part dans un
coin de son cerveau, elle savait qu'un monde exis-
tait à l'extérieur de cette chambre, auquel elle préférait ne pas songer. Pendant quelques minutes, elle
resta étendue, sans faire le moindre geste, les yeux
fixés au plafond, flottant dans une atmosphère
irréelle.

Puis, avec la force de volonté qui l'avait toujours
soutenue dans la vie, elle se leva, sans un regard

pour Hugh, et alla ramasser sa robe sur le plancher. Sa robe noire toute neuve. Tout à coup, elle se rendit compte qu'elle n'avait pas envie de la remettre : cette tenue provocante lui écorcherait la peau, maintenant. Elle n'avait pourtant pas le choix, elle n'avait pas d'autres vêtements.

« Chloe… » La voix de Hugh la fit sursauter. « Chloe, qu'est-ce que tu fais ? »

Elle revint vers le lit, sa robe à la main, et observa Hugh en silence. « Je m'habille.

— Non. » Le visage de Hugh s'assombrit. Son regard croisa celui de Chloe. « Pas encore. »

Elle ferma les yeux. « Il faut que nous partions. Il faut que je parte. » Elle ramassa ses sous-vêtements, les examina et s'assit au bord du lit. Hugh se rapprocha d'elle et posa la main sur son épaule.

« Ne pars pas. Ne joue pas les filles de l'air. Pas cette fois-ci.

— Comment ça ? dit-elle, agacée. Qu'est-ce que tu veux dire ?

— Tu t'éclipsais toujours, répondit-il en l'embrassant dans le cou. Tu t'habillais dans le noir et tu disparaissais dans la nuit. Je ne savais même pas où tu allais. » Il lui caressa doucement les seins. « Ce que je désirais le plus au monde, c'était dormir une nuit entière avec toi. Mais toi, tu me laissais toujours seul, tu te sauvais toujours. »

Chloe tourna lentement la tête vers lui.

« Moi, je me sauvais toujours ? reprit-elle avec un rire incrédule. Ça, c'est la meilleure ! » Elle s'écarta de lui et se leva. « C'est moi qui me sauvais… »

Elle avait prononcé ces mots d'un ton ironique et tranchant. Soudain, l'atmosphère de la pièce parut plus confinée, comme si l'on avait tiré un rideau et fermé une fenêtre. Le regard de Hugh fixé sur elle, Chloe se détourna, avisa ses chaussures et les plaça l'une à côté de l'autre, prête à les enfiler et à partir. Tout en les contemplant, elle sentit les larmes lui monter aux yeux, et un tourbillon d'émotions l'envahir – quinze années d'émotions refoulées qui refaisaient surface et menaçaient de l'anéantir.

« Je fumerais bien une cigarette, dit-elle brusquement. Je suppose que tu n'en as pas. » Elle se retourna.

Hugh la regardait avec une expression bizarre, un peu vague. « Il ne passe pas un seul jour sans que je regrette ce que j'ai fait, Chloe, avoua-t-il à voix basse. Pas un seul.

— Ou alors je boirais bien un verre d'alcool. » Elle déglutit et fit un effort sur elle-même. « Oui, je boirais bien quelque chose.

— J'étais un jeune homme, à l'époque. J'étais différent de ce que je suis aujourd'hui. Je ne connaissais rien aux enfants, à la famille, tout ça. Je ne savais rien de rien. » Il se tut, perdu dans ses pensées. « Quand j'ai vu Sam, assis par terre sur le tapis, quand j'ai compris ce que tu essayais de me dire, j'ai paniqué. » Il la regarda avec franchise. « J'avais vingt ans, Chloe, vingt ans. Seulement quatre de plus que Sam aujourd'hui. Je pensais qu'un bébé, dans ma vie, risquait de… je ne sais pas, de tout gâcher, de freiner… » Il laissa sa phrase en suspens.

« Ta carrière fulgurante, compléta Chloe. Ta fabuleuse carrière. Tu avais sans doute raison, cela l'aurait freinée. » Elle lui lança un sourire ironique. « Tu as pris la bonne décision. Pour toi.

174

— Non, je n'ai pas pris la bonne décision. » Il la regarda et répéta : « Je n'ai pas pris la bonne décision. »

Suivit un silence tendu. Du fond de son être, Chloe avait conscience d'être poussée dans une direction qu'elle ne pouvait absolument pas contrôler – happée par une spirale dangereuse.

« Il faut que je parte », répéta-t-elle en attrapant ses chaussures. Elle eut mal aux pieds en les enfilant, mais cette douleur lui était nécessaire pour la ramener à la réalité.

« Et si tu restais ? proposa Hugh. Si nous restions ici toute la nuit ? » Il se leva et s'approcha de Chloe sans la quitter des yeux. « Si, pour la première fois de notre vie, nous passions ensemble une nuit entière, Chloe ? Qu'arriverait-il ? Est-ce que la terre s'arrêterait de tourner ? »

Elle éprouva une douleur dans la poitrine, et un désir qui menaçait de la submerger.

« Tais-toi. Nous ne pouvons pas… » Elle se passa la main sur le visage. « Il faut que nous partions, que nous rentrions à…

— Je t'aime. »

Pendant quelques instants, elle demeura figée sur place.

« Tu ne m'aimes pas », dit-elle enfin, en détournant les yeux. Elle articulait avec peine et avait le visage en feu.

« Je t'aime, Chloe, chuchota-t-il en écartant des mèches folles sur son front. Je t'aime, et je veux dormir toute la nuit avec toi à mon côté. Je veux me réveiller en te tenant dans mes bras.

— Nous ne pouvons pas, murmura-t-elle d'une voix rauque. Nous n'avons pas le choix.

— Si, nous avons le choix. » Il lui releva le menton et la regarda dans les yeux. « Nous pourrions recommencer, Chloe. »

Elle le dévisagea un long moment, incapable de parler. Puis, sans un mot, elle se détourna et, les mains tremblantes, commença à s'habiller.

Installé sur une chaise longue au bord de la piscine, Philip sirotait une bière en contemplant l'eau. Où donc étaient les autres ? La villa paraissait désertée. Chloe était introuvable, Sam avait disparu sans crier gare, Nat devait être collé devant un écran de télévision. Quant aux Stratton, ils s'étaient volatilisés.

Il but une gorgée et s'allongea confortablement. C'était le moment de la journée qu'il préférait en vacances : le début de la soirée, quand la chaleur diminuait et que la lumière jetait des éclats bleus et dorés sur l'eau ; quand les gens revenaient à la vie, après une journée de torpeur sous un soleil brûlant ; quand l'énergie circulait à nouveau, qu'on servait les apéritifs et qu'on pensait avec plaisir à la nuit qui s'annonçait.

Il était content de sa journée, qui lui avait rappelé à quel point il aimait la compagnie de Sam et de Nat, et comme ils pouvaient être amusants. Et puis cela lui avait fait du bien de passer quelques heures loin de Chloe ; il avait l'impression que la brise de l'océan avait balayé ses soucis et ses petits agacements de la veille. Il avait pu ainsi prendre le recul dont il avait besoin. Ce soir, ils se réconcilieraient, peut-être même qu'ils sortiraient pour dîner.

Un bruit interrompit le vagabondage de ses

pensées. Il releva la tête et vit Amanda se diriger vers la piscine. Elle tenait à la main une liasse de papiers et un téléphone mobile, l'air stressée.

« Bonjour, dit-elle d'un ton brusque, et elle s'assit.

— Bonjour. » Il y eut un silence. « La journée a été bonne ?

— Franchement, non. Cauchemardesque. Beatrice était malade, Jenna a disparu au moment où j'avais le plus besoin d'elle, et j'ai eu un grave conflit avec ma coloriste.

— Avec qui ? s'enquit Philip en esquissant un sourire.

— Ma coloriste, répéta Amanda avec le plus grand sérieux. Nous faisons faire d'importants travaux dans notre maison pendant notre absence.

— Ah, je vois. » Philip but une gorgée de bière.

« Je lui ai téléphoné ce matin, pour savoir où ça en était. Par hasard j'ai mentionné la chambre d'amis, et elle s'est mise à me parler de turquoise. Turquoise ! » Amanda ferma les yeux, comme si l'idée lui était insupportable. « Alors que j'avais bien spécifié : aigue-marine très pâle. » Elle rouvrit les yeux et regarda Philip. « Maintenant, bien sûr, impossible de deviner ce qu'elle va appliquer sur nos murs, elle est capable de mettre une couleur complètement ringarde. Je lui ai envoyé des fax tout l'après-midi, elle ne s'est même pas donné la peine de me répondre…

— Je suis certain que ce sera très bien », assura Philip. Il réfléchit un instant. « Elle doit utiliser la bonne couleur, mais elle la décrit différemment. »

Amanda le dévisagea d'un air méfiant. « Vous pensez que turquoise et aigue-marine, c'est pareil ?

177

— En réalité, c'est exactement la même couleur, non ? Pour l'œil d'un… non-initié.

— Peut-être. » Amanda poussa un profond soupir. « Vous avez peut-être raison. Quand même, ne pas répondre à mes fax ! Quel manque de courtoisie ! C'est moi qui paie, c'est moi la cliente…

— J'ignorais qu'il y avait un télécopieur ici, dit Philip pour tenter de changer de sujet. Cette villa est vraiment bien équipée.

— Il se trouve dans la petite pièce qui donne sur le hall, et qui est aménagée en bureau. Je m'étonne que Hugh ne l'ait pas déjà réquisitionnée. » Elle s'étendit sur la chaise longue et garda le silence une minute. Puis elle soupira une fois de plus. « Oh, mon Dieu, je suis épuisée. La nuit dernière, Beatrice n'a pas arrêté de se lever, elle ne voulait pas rester seule. Et j'ai passé mon après-midi au téléphone…

— Elle va bien, maintenant ? » Philip se redressa. « Vous ne voulez pas que j'appelle un médecin ?

— Oh, non, répondit Amanda en s'efforçant de sourire. Merci. Elle a dû être exposée un peu trop longtemps au soleil, hier. Et aujourd'hui, il a fait encore plus chaud…

— 34°, paraît-il. On parle d'une vague de chaleur. Pourtant, il devrait faire un peu plus frais ici, dans les montagnes…

— Eh bien, c'était étouffant, j'ai dû faire rentrer les enfants. Heureusement qu'il y a l'air conditionné, sinon Beatrice ne se serait jamais rendormie.

— Quand Nat était petit, il nous causait du souci en vacances, dit Philip, compatissant. Il avait

178

du mal à s'habituer à un nouvel endroit. » Il regarda Amanda. Elle avait fermé les yeux. « Peut-être que Hugh prendra le relais, ce soir, ajouta-t-il, et vous pourrez vous reposer.

— Hugh ? » Amanda ouvrit un œil. « Vous plaisantez ! Hugh ne s'occupe pas des enfants.

— Ah bon ? Pas du tout ?

— C'est un drogué du travail. Il n'est jamais à la maison avant huit heures du soir. Je suis comparable à une mère célibataire. » Le téléphone portable se mit à sonner. « Oh, non ! Qu'est-ce qu'on me veut, encore ?

— Vous n'êtes peut-être pas obligée de répondre ? suggéra Philip, mais Amanda avait déjà allumé l'appareil.

— Bonjour, dit-elle. Oui, oui. Bon, tout ça, c'est bien joli mais qu'est-ce qu'elle entend par "terre cuite" ? Oui, j'aimerais lui dire un mot, si ça ne vous ennuie pas. »

Il y eut un silence. Amanda leva les yeux au ciel.

« Des problèmes de couleur ? s'enquit Philip.

— Je vais vous dire : si j'avais su que j'aurais autant de problèmes, je m'en serais tenue au papier peint. Au moins, on peut voir ce qu'on… allô, Penny ? Je me fiche qu'elle soit obligée de partir, je veux lui parler ! » Amanda couvrit l'appareil avec sa main. « Ces gens ! Totalement incompétents ! Regardez un peu à quoi je passe à mes vacances ! » Elle reprit sa conversation au téléphone. « Allô, Penny ? Oui, je patiente. » Elle s'adressa de nouveau à Philip. « À propos, il y a eu un appel pour vous, tout à l'heure, pendant que vous étiez sorti. »

Il fallut quelques secondes à Philip pour comprendre ce qu'Amanda venait de lui dire.

« Un appel pour moi ? répéta-t-il d'un air stupide.

— J'ai pris la communication dans le bureau. Un certain Chris… Je ne me rappelle pas son nom de famille. Il a dit qu'il avait des nouvelles. Il a laissé un numéro… Allô, Marguerite ? Amanda Stratton. Écoutez, je voulais juste discuter avec vous au sujet des couleurs. »

Philip regarda dans le vide, le cœur battant. Finie, son attitude décontractée. D'un seul coup, la distance qu'il avait réussi à prendre durant la journée venait de se réduire à néant. Plus de recul, plus de protection. Les nerfs à vif, il regarda Amanda, absorbée dans sa conversation téléphonique.

« Très bien, dit-il en s'efforçant d'adopter un ton léger et de jouer la comédie pour un public absent. Merci de m'avoir prévenu. Je crois… je crois que je vais le rappeler tout de suite. »

Quand Philip pénétra dans la maison, la chaleur et la lumière firent soudain place à la fraîcheur et à l'obscurité. Pour la première fois, il ouvrit la porte du minuscule bureau, où il fut accueilli par le spectacle déconcertant du visage de Gerard répété à maintes reprises partout dans la pièce : sur un grand portrait au-dessus du bureau, sur des photos disposées sur une petite table, sur une affiche pour un festival du vin, sur plusieurs articles de journaux encadrés. Philip s'arrêta devant une photographie où Gerard, debout à côté d'un chef connu, levait son verre face à l'objectif.

« Espèce de con prétentieux », grommela Philip.

Après avoir contemplé le cliché quelques instants, il se dirigea vers le téléphone. En passant devant le télécopieur, il aperçut plusieurs feuilles écrites, probablement de la main d'Amanda.

EXCUSEZ-MOI, disait l'un des fax. QUELQU'UN M'AURAIT-IL RACCROCHÉ AU NEZ ? PUIS-JE ME PERMETTRE DE VOUS RAPPELER QUE VOUS ÊTES CHEZ MOI ET QUE VOUS REPEIGNEZ MES MURS ?

Malgré sa nervosité, Philip ne put s'empêcher de sourire. Il s'installa au bureau, inspira plusieurs fois, puis décrocha le téléphone. Il composa de mémoire le numéro personnel de Chris, qui répondit au bout de quelques sonneries.

« Allô, Chris ? fit-il en se forçant à prendre un ton décontracté. Ici Philip.

— Bonjour, Philip, je suis content de t'entendre. » Philip imagina son directeur adjoint debout dans sa cuisine, un verre de bière à la main. « Écoute, je ne voulais pas t'inquiéter mais, puisque tu souhaitais être tenu au courant, j'ai pensé que tu voudrais connaître les dernières nouvelles.

— Bien sûr, répondit Philip, un brin soulagé. Alors ?

— Il semblerait que le rapport Mackenzie soit arrivé.

— Parfait. »

Philip dut faire un effort pour réprimer la panique qui l'envahissait. Ce fichu rapport ! Tout le monde en parlait depuis si longtemps que c'en était devenu un mythe. C'était le monstre du loch Ness, le rapport Mackenzie. Trois fois déjà, on l'avait annoncé ; pour un peu Philip aurait presque cessé d'y croire.

« Et... le contenu ?

181

« — Nous n'avons pas la moindre information, et le type qui s'en occupe est en vacances jusqu'à la semaine prochaine.

— Super. » Philip regarda une photo où l'on voyait Gerard baiser la main d'une quelconque célébrité. « Donc, on continue d'attendre.

— Apparemment, oui. Mais je pense que nous ne tarderons pas à être fixés.

— Sans doute. » Philip s'aperçut que sa main qui tenait le récepteur était moite de transpiration. « Bon, eh bien, merci de me tenir informé, Chris. Les autres sont au courant ?

— Oh, tout le monde, oui. Les gens ont plutôt bon moral, ici. Angela a recueilli cinq cents signatures pour la pétition. »

Philip sourit. PBL pouvait bien essayer de se débarrasser d'eux, cela ne se passerait pas comme ça. Chris était presque plus scandalisé que Philip par toute cette affaire. C'était lui qui avait eu l'idée de la pétition, lui qui avait encouragé les clients à écrire à PBL pour apporter leur soutien à l'agence.

« Génial ! approuva Philip. Continuez.

— On en a bien l'intention. Profite de ton séjour. Au moins, tu sais qu'il ne se passera rien pendant ton absence.

— Voilà un point positif. Salut, Chris.

— Salut, Philip. Bonnes vacances. »

Philip raccrocha et contempla le luxueux bureau de Gerard. Quelle torture de savoir qu'on approchait inexorablement d'une décision qui n'avait aucune importance pour ces salauds de chez PBL, alors qu'elle en avait tant pour lui, pour ses collègues, pour leurs familles…

Un bruit de moteur attira son attention et il

releva la tête. Il vit par la fenêtre la voiture de Hugh s'arrêter devant la villa et, au bout de quelques instants, la portière du passager s'ouvrir et Chloe en descendre. Hugh sortit à son tour et lui dit quelque chose ; elle répondit, puis tous deux se dirigèrent vers la porte d'entrée.

Aussitôt Philip se leva. Il ne fallait surtout pas que Chloe le surprenne une fois de plus en train de téléphoner en Angleterre.

« Bonjour ! lança-t-il d'un ton joyeux, une fois dans le hall. Qu'as-tu fait de beau, aujourd'hui ? »

Chloe, qui venait juste de franchir le seuil, sursauta. Elle était rayonnante, remarqua Philip. Manifestement, une journée en solitaire, loin des contraintes familiales, lui avait fait du bien.

« Philip ! s'exclama-t-elle. Tu… tu m'as fait peur. » D'une main tremblante, elle écarta les cheveux de son visage. « Quand es-tu rentré ?

— Depuis un bon moment. Nous sommes allés à Puerto Banus, admirer les yachts. Et toi ?

— À San Luis. C'est… très joli.

— Je suis tombé sur Chloe, attablée à un café, expliqua Hugh avec naturel. Elle avait fait tout le trajet à pied. Quelle folie !

— J'avais envie de me dégourdir les jambes, dit Chloe en se raclant la gorge. Je n'avais pas vraiment l'intention d'aller jusqu'à San Luis, j'y ai atterri par hasard. Et… Hugh a insisté pour me ramener en voiture.

— Je comprends ça ! Tu ne voulais pas te reposer, aujourd'hui ?

— Si. Mais… j'avais besoin de marcher, OK ? »

Tout à coup, elle semblait agacée, sur la défensive. Philip haussa les épaules.

« Très bien, dit-il. Quelqu'un désire un apéritif ? »

Lorsque Philip se fut éloigné en direction de la cuisine, Hugh et Chloe échangèrent un regard.

« Je ne peux pas croire qu'il n'ait rien deviné, murmura Chloe d'une voix à peine audible. Je ne peux pas croire qu'il… » Elle se tut, puis reprit en parlant très lentement : « Nous sommes ensemble depuis treize ans, on pourrait penser qu'il a remarqué quelque chose…

— On croirait que c'est ce que tu souhaites.

— Ne dis pas de bêtises ! Je… je suis surprise, c'est tout.

— Eh bien, n'y pense plus. Ne pense à rien, sauf à nous. » Hugh tendit la main vers Chloe, qui s'écarta brusquement.

« Arrête ! » Elle jeta un coup d'œil autour d'elle. « Tu es fou ? » Puis elle fit quelques pas dans le hall. « Je… je te verrai plus tard.

— Quand ? Cette nuit ? »

Elle se tourna vers lui. Hugh la fixait intensément, avec le plus grand sérieux. Elle ressentit un pincement au creux de l'estomac.

« Je n'en sais rien, répondit-elle. Je n'en sais rien, Hugh. »

Et, sans regarder derrière elle, elle se dirigea rapidement vers l'escalier.

10

Pour l'apéritif, Jenna avait préparé une dégustation de vins au bord de la piscine. Sur une table en fer forgé étaient disposées cinq bouteilles de vin avec des bouts de papier scotchés pour masquer les étiquettes et portant les lettres de A à E. À côté d'une rangée de verres, des blocs de papier, des crayons et une corbeille à pain.

Chloe s'avança vers la terrasse où tous les autres étaient déjà réunis et écoutaient Jenna. Elle ne faisait aucun bruit en marchant sur l'herbe, et pourtant Hugh leva la tête, comme s'il l'avait sentie approcher. Philip puis Amanda regardèrent à leur tour ; on aurait cru un comité d'accueil ou un jury sur le point de rendre son verdict. Malgré elle, son pas devint plus hésitant. Elle avait envie de rebrousser chemin, de s'enfuir en courant.

« Bonsoir, Chloe, la salua Jenna avec un sourire. Vous voulez participer à la dégustation ? J'ai pensé que, puisque nous sommes chez un spécialiste en vins…

— Bonsoir, ma chérie, dit Philip, et il désigna la table près de la piscine. N'est-ce pas un assortiment impressionnant ?

— Formidable, approuva Chloe avec un effort pour parler d'une voix posée. Désolée de mon retard.

— L'important, c'est d'être là, commenta Hugh.

— Oui, répondit Chloe après un court silence. En effet. » Elle jeta un coup d'œil à Hugh et, en croisant le regard de ses yeux sombres, se sentit toute retournée. Trois heures plus tôt… songea-t-elle. Trois heures seulement. Ses bras, sa bouche…

Un désir violent la submergea. Si violent qu'elle dut se retenir de crier. Vite, elle détourna la tête, inspira à fond, se força à arrêter le cours de ses pensées. Elle se promit de rester calme et concentrée, de se comporter normalement, malgré l'agitation intérieure qui l'animait. Avec de la volonté, elle réussirait à chasser de son esprit ce qui s'était passé dans l'après-midi – à l'évacuer complètement.

« Alors, que faisons-nous ? interrogea-t-elle d'un ton aussi neutre que possible.

— J'ai pensé que nous pourrions donner à chaque vin une note sur 10 et inscrire nos commentaires, expliqua Jenna. Ensuite, nous rassemblerons les résultats et désignerons le vin gagnant. Le pain servira à nettoyer le palais et à éviter qu'on soit tous trop soûls, ajouta-t-elle avec un sourire. Mais il est en option, je précise.

— Parfait, dit Chloe. Tout cela me paraît très clair. » Elle lança un coup d'œil à Philip, qui leva les sourcils de façon comique.

« Tout le monde a potassé le vocabulaire de

l'œnologie ? demanda-t-il. Pas plus de six adjectifs autorisés par bouteille.

— Ces vins viennent-ils d'une région particulière ? s'enquit Amanda en plissant le front. Ou d'un cépage particulier ?

— Qui sait ? fit Jenna. J'ai pris les cinq premières bouteilles que j'ai trouvées. » Elle but une gorgée et tituba légèrement. « Oh là là ! bafouilla-t-elle en déglutissant. Je n'arrive même pas à définir celui-ci avec des mots. » Elle hocha la tête. « Essayons encore une fois. » Les autres, stupéfaits, la regardèrent en silence vider son verre d'une traite et s'essuyer la bouche. « Franchement, je ne sais même pas par où commencer.

— Goûtons voir, répondit Amanda d'un air connaisseur. On a parfois du mal à distinguer les saveurs quand on est novice. » Elle versa un peu de vin dans son verre, l'agita, le huma. « Mmm. Bouquet prononcé. Il s'agit d'un vin arrivé à maturité. » Elle but une gorgée et ferma les yeux, tandis que les autres l'observaient sans rien dire. « Un vin qui a du caractère. Puissant, fruité. Un goût de cassis… un petit quelque chose qui rappelle le cuir… Est-ce le genre de description que vous cherchiez, Jenna ? »

La jeune fille haussa les épaules. « Pour être franche, madame Stratton, le terme que je cherchais est "merdique". Je veux dire : franchement mauvais. Mais vous vous y connaissez sûrement mieux que moi. »

Une expression rageuse passa sur les traits d'Amanda. Elle reposa son verre. « Peut-être pourriez-vous aller jeter un coup d'œil sur les filles, Jenna, ordonna-t-elle d'un ton glacial. Si elles appellent, on ne les entendra pas d'ici.

— Mais naturellement. Quelqu'un désire des biscuits apéritif, pendant que j'y suis ?

— Tout dépend de leur couleur, marmonna Amanda.

— Euh… tout à fait, dit Hugh. Excellente idée. »

Quand Jenna eut disparu, Amanda croisa les bras et dévisagea tour à tour les trois autres.

« Vous avez entendu ça ? Est-ce une manière, pour une employée, de s'adresser à sa patronne ?

— Euh… hésita Philip, diplomate. Je suppose que cela dépend de… » Il remplit trois verres, en tendit un à Hugh et un à Chloe. « Santé.

— Je lui ai demandé comment elle avait passé son après-midi, reprit Amanda. Juste pour être aimable. Elle m'a répondu : "À traîner et à fumer du shit. Je plaisante." » Philip éclata de rire et Amanda lui lança un regard noir. « Oui, eh bien, je commence à être fatiguée de ces plaisanteries. C'était peut-être drôle au début… » Elle se passa la main dans le cou. « Seigneur, quelle chaleur…

— Elle est pleine de bonnes intentions, avança Philip sans grande conviction.

— Les intentions sont une chose, les actes en sont une autre », rétorqua Amanda, puis elle regarda d'un air dégoûté la rangée de bouteilles. « J'en ai assez de cette comédie. Je vais me chercher une boisson glacée. Je vous rapporte quelque chose de la cuisine ? »

Sans attendre de réponse, elle s'éloigna en faisant claquer ses talons sur le carrelage de la terrasse et croisa Sam, suivi de Nat. Les deux frères avaient la même démarche souple et décontractée.

« Hé, papa, maman, cria Sam. Vous savez quoi ?

— Quoi encore ? » Philip leva les yeux au ciel et se tourna vers Chloe. Puis il but une gorgée de vin et fit la grimace. « Je dois reconnaître que Jenna a raison. Ce vin est infect. »

Chloe lui lança un regard sans expression et sourit d'un air distrait, tout occupée à dissimuler la tension qui montait en elle. Cet apéritif au bord de la piscine était grotesque, en fait personne n'avait envie de déguster du vin, personne n'était d'humeur à converser aimablement. En tout cas, pas elle. Elle se sentait de plus en plus agacée de minute en minute. Impossible de chasser Hugh de son esprit : chaque fois qu'elle levait la tête, il avait les yeux fixés sur elle ; impossible d'échapper à son regard ni de le faire dévier. Elle était consciente d'avoir les joues anormalement rouges, les mains tremblantes. Philip avait deviné, sûrement. Sûrement. Elle avala une gorgée de vin sans y prêter la moindre attention.

« Hé, une dégustation de vins ! s'écria Sam. Cool ! » Il saisit un verre sur la table.

« Une dégustation de vins ! dit Nat, imitant son frère. Cool ! » Il tendit la main pour prendre un verre, regarda Chloe, rougit et retira sa main.

« J'ai quelque chose d'important à vous dire, déclara Sam. À vous tous. » Il regarda autour de lui, l'air tout excité, puis se renfrogna devant l'absence de réaction. « Jenna ne vous a rien dit, au moins ? Elle a promis de se taire.

— Nous dire quoi ? s'enquit Philip.

— Bon, ça va, elle a tenu sa promesse. » Sam hocha la tête. « Vous ne croirez jamais ce qu'on a découvert. Jamais de la vie.

— Jamais de la vie, répéta Nat en écho.

— Eh bien, de quoi s'agit-il ? questionna leur père.

— D'abord, je goûte mon vin. » Sam but une gorgée, dévisagea les autres tour à tour. « *Zut alors !* s'exclama-t-il avec un accent français appuyé. *Quel vin merveilleux !* Le Château Coca-Cola ne déçoit jamais, vous ne trouvez pas ? » Nat pouffa de rire et Sam avala une autre gorgée. « Idéal pour accompagner les hamburgers, les frites…

— Sam…

— D'accord, je vais vous dire. » Sam but encore un peu de vin et regarda ses interlocuteurs. « C'est un coup monté. Gerard a tout organisé. »

Il fit un grand geste du bras qui engloba Chloe et Hugh. Chloe se raidit. « Quoi ? fit-elle d'un ton plus brusque qu'elle n'aurait voulu. Qu'est-ce que tu racontes ?

— Ce n'était pas un malentendu, si on est tous arrivés en même temps. » Sam jeta un regard satisfait autour de lui, comme s'il prenait enfin sa revanche. « Gerard *savait* qu'il y aurait du monde ici cette semaine. Il a dit à la femme de ménage d'acheter des provisions pour huit personnes. »

Il y eut un silence. Chloe dévisagea Sam, le cœur battant.

« Et alors ? fit Philip, sceptique.

— Alors, il était au courant ! Il savait depuis le début qu'on viendrait tous ici la même semaine. » Sam vida son verre et claqua la langue. « En ce moment, il doit être tranquillement chez lui, à Londres, en train de rigoler en pensant à nous.

— Une petite question, dit Philip d'un ton tranquille. Pourquoi ferait-il une chose pareille ?

— J'en sais rien, moi. » Sam haussa les épaules.

« Pour plaisanter. Pour s'amuser. Il paraît même qu'il a l'intention de venir.

— Ici, à la villa ? dit Hugh, incrédule.

— Sam, il s'agit d'un adulte, reprit Philip. Sa conception de la plaisanterie et la tienne sont peut-être légèrement différentes. »

Sam le regarda d'un air indigné. « Tu ne me crois pas ? Maman, toi, tu me crois. »

Chloe ouvrit la bouche mais aucun son n'en sortit. Son cerveau s'emballait. Elle se souvenait de conversations, de remarques en l'air, de l'œil brillant de Gerard fixé sur elle pendant un dîner, de petites piques qu'il avait lancées à Philip. Une fois, il lui avait demandé avec désinvolture si elle imaginait un jour être infidèle. Un soir d'été, tout en lui versant un verre de xérès glacé, il lui avait conseillé de prendre un amant. Elle avait ri. Ils avaient tous ri.

« Les enfants de la femme de ménage étaient là ! Ils ont tout entendu !

— Sam, il ne t'est pas venu à l'esprit que peut-être ils s'ennuient, et qu'ils ont tout inventé ? suggéra Philip.

— Mais tout s'explique ! cria Sam, contrarié. Sinon, pourquoi on serait là tous ensemble ?

— Parce qu'il s'agit d'un malentendu. Seigneur, ces garçons sont paranoïaques ! » Philip se tourna vers Chloe en souriant. « Tu crois à cette histoire ?

— Non, répondit Chloe d'une voix qui lui parut étrangère. C'est ridicule.

— Eh bien, on n'a qu'à lui téléphoner ! proposa Sam d'un ton belliqueux. Et lui demander si c'est vrai. Le mettre au pied du mur.

— Sam, remarqua Philip d'un ton sec, Gerard a

eu l'extrême gentillesse de nous permettre de séjourner dans cette villa. Si tu t'imagines que nous allons l'appeler pour l'accuser de nous avoir joué un tour pendable…

— Mais c'est ce qu'il a fait ! Ils ont dit qu'il *savait* qu'il y aurait huit personnes ici…

— Tu leur as parlé personnellement ?

— Non, répondit Sam après un bref silence. Mais Jenna a dit…

— Ah ! *Jenna* a dit. Je vois. » Philip poussa un soupir. « Sam, tu ne penses pas que ça pourrait être une autre des petites blagues de Jenna ? »

Sam dévisagea un moment Philip en silence. Puis, avec entêtement, il secoua la tête. « Non. Je crois que c'est vrai.

— Oui, c'est la vérité », affirma Nat d'un ton solennel.

Tout le monde se tourna vers lui et il rougit.

« Parfaitement, renchérit Sam. Nat a raison. Il se passe quelque chose.

— Vous avez tort tous les deux, dit Philip avec fermeté, et je commence à en avoir assez de cette théorie de la conspiration. Il n'y a pas de complot, pas d'extraterrestres, et toutes ces histoires sont inventées par des gens qui n'ont rien de mieux à faire. » Philip posa son verre. « Viens, Nat. Si tu demandes gentiment à Jenna, elle te préparera vite quelque chose à manger. Quant à toi, Sam, ou bien tu restes avec les adultes et tu te comportes en adulte, ou bien tu vas avec Nat regarder une vidéo. »

Au bout de quelques instants, Sam, d'un air maussade, posa son verre sur la table, et suivit Philip et Nat vers la villa.

Après leur départ, le silence s'installa. Chloe regarda Hugh. Elle était clouée au sol, paralysée par cette découverte si évidente qu'elle se demandait comment elle ne s'en était pas aperçue plus tôt. Hugh souriait, comme s'il n'avait rien entendu, et elle avait envie de le gifler à cause de sa lenteur.

« Tu comprends, maintenant ?

— Quoi ? s'étonna Hugh.

— Tu ne comprends pas de quoi il s'agit ?

— Non. De quoi parles-tu ? »

Elle se retint d'exploser. « Il nous a joué un tour. Gerard nous a manipulés, toi et moi, voilà de quoi il s'agit. Ces vacances ne sont qu'un stratagème pour nous… pour nous… » Elle s'interrompit et Hugh se mit à rire.

« Calme-toi, voyons. Tu parles exactement comme Sam.

— Mais pourquoi serions-nous là, sinon ? Nous aurions dû nous en douter, ce n'était pas une coïncidence. Ce genre de situation ne se produit pas par hasard, il y a toujours une raison.

— Bien sûr que si, les choses arrivent par hasard, répliqua Hugh d'un ton serein. En réalité, il y a dans ce monde beaucoup plus de coïncidences que de conspirations. Philip a raison, il ne s'agit pas d'un complot. La plupart des situations résultent en général d'un mélange de hasard et d'erreur humaine. Chloe, Gerard ignore probablement que nous nous connaissons.

— Il le sait ! Il était là le jour où nous nous sommes rencontrés !

— Et tu crois qu'il aurait organisé ces vacances uniquement dans le but de nous réunir, toi et moi ?

— Oh, je n'en sais rien. » Chloe se tut un

moment, puis reprit : « Oui. Oui, je le crois capable de ce genre de chose. » Elle fit quelques pas et réfléchit. « Je connais bien Gerard. Il aime créer des embrouilles, il adore les situations ambiguës. Je l'ai vu à l'œuvre avec d'autres, je me suis moquée des autres avec lui. Je… je n'aurais jamais imaginé être un jour la cible de ses plaisanteries. » Chloe regarda Hugh. « En te revoyant par hasard, il s'est probablement souvenu de nous et il a pensé que ce serait amusant de nous tendre un piège. Il ne s'est jamais bien entendu avec Philip, ce n'est un secret pour… » Chloe s'interrompit et ferma les yeux. « Sam a raison, il doit jubiler en ce moment…

— Écoute, Chloe, ce ne sont que des hypothèses. » Hugh s'approcha d'elle et lui posa la main sur l'épaule, mais elle se dégagea brusquement.

« Arrête. » Elle frissonna, mit les mains dans les poches de sa veste et contempla la piscine. « Je me sens tellement… sordide, murmura-t-elle. Et tellement prévisible…

— Grands dieux ! s'exclama Hugh. Ce n'est pas une catastrophe. Même si Gerard nous a effectivement tendu un piège…

— Si, c'est une catastrophe ! rétorqua-t-elle, furieuse. Il nous a tendu un beau petit piège, et nous sommes tombés en plein dedans. Comme deux… » Soudain elle se tut. Au loin, on entendait crier en espagnol. Quelques minutes plus tard, une Mobylette démarra et s'éloigna dans les collines. « Et nous n'avons pas mis longtemps, poursuivit-elle sans se retourner. On ne peut pas dire que nous ayons traîné.

— Peut-être que ce n'était pas un piège, reprit Hugh après un moment de silence. Peut-être que

Gerard n'est pas aussi malveillant que tu crois. À supposer qu'il y soit pour quelque chose… il a pu faire ça pour nous offrir une occasion. » Hugh effleura la nuque de Chloe, qui frémit légèrement. « Peut-être que Gerard voulait nous voir à nouveau réunis. »

Après un silence, Chloe murmura, le regard rivé sur l'eau de la piscine : « C'est impossible, Hugh. Nous ne pouvons pas.

— Si, nous pouvons », répondit-il en l'embrassant dans le cou. Chloe ferma les yeux quelques secondes, incapable de résister à l'afflux de sensations qui resurgissaient une fois de plus. Puis elle s'écarta de lui.

« Chloe ! dit-il quand elle commença à s'éloigner. Où vas-tu ? » Elle pivota sur elle-même et le regarda, bouleversée. Puis elle tourna les talons et, sans un mot, se dirigea vers la maison.

La pièce était vide. Chloe entra, referma la porte et s'installa au bureau. Partout où se posait son regard, elle voyait le visage lisse, glabre et satisfait de Gerard. Gerard, enfermé dans son petit univers tranquille, où un bon vin comptait plus qu'une personne, où les rapports humains étaient matière à ragots, rien de plus. Elle avait cru à son affection, à la sincérité de son amitié. Comment avait-elle pu se tromper à ce point sur son compte ?

« Comment as-tu osé me faire une chose pareille ? dit-elle tout haut. Je croyais que nous étions amis. » Elle sentait l'émotion la gagner, les larmes affluer derrière ses paupières. « Pourquoi l'as-tu ramené dans ma vie de cette façon ? » Elle contempla une photo de Gerard ridiculement juché sur un grand cheval noir. « Ce n'est pas juste, Gerard. Je me suis débrouillée de mon mieux, j'ai reconstruit ma vie, j'ai été heureuse. Mais là… » Sa gorge se serra. « Là, c'est trop. Ce n'est pas juste. Je ne suis pas assez forte. » Elle se prit la tête dans les mains et examina la texture du bois du bureau. « Je ne suis pas assez forte », répéta-t-elle dans un murmure.

Elle ferma les yeux, se massa les tempes, s'efforçant de prendre du recul, de retrouver la force intérieure et la conviction sur lesquelles elle s'était appuyée jusque-là. Mais sa volonté, son énergie s'étaient dissipées, elle était comme une feuille qui vole au gré du vent.

La sonnerie du téléphone la fit sursauter. Elle décrocha et porta avec précaution l'écouteur à son oreille. « Euh… *Hola ?* dit-elle. Allô ?

— Bonjour, répondit une voix féminine pressée. Pourrais-je laisser un message pour Amanda Stratton, s'il vous plaît ?

— Euh… oui. Je peux aussi aller la chercher…

— Non, dit aussitôt son interlocutrice. Inutile. Pouvez-vous simplement lui dire que Penny a appelé, que le granit est bloqué sur la M4, et lui demander si elle veut qu'on attaque le jardin d'hiver ?

— Bien, répondit Chloe en relisant ce qu'elle venait de noter et qui lui semblait inintelligible. Granit, jardin d'hiver.

— Elle comprendra. Merci beaucoup. » La femme raccrocha et le silence retomba dans la pièce. Chloe contempla un moment l'élégant combiné vert foncé et, sur une impulsion, composa le numéro de Gerard.

« Gerard est hélas trop occupé pour vous répondre dans l'immédiat... »

Au son de cette voix doucereuse, suffisante, à des centaines de kilomètres de distance, Chloe eut la nausée. Évidemment, Gerard leur avait joué un tour, à eux tous. Ils auraient dû s'en douter, sinon pourquoi leur aurait-il soudain offert de passer huit jours dans cette villa qu'il possédait depuis des années et dont il ne leur avait jamais parlé ? Pourquoi cette invitation, tout à coup ? D'une main tremblante, Chloe raccrocha sans attendre la fin du message.

« Philip avait raison à ton sujet depuis le début, dit-elle en s'adressant au portrait sur papier glacé. Tu n'es qu'un sale petit con, égoïste et vaniteux. Et moi... moi, je ne sais pas ce que je vais faire. »

Cette phrase résonnait dans sa tête, si fort qu'elle se demanda si elle ne l'avait pas répétée à voix haute. *Je ne sais pas ce que je vais faire.*

Elle resta immobile, le temps que les mots s'estompent et que son esprit s'apaise. Puis elle crut entendre des bruits de pas qui – elle le comprit trop tard – se dirigeaient vers le bureau. Affolée, elle chercha des yeux un endroit où se cacher. Inutile. Figée par la peur, le cœur battant, les mains moites, elle attendit.

Quand la porte s'ouvrit et que Philip entra, elle le regarda, muette, terrorisée. Que savait-il ? Qu'avait-il deviné ? Elle se sentait sans défense, incapable de lui dissimuler quoi que ce soit. S'il voulait savoir si elle avait fait l'amour avec Hugh, elle ne pourrait que lui avouer la vérité.

« Je me demandais où tu étais passée, dit-il d'un ton décontracté, et il alla s'asseoir sur le rebord de la fenêtre. Je te croyais encore en train de déguster du vin !

— Je... j'avais un peu mal à la tête. J'ai eu envie de rentrer et d'être au calme pendant un moment.

— Tu n'avais pas l'air bien, fit-il, soucieux. Tu veux que je t'apporte quelque chose ?

— Non, merci, ça va aller. »

Un silence s'installa. Chloe baissa les yeux et aperçut un petit insecte rouge qui avançait avec précaution sur le sol carrelé. Savait-il seulement où il se dirigeait ? s'interrogea-t-elle avec une envie de rire et de pleurer à la fois. Avait-il un but ? Se rendait-il compte de la distance qui le séparait de son univers familier ?

« Je voulais te donner ceci, dit Philip en sortant un paquet de sa poche. Juste un petit souvenir. »

Il tendit le paquet à Chloe, qui l'ouvrit avec des mains tremblantes. Quand elle aperçut la fine chaîne en or, elle sentit bêtement les larmes lui monter aux yeux. Elle l'enroula autour de ses doigts, sans pouvoir ni la mettre à son cou ni croiser le regard de Philip.

« Je l'ai achetée cet après-midi. Je voulais simplement... je ne sais pas... me faire pardonner. Je sais que j'ai été insupportable, ces derniers temps. Et puis, les vacances ne se déroulent pas comme nous l'avions prévu. Je sais que tu avais envie que nous nous retrouvions seuls, tous les deux.

— Oui, j'avais envie que nous... » Elle se tut, incapable de finir sa phrase.

« Chloe... » Philip fronça les sourcils. « Tu n'es pas contrariée à cause de ce qu'a dit Sam, au moins ? Tu ne penses pas que Gerard nous ait fait une blague ?

— Je n'en sais rien, répondit-elle, tendue comme une corde de violon. Tu ne le penses pas, toi ? Je croyais que tu détestais Gerard. »

Philip la dévisagea un instant, l'air de réfléchir. « Je ne le porte pas spécialement dans mon cœur, mais l'idée qu'il ait pu monter un coup pareil… Voyons, Chloe, c'est ridicule ! Sam s'est laissé emporter par son imagination.

— Tu le penses vraiment ?

— Bien sûr ! Gerard est ton ami, non ? Tu n'as pas confiance en lui ?

— Je ne sais pas, répondit-elle en jouant avec la chaîne. Je m'interroge. Je ne sais plus. »

Philip l'observa, inquiet.

« Pourquoi ne vas-tu pas t'allonger un moment, ma chérie ? J'ai l'impression que tu en as besoin. Tu es peut-être restée trop longtemps au soleil aujourd'hui.

— Oui. » Chloe ferma les yeux un instant. « Oui, c'est sans doute ça. Un excès de soleil. » Elle se leva, se dirigea vers la porte, puis se retourna. « Merci, dit-elle en désignant la chaîne enroulée autour de ses doigts.

— J'espère qu'elle te plaît. » Philip haussa les épaules. « C'était une idée, comme ça. »

Chloe acquiesça d'un signe de tête. Elle avait conscience du regard de Philip sur elle, elle percevait son inquiétude et son embarras. Ne devinait-il pas ce qui clochait ? Ne le voyait-il pas ?

« C'est une robe neuve ? remarqua-t-il tout à coup. Elle est jolie. Différente. »

Chloe releva brusquement la tête, comme si elle

avait reçu une gifle. « Oui, répondit-elle dans un murmure. C'est… c'est une robe neuve. » Puis elle tourna les talons et sortit de la pièce.

Philip la regarda s'éloigner, se demandant s'il devait la suivre ou pas. Mais quelque chose dans sa façon de courber les épaules l'avertissait qu'il valait mieux la laisser seule. Elle prendrait un bain, lirait un peu, puis s'endormirait ; elle avait sûrement besoin de repos.

Au moment où Chloe atteignait le pied de l'escalier, Philip traversa le hall et sortit. Dehors, l'air était chaud, le ciel indigo. De minuscules hirondelles tournoyaient dans les airs et leurs silhouettes se détachaient tantôt sur le ciel sombre, tantôt sur les murs blancs de la villa. On entendait quelque part le miaulement d'un chat.

Philip se dirigea vers la piscine, humant l'air tiède et parfumé. Il crut tout d'abord qu'il n'y avait personne, que tout le monde avait déserté la dégustation de vins, mais il sursauta en apercevant Hugh, seul devant la table en fer forgé, un verre à la main.

Hugh leva la tête, vit Philip et parut se raidir ; il le regarda d'un air méfiant, ce qui surprit Philip. Puis, comme s'il comprenait quelque chose, Hugh se détendit.

« Venez prendre un verre, l'invita-t-il d'une voix un peu pâteuse, en désignant un siège à côté de lui. Venez donc. Tous les autres ont fichu le camp, et il reste cinq bouteilles à boire. »

Une heure plus tard, les bouteilles B et C étaient vides, et ils avaient entamé la bouteille D. Hugh remplit leurs deux verres et huma le sien en fermant les yeux. « Mmm. Bouquet délicat, qui rappelle… le vieux cirage et la pisse de chat. » Il avala une gorgée. « Oui, celui-ci fera l'affaire.

— Santé », dit Philip en levant son verre.

Le vin lui était très vite monté à la tête, constatat-il avec un certain détachement. Les vins espagnols étaient plus forts, et puis il n'avait rien mangé à part une demi-portion de frites à Puerto Banus. Il but une gorgée et contempla les reflets sombres de l'eau de la piscine. Il régnait une atmosphère étrange, une sorte de tension qu'il avait du mal à définir. Peut-être était-ce simplement la situation : deux inconnus se retrouvant côte à côte, sans le vouloir. Ou bien la chaleur, qui ne semblait pas vouloir diminuer alors même que la nuit tombait. Ou bien encore, comme Sam, il imaginait des choses.

« Toute cette comédie autour de la chronique des vins, dit soudain Hugh. C'est hyperfacile, comme boulot, non ? Tout ce dont on a besoin, c'est d'une caisse de vin et d'un dictionnaire des synonymes.

— Et aussi de papilles gustatives », ajouta Philip.

Hugh secoua la tête. « Pas indispensables. Gerard n'en a sûrement pas. Cette vinasse est immonde. »

Ils vidèrent leurs verres en silence ; Hugh les remplit une fois de plus, puis se renversa sur son siège et regarda Philip avec des yeux un peu injectés de sang.

« Eh bien, qu'est-ce que vous pensez de tout ça ? Vous croyez que Gerard nous a joué un tour ? »

Philip contempla son verre avant de répondre.

« Je l'ignore. Ce n'est pas impossible. Gerard a un sens de l'humour plutôt tordu. » Il releva la tête et croisa le regard de Hugh. « Je suppose qu'il trouve ça hilarant : chacun de nous croit avoir la villa pour soi, et en fin de compte on est obligés de partager. En plus, pas question de se plaindre puisque nous sommes invités.

— Vous pensez que c'est seulement ça, une simple blague ?

— Je suppose… Sinon, qu'est-ce que ça pourrait bien être ?

— Rien. » Hugh détourna les yeux. « Je ne sais pas. »

Un oiseau se posa, regarda les deux hommes, puis s'envola de nouveau.

« Mais finalement, ce n'est pas si grave, dit Philip. La maison est immense, et notre cohabitation se passe plutôt bien…

— Oui, acquiesça Hugh sans tourner la tête. C'est vrai.

— En fait, si Gerard nous voyait, il serait probablement très déçu, fit observer Philip en éclatant de rire. Il espérait sans doute que nous en viendrions aux mains, et qu'il y aurait effusion de sang. »

Hugh resta silencieux un moment, comme en proie à un débat intérieur.

« Mais vous deux, demanda-t-il enfin, vous n'aviez pas envie d'un peu d'intimité ?

— Si, en effet. Bah, on n'a pas toujours ce qu'on veut, dans la vie. C'est comme ça. » Philip avala une

202

gorgée et remarqua que Hugh l'observait. « Qu'y a-t-il ?

— Rien. Simplement, votre… Chloe a exprimé à peu près la même chose, à propos du fait de ne pas toujours avoir ce qu'on veut.

— Eh bien… nous pensons de la même façon, je suppose, conclut Philip en riant, à force d'être ensemble depuis trop longtemps. »

Hugh fut aussitôt sur le qui-vive. « Est-ce que vous…

— Quoi ?

— Vous pensez vraiment que vous êtes ensemble depuis trop longtemps ? »

Il guettait la réponse de Philip avec un réel intérêt, et Philip revit tout à coup Amanda, sur sa chaise longue, évoquant tristement le fait que Hugh et elle ne se croisaient jamais.

« Non, répliqua-t-il. Bien sûr que non. Nous avons des problèmes… mais nous nous en sortons. On n'a pas le choix. » Il allongea les jambes et contempla le ciel d'encre.

« Que faites-vous ? questionna Hugh en lui remplissant son verre à moitié vide. Dans la vie, je veux dire. »

Philip se mit à rire. « C'est contraire au règlement. Je suis censé ne pas parler boulot durant ces vacances.

— Oh, pardon. Désolé, j'avais oublié.

— Ce n'est pas grave. Je vais vous le dire quand même. » Philip examina son verre un long moment, puis se pencha vers Hugh. « En réalité, chuchota-t-il sur le ton de la confidence, je suis pilote de ligne.

— Ah bon ? s'exclama Hugh, surpris. Et vous travaillez pour quelle… » Devant l'expression de

Philip, il s'interrompit et sourit. « Pilote de ligne, répéta-t-il en buvant une gorgée de vin. Excellent. Moi, je travaille dans… la recherche aérospatiale.

— La recherche aérospatiale. Intéressant. Ça paie bien ?

— Pas mal. » Hugh pointa un doigt en signe d'avertissement. « Rappelez-vous ceci : le monde aura toujours besoin de fusées.

— Et d'avions.

— Et d'avions. » Hugh leva son verre. « Aux avions, donc.

— Et aux… À propos, que font les gens qui travaillent dans la recherche aérospatiale, toute la journée ?

— Top secret », répondit Hugh en se tapotant le nez – geste qui sembla lui coûter un effort considérable. « Je pourrais vous le dire… mais ensuite je serais obligé de vous tuer.

— Bon, bon. »

Philip porta son verre à ses lèvres et sentit sa tête partir sur le côté. Il avait l'impression que, depuis plusieurs heures, il planait et que, tout à coup, il venait de basculer du haut d'une cascade et que le courant l'entraînait. S'il ne mangeait pas bientôt un morceau… Ses pensées devinrent confuses, et il avala une autre gorgée de vin pour s'éclaircir l'esprit.

Il attrapa la bouteille D et vida le fond dans le verre de Hugh.

« Nous pourrions en ouvrir une autre… suggéra-t-il d'une voix pâteuse. Ou bien nous en tenir là tant qu'il en est encore temps. »

Hugh parut réfléchir un moment, puis il regarda Philip, l'air tendu, les yeux injectés de sang.

« J'aime votre femme. »

Philip dévisagea Hugh quelques instants d'un air perplexe, comme s'il cherchait à se rappeler quelque chose de capital, puis il sourit béatement.

« Tout le monde aime Chloe, déclara-t-il. C'est un ange.

— Oui, fit Hugh, un peu plus calme. Oui, c'est un ange.

— À l'ange, dit Philip en levant son verre d'un geste mal assuré.

— À l'ange », répéta Hugh après un silence. Il leva son verre à son tour, et tous deux burent avec le plus grand sérieux.

« En fait, elle n'est pas ma femme », précisa Philip au bout d'un moment, puis il se renversa sur son siège et ferma les yeux.

« Non, dit Hugh après quelques minutes. Non, bien sûr. » Il imita Philip, et tous deux sombrèrent dans un silence troublé uniquement par le clapotis de l'eau.

11

Le lendemain matin, Chloe se réveilla en sursaut, le cœur battant. Elle se redressa aussitôt dans
le lit, affolée, comme si elle était en retard pour un
rendez-vous, bafouillant des excuses : « Je suis
désolée… » Puis elle se rendit compte qu'elle était
seule, qu'il n'y avait personne dans la pièce pour
l'écouter.

Pendant quelques secondes, elle contempla la
place vide, à côté d'elle, puis se laissa retomber lentement sur l'oreiller. Philip n'avait pas dormi avec
elle. Ce qui signifiait… ?

Qu'il savait tout. Qu'il était reparti pour l'Angleterre. Que tout était fini.

Ou alors, il ne savait rien. Il avait simplement bu
un verre de trop et s'était endormi devant un film.

Les deux hypothèses étaient envisageables et
incontrôlables. Dans le silence de cette chambre
aux murs clairs, encore un peu perdue dans la
confusion de ses rêves, elle avait du mal à émerger
dans le monde réel. Les événements de la veille

avaient-ils vraiment eu lieu ? Un tourbillon d'images et de souvenirs assaillit son esprit. Le rythme de la musique. Le soleil. Le vin rouge velouté. Son regard croisant celui de Hugh. Son acquiescement silencieux.

Durant quelques heures, elle avait été quelqu'un d'autre, quelqu'un de complètement différent.

D'un geste vif, elle repoussa les couvertures et se leva. Très lentement, elle traversa la pièce et se planta devant le grand miroir fixé au mur, en face d'elle. Elle constata que son visage avait pris un hâle doré et que le soleil avait éclairci ses cheveux ; de loin, elle ressemblait encore à la blonde mystérieuse, à la fille de vingt-cinq ans qui, à peine un jour plus tôt, avait déambulé dans les ruelles de San Luis, moulée dans une robe noire, s'était attablée seule à une terrasse de café et avait accepté l'invitation d'un inconnu. Qui n'avait pensé à rien d'autre qu'à elle-même et à ses désirs du moment.

Mais, à mesure qu'elle s'approchait du miroir, le flou, l'ambiguïté disparurent, et ses propres traits se mirent en place. Fini le sentiment d'étrangeté, finie la blonde inconnue, la mystérieuse jeune femme de vingt-cinq ans. Elle était Chloe Harding. Et c'était Chloe Harding qui avait été infidèle.

Elle s'était crue incapable d'une chose pareille. Elle s'était crue au-dessus de ce genre de chose. Elle s'était crue plus forte qu'elle ne l'était en réalité. Et elle s'était fait avoir comme toutes les autres, se précipitant dans le piège qu'on lui avait tendu, telle une adolescente faible et stupide. Tout d'un coup, un accès de rage la submergea, ainsi qu'une bouffée de haine contre Gerard, qui avait découvert son talon d'Achille et qui avait tout manigancé pour la faire succomber. Depuis quand avait-il prévu cette rencontre ? Depuis quand se frottait-il les mains en imaginant la scène ? En y repensant, Chloe avait l'impression que depuis quelques mois toutes leurs conversations avaient eu un double sens, que tous leurs propos avaient été chargés de sous-entendus. Gerard avait su comment elle réagirait : il la connaissait mieux qu'elle ne se connaissait elle-même.

En proie à une cuisante humiliation, elle se détourna du miroir. À peine consciente de ce qu'elle faisait, désireuse de faire le vide dans son esprit, elle se dirigea vers l'endroit où elle avait abandonné ses vêtements. Pendant qu'elle tendait la main pour attraper sa brosse à cheveux, un léger parfum de musc flotta dans la pièce : c'était le parfum que la vendeuse avait vaporisé sur elle au moment où elle sortait du magasin. Le parfum de la veille. Le parfum de Hugh et elle.

Cette odeur s'imposa à elle, plus puissante que toute autre sensation. Une vague de désir l'envahit, lui faisant perdre le contrôle d'elle-même ; tremblante, elle se retint à la commode, ferma les yeux, tenta de recouvrer son calme. Mais la passion était trop impérieuse. Des images obsédantes revenaient : le café de San Luis, elle, un verre de vin à la main, elle dans la chambre, avec Hugh qui l'implorait de revenir auprès de lui, dans le lit aux draps froissés. Tous les deux seuls au monde, loin de tout.

Il lui avait demandé de rester la nuit entière avec lui, il voulait qu'elle se réveille dans ses bras. Elle avait refusé. Et que s'était-il passé ? Elle avait dormi seule. À la pensée de ce qu'elle avait manqué, elle se sentait pétrifiée.

Elle demeura immobile quelques secondes, puis se força à inspirer un grand coup. D'une main tremblante, elle rejeta ses cheveux en arrière, s'éloigna de la robe noire et du parfum musqué, enfila un maillot de bain et une robe de plage. Enfin, elle se coiffa et sortit de la pièce.

En passant devant la chambre des garçons, elle jeta un coup d'œil à l'intérieur. Tous deux dormaient profondément. Chloe les observa un moment. Dans son sommeil, Sam avait l'air d'un enfant, avec son visage lisse, innocent, ses bras étalés sur l'oreiller. À la lumière du matin, quelques poils blonds brillaient à son menton. Mais, au lieu de lui rappeler que son fils était maintenant un homme, cela évoqua dans son souvenir le duvet qui recouvrait son corps de bébé, quand il était assis au soleil sur sa couverture. À ses côtés, Nat, une Gameboy serrée dans sa main, avait rejeté ses couvertures. Son pyjama Pokémon était pelucheux à force d'avoir été trop souvent lavé. Sur sa main, écrit au stylo à bille, ce message : *Sam me doit 3 tours.*

Ses deux fils. Tout à sa contemplation, Chloe songea soudain à l'histoire de la Petite Sirène qui avait quitté l'océan pour celui qu'elle aimait, renoncé à son ancienne vie pour suivre les désirs de son cœur, et été condamnée à souffrir le martyre jusqu'à la fin de ses jours.

Chloe ferma les yeux et s'appuya au montant de la porte. Quand elle rouvrit les paupières, ce fut avec une détermination nouvelle. Pleine de courage et de détermination, elle franchit le couloir d'un pas décidé.

Dehors, dans un ciel uniformément bleu, le soleil était déjà brûlant. La chaleur avait encore monté d'un cran et pas le moindre souffle de vent n'était perceptible ; sur le moment, Chloe la ressentit physiquement comme une menace. Pourquoi étaient-ils venus dans ce pays étranger, dans cette région aride, montagneuse, s'exposer à des forces aussi puissantes, aussi dangereuses ? Pourquoi ne s'étaient-ils pas contentés de rester dans leur environnement familier ?

L'espace d'un instant, elle eut envie de revenir sur ses pas et de courir se réfugier dans la fraîcheur de la villa. Mais elle savait qu'elle ne pouvait se cacher ni du soleil ni de Hugh. Puisqu'elle était là, elle n'avait plus qu'à affronter la situation.

Elle continua de marcher sous le soleil, en direction de la piscine, bien décidée à enlever sa robe et à plonger ; quand elle aurait la tête sous l'eau, se disait-elle, la folie de la veille disparaîtrait et elle redeviendrait elle-même.

Trop concentrée sur sa résolution, elle ne prêta pas attention à ce qui l'entourait. Tout à coup elle se figea. Elle n'en croyait pas ses yeux : Hugh et Philip, affalés sur des chaises longues, à l'ombre d'un parasol, plusieurs bouteilles vides devant eux, dormaient comme des souches.

Elle sentit alors ses pensées vaciller et se désagréger. Dans son esprit, les deux hommes étaient séparés : Philip vivait dans une vie, sa vie à elle, et Hugh appartenait à la vie de la blonde mystérieuse. Et voilà qu'ils étaient là, sous ses yeux, en chair et en os : ils dormaient ensemble, inspirant et expirant presque à l'unisson.

Tandis qu'elle les examinait, Hugh ouvrit les yeux et croisa son regard. Elle céda à la panique, comme si on l'avait surprise en flagrant délit de vol.

« Chloe », murmura Hugh, ce qui redoubla sa peur.

« Je... bafouilla-t-elle, désespérée. Non. » Elle tourna les talons et s'éloigna en hâte, le cœur cognant dans sa poitrine.

Elle traversa, presque en courant, le pré dont l'herbe était sèche et brûlante. Au bout se trouvait une plantation de citronniers. Elle se glissa au milieu des arbres, telle une fugitive, sans trop savoir ni où elle allait ni ce qu'elle voulait. Finalement, elle s'arrêta, s'appuya contre un arbre et respira l'odeur douce et fraîche des citrons.

« Chloe. »

Elle releva la tête, horrifiée. Hugh l'avait suivie et l'observait. Il avait les yeux injectés de sang, de la barbe au menton, la chemise froissée. Quand elle rencontra son regard, le visage de Hugh s'épanouit en un sourire radieux. « Bonjour, ma chérie, murmura-t-il en se penchant sur elle.

— Non ! Hugh, arrête ! » Elle s'écarta de lui et tenta désespérément de reprendre ses esprits.

« Je t'aime. »

À ces mots Chloe sentit tout son corps réagir, son cœur s'accélérer, ses joues s'empourprer.

« Non, dit-elle en se détournant. Non, tu ne m'aimes pas. Écoute, Hugh. » Elle se força à lui faire face et à le fixer dans les yeux. « Nous... nous avons commis une erreur. Une énorme erreur.

— Ne dis pas cela.

— Si. Regarde la réalité : nous sommes en

vacances, il faisait chaud, nous avions bu tous les deux…

— La réalité, c'est que je t'aime. Je t'ai toujours aimée. »

Un frisson parcourut Chloe de la tête aux pieds.

« Il est trop tard, affirma-t-elle en serrant les poings. Il est trop tard pour dire cela.

— Non, il n'est pas trop tard. » Hugh s'avança et la prit par les épaules. Son souffle était tout près de son visage. « Chloe, nous sommes comme… des amants prodigues. Nous nous étions perdus, et nous nous sommes retrouvés. Nous devrions célébrer cet événement. Nous devrions… tuer le veau gras.

— Nous nous sommes peut-être retrouvés, mais qu'avons-nous découvert ? Tu es marié, je suis mariée…

— Tu n'es pas mariée.

— C'est tout comme.

— Non. Tu n'es pas mariée. »

Elle le dévisagea, le cœur en déroute.

« Arrête, Hugh.

— J'aurais dû t'épouser, reprit-il, une lueur intense dans les yeux. Quand nous avions vingt ans tous les deux, nous aurions dû vivre ensemble, former une famille, toi, moi et Sam… C'était notre destin, seulement j'étais trop stupide pour le comprendre.

— Tais-toi.

— Chloe… » Il se tut, la contempla un moment, comme s'il voulait graver son visage dans son esprit. « Chloe, veux-tu m'épouser ? »

Elle le regarda fixement, puis répondit, moitié riant, moitié pleurant : « Tu es ridicule.

212

— Non, je ne suis pas ridicule. Je parle sérieusement, Chloe. Épouse-moi. Quel âge avons-nous, tous les deux ? Pas encore quarante ans. Nous avons toute la vie devant nous !

— Hugh...

— D'autres le font, pourquoi pas nous ? À cause d'une erreur du passé, allons-nous renoncer à des années de bonheur ?

— Ce ne seraient pas des années de bonheur.

— Qu'en sais-tu ? »

Leurs regards se croisèrent, et Chloe sentit quelque chose en elle vaciller. En un éclair, elle entrevit la possibilité d'une nouvelle vie pour eux deux. Une série d'images séduisantes, comme on en voit dans les films ou les magazines, surgirent dans son esprit. Elle était redevenue une enfant imaginant sa vie future. Durant quelques instants, elle fut transportée par les perspectives qui s'offraient à elle. Puis, rassemblant son courage et sa volonté, elle s'obligea à détourner les yeux et à se concentrer sur les racines d'un citronnier – de vraies racines, la vraie terre, la réalité.

« C'était une erreur, dit-elle en relevant la tête. Ce qui s'est passé hier n'était rien d'autre qu'un moment de faiblesse. Je regrette, Hugh, mais ce n'était pas autre chose. »

Il y eut un silence. Hugh lui lâcha les épaules et s'écarta de quelques pas, l'air résolu. Chloe le dévisagea avec une certaine appréhension.

« Un moment de faiblesse, répéta Hugh et il se tourna vers elle. Donc ça te demande un effort de rester avec Philip.

— Pas du tout ! rétorqua-t-elle, indignée. J'aime Philip.

— Peut-être, mais ça ne signifie pas que tu es heureuse avec lui.

— Si. Ça fait treize ans que je suis heureuse avec lui.

— Je vous ai vus ensemble, tous les deux, pendant ces quelques jours. Vous n'avez pas l'air de former un couple heureux.

— Eh bien, c'est peut-être parce que nous subissons une énorme pression depuis quelque temps, répliqua Chloe, piquée au vif. Si tu veux savoir, Philip risque sérieusement d'être licencié. Tu es satisfait ? Les choses sont claires pour toi, maintenant ? Voilà trois mois que nous attendons de savoir s'il va garder son emploi ou non. Alors, en effet, cela nous a beaucoup perturbés, tous les deux. Mais ça ne signifie pas que nous ne sommes pas un couple heureux, une famille heureuse. » Chloe se tut. Cramoisie, elle lançait à Hugh des regards furieux.

« Je suis désolé, s'excusa-t-il, gêné. J'ignorais que la situation était...

— Voilà le problème ! Tu ignores quelle est ma situation. Comment pourrait-il en être autrement ? Cela fait quinze ans ! Tu ne me connais pas, tu ne connais pas ma famille. Tu as une idée de ce que je suis... rien de plus. » Devant l'expression de Hugh, elle continua d'un ton moins agressif : « Et moi, je ne te connais pas. Je ne sais rien de ton couple avec Amanda. Il ne me viendrait pas à l'idée de discuter pour savoir si tu es heureux ou pas. C'est ta vie privée, ta vie de famille. »

Les mots résonnèrent dans l'air chaud et calme. Le silence s'installa pendant quelques minutes.

« Ma vie de famille… dit enfin Hugh avec un étrange petit sourire. Tu veux savoir comment elle est, ma vie de famille ? Tu veux savoir ce qu'est mon couple avec Amanda ?

— Non, je ne veux pas le savoir.

— Imagine deux personnes qui ne se parlent pratiquement pas de la journée. Imagine un père qui ne connaît pas ses propres enfants, qui passe beaucoup plus de temps que nécessaire à son bureau. » Hugh poussa un long soupir. « Avec Amanda… ce n'est pas une vie de famille que j'ai. Ou, si c'en est une, j'en suis exclu. Je suis celui qui signe les chèques. » Il se prit le visage à deux mains, puis regarda Chloe. « Ce n'est pas ça que je voulais. Je n'ai jamais voulu être un… un étranger pour mes enfants. » Il s'avança d'un pas, sans cesser de la fixer dans les yeux. « Et quand je vois comment Philip se comporte avec Sam, quand je pense que j'ai eu, moi, cette occasion… J'aurais pu être le père de ce gosse…

— Non ! s'écria Chloe avec une rage soudaine. Tais-toi ! C'est Philip le père de Sam, d'accord ? C'est Philip son père. Tu ne peux pas savoir ce qui serait arrivé si nous étions restés ensemble, et tu n'as absolument pas le droit de supposer que… » Elle s'interrompit et tenta de mettre de l'ordre dans ses idées. « Je suis désolée que tu sois malheureux avec Amanda. Je suis sincèrement désolée, mais… ce n'est pas mon problème. »

Il la dévisagea. « En d'autres termes, va te faire foutre et fiche-moi la paix.

— Pas tout à fait, répondit-elle après une seconde d'hésitation. Mais… presque. »

Un silence s'installa. Hugh mit les mains dans ses poches, s'éloigna de quelques pas, contempla le sol sablonneux et sec.

« Tu t'es servie de moi, dit-il enfin.

— Nous nous sommes servis mutuellement l'un de l'autre, riposta Chloe.

— Tu prends ta revanche, n'est-ce pas ? » Hugh releva brusquement la tête. « Tu voulais me punir de ce que j'ai fait.

— Non. Je ne suis pas en train de te punir.

— Tu as dû en avoir envie. Tu as dû me haïr.

— Non », répondit Chloe sans réfléchir.

Pourtant, un souvenir surgit de sa mémoire. Elle se revit, à l'âge de vingt ans, assise à la table de la cuisine, chez sa tante, donnant à manger à Sam sans même savoir ce qu'elle faisait, blême, hagarde, minée par le chagrin, sachant avec certitude – et cette pensée était insoutenable – que cela aurait pu marcher entre eux. Que cela aurait marché... s'il n'avait pas été aussi lâche. Durant cette période noire, elle l'avait méprisé. Évidemment, elle l'avait méprisé. Elle avait désiré une confrontation, des explications, la vengeance. La nuit, elle ressassait des scènes de récriminations passionnées, violentes même.

Ces scènes, elle ne les avait pas oubliées, inutile de le nier. Cependant, au fil des années, elles s'étaient atténuées, affadies, un peu à la manière de vieux croquis qui ont perdu leurs couleurs, leur éclat, l'émotion qui les avait fait naître.

« À l'époque, oui, peut-être, corrigea-t-elle. Peut-être que je t'ai haï. Mais maintenant... » Elle écarta de son front moite quelques mèches de cheveux. « Hugh, ce temps-là est révolu. Nous ne sommes plus un couple d'étudiants. J'ai une famille, toi aussi, tu as deux petites filles adorables...

— Qui ne me connaissent pas, avoua Hugh avec amertume. Qui ne m'aiment pas. Si je partais demain, mes enfants ne remarqueraient même pas mon absence. »

Chloe le dévisagea. Sa colère s'évanouit, laissant place à de la compassion pour cet homme riche, ambitieux, malheureux, qui avait raté tout ce qui, pour elle, comptait le plus dans la vie.

« L'amour, ça se mérite, Hugh. L'amour, on le gagne avec du temps, avec des efforts...

— Je veux gagner ton amour », implora-t-il sans la quitter des yeux.

Malgré elle, Chloe sentit ses joues s'empourprer. « Non. » Elle secoua vigoureusement la tête. « Ne dis pas des choses pareilles. Je te le répète, ce que nous avons fait était juste une... une erreur. »

L'air pensif, Hugh s'approcha d'un citronnier, cueillit un fruit vert et le contempla quelques instants. Puis, d'une voix calme et assurée, il dit : « Je ne crois pas. Tu ne veux pas prendre de risques.

— Ce n'est pas vrai ! J'aime Philip, je désire rester avec lui...

— On n'a qu'une vie, Chloe. » Il la regarda avec une intensité qui la bouleversa. « Et les occasions de changer de vie ne sont pas si nombreuses.

— Ça n'en est pas une.

— Oh si, c'en est une.

— Hugh... Tu es ridicule. Cela fait quinze ans, nous sommes chacun avec quelqu'un d'autre...

— Et alors ? »

Elle sentait l'émotion la submerger, une fois de

plus, et elle lutta pour la réprimer. Que lui arrivait-il ? s'interrogea-t-elle, désemparée. Pourquoi écoutait-elle Hugh ?

« Nous pouvons choisir de ne pas prendre de risques, reprit-il. Ou bien de prendre le plus grand risque de notre existence et être... parfaitement, merveilleusement heureux.

— Je ne suis pas joueuse », répondit Chloe en serrant les poings, tâchant de se ressaisir. Mais elle avait la gorge nouée et un étau lui comprimait la poitrine.

« Tout le monde est joueur, continua Hugh, impitoyable. À combien estimes-tu tes chances d'être encore avec Philip dans dix ans ? À quatre-vingt-dix pour cent ? Quatre-vingts pour cent ? Moins ?

— À cent pour cent ! s'écria Chloe dans un sursaut de colère. Mais je ne parierais pas autant sur toi et Amanda. » Elle dévisagea Hugh quelques instants, puis tourna les talons et s'éloigna rapidement, d'une démarche un peu chancelante.

La voix de Hugh résonna derrière elle : « Personne n'est jamais sûr à cent pour cent, Chloe. »

Depuis le balcon de sa petite chambre, Jenna avait un point de vue privilégié sur le parc. Elle observa Hugh, l'air plutôt crispé, qui suivait du regard Chloe. Pas étonnant, se dit-elle : sans avoir entendu leur conversation, elle devinait sans peine de quoi il retournait.

La jeune fille tira sur son joint et continua de surveiller Hugh, qui, debout au milieu des citronniers, regardait devant lui avec une expression tendue.

Oh, pour l'amour du ciel, pensa-t-elle, secoue-toi un peu, espèce de mollusque.

On frappa à la porte de la chambre. « Oui ? fit Jenna sans tourner la tête.

— Jenna ? Les filles ont pris leur petit déjeuner. Vous êtes prête ? s'enquit Amanda de sa voix saccadée et polie.

— Tout à fait », répondit Jenna en écrasant tranquillement son joint sous sa sandale.

Puis elle se retourna et, à travers la porte-fenêtre, vit Amanda qui se tenait juste sur le seuil de la chambre, pas un millimètre au-delà. Tout à fait Amanda, pensa Jenna : elle n'était jamais délibérément familière, elle respectait les règles du jeu et s'attendait que tout le monde en fasse autant.

Devant le visage confiant d'Amanda, Jenna ne put s'empêcher d'éprouver un élan de sympathie pour elle. Cette femme était peut-être enquiquinante, mais elle n'était pas garce, ni hypocrite – seulement coincée. Et elle n'avait aucune idée de ce que tramait son mollasson de mari.

La jeune fille jeta un coup d'œil du côté de Hugh, et une expression de mépris passa sur son visage. Il aurait bien mérité d'être pris sur le fait.

« Entrez ! cria-t-elle en faisant signe à Amanda. Je profitais de la vue. Venez admirer le paysage ! »

Après un instant d'hésitation, Amanda traversa la petite pièce en évitant scrupuleusement de regarder les affaires de la jeune fille.

« C'est vraiment beau, d'ici, dit Jenna.

— Oui, répondit Amanda, qui s'arrêta au niveau de la porte-fenêtre et scruta les montagnes, au loin. Oui, c'est très beau.

— Si vous vous avancez au bord, vous pouvez

même apercevoir les citronniers », précisa Jenna d'un air innocent, en vérifiant que Hugh était toujours debout au milieu des arbres, bien en vue. Mais, à ce moment-là, il commença à s'éloigner et, quand Amanda eut rejoint Jenna, il avait disparu de leur champ de vision.

« Typique, marmonna Jenna. Ils ne restent jamais à découvert.

— Qu'est-ce que c'était ? questionna Amanda en scrutant d'un air perplexe les citronniers.

— Rien d'important. » Jenna sourit à Amanda, puis remarqua qu'elle tenait une grosse enveloppe kraft à la main. « Vous allez à la poste ?

— Non, c'est arrivé ce matin d'Angleterre.

— Ah bon ? Du travail pour Hugh ?

— Non. Il s'agit d'une gamme complète d'échantillons pour la maison. J'ai demandé qu'on me les envoie par courrier spécial avant la poursuite des travaux. Comme ça, je serai au courant. J'ai déjà découvert trois différences dans les couleurs, vous vous rendez compte ?

— Criminel.

— Et je n'ai pas encore vérifié les tons des chambres du haut. Par conséquent, je vais avoir besoin d'un peu de calme et de tranquillité ce matin, pour étudier tout cela au bord de la piscine.

— Pas de problème. J'emmènerai les filles faire une balade ou autre chose.

— En tout cas, rien qui demande trop d'énergie. La chaleur est encore pire aujourd'hui. C'est presque intenable. » Amanda se passa la main sur le front, s'approcha de la balustrade et se pencha. « Vous avez vraiment une belle vue d'ici. Sans doute parce que cette pièce est située en hauteur.

— L'endroit idéal pour vous espionner tous. »
Avec un sourire jusqu'aux oreilles, Jenna ajouta :
« Je plaisante ! »

Tandis qu'il revenait lentement vers la villa,
Hugh se sentit plein d'énergie, plein d'optimisme et
de détermination. Chloe l'avait peut-être rejeté en
paroles, mais tous les autres signes – la rougeur de
ses joues, l'éclat de ses yeux, le tremblement de sa
voix – montraient clairement le désir qu'elle éprouvait pour lui. Quoi d'étonnant ? Ils avaient toujours
éprouvé du désir l'un pour l'autre.

Le fait d'apercevoir le visage de Chloe en se
réveillant ce matin lui avait paru un signe. Un sentiment d'exaltation, de joie quasi sacrée, l'avait
envahi. Chloe était son ange, sa rédemptrice, la
solution à tout. Il avait eu une vision merveilleuse :
elle et lui ensemble chaque matin, ensemble pour le
restant de leur vie, avec Sam et Nat, et peut-être un
bébé à eux… Le véritable bonheur en famille, pour
la première fois de son existence. Il n'était pas porté
sur la religion, ni sur les croyances New Age,
l'astrologie et toutes ces bêtises que la sœur
d'Amanda débitait à chacune de ses visites, mais il
était sûr d'une chose – et jamais une telle certitude
ne l'avait ébranlé à ce point –, Chloe et lui étaient
destinés l'un à l'autre.

L'émotion qu'il avait lue sur le visage de Chloe,
la veille, comment il l'avait sentie frémir, comment
il l'avait entendue crier… Cela ne lui avait pas
échappé. Aujourd'hui, elle ne voulait pas en
entendre parler, elle se réfugiait dans la sécurité de
son couple, mais elle ne pourrait pas indéfiniment

nier ses sentiments, elle ne pourrait pas résister éternellement.

Au moment où il revenait vers le parc, Hugh plissa les yeux à cause du soleil et aperçut Nat, assis sur l'herbe, qui coloriait une image. Le petit garçon leva la tête, lui sourit avec innocence et se pencha de nouveau sur son dessin. À la vue de cet enfant aux yeux sombres et aux cheveux soyeux qui lui tombaient sur le front, Hugh fut curieux et eut soudain envie de lui parler.

Il s'approcha de Nat, vaguement conscient de se mettre ainsi lui-même à l'épreuve. S'il réussissait à discuter avec lui, s'il parvenait d'une manière ou d'une autre à établir un lien avec lui, cela signifierait quelque chose. Il fallait que cela signifie quelque chose, non ?

« Bonjour, dit-il en s'asseyant sur l'herbe à côté de l'enfant. Comment ça va ?

— Bien. » Nat posa le crayon bleu et prit le jaune. « Je dessine un citronnier. »

Hugh jeta un coup d'œil sur la feuille puis, pour la forme, suivit le regard de Nat et constata avec surprise la ressemblance du dessin avec l'arbre réel.

« Incroyable ! » s'exclama-t-il. Il examina encore une fois la feuille de papier, puis le citronnier. « Eh bien, dis donc, tu as un sacré coup de crayon !

— Oui », répondit le gamin avec un petit haussement d'épaules. Il continua à ombrer son dessin, et Hugh l'observa sans rien dire ; une étrange émotion montait en lui, un souvenir lui revenait à la mémoire.

« Ta mère sait dessiner, elle aussi, n'est-ce pas ? dit-il tout à coup.

— Oh oui. Maman dessine super bien. Elle a exposé à l'église, et trois personnes ont acheté ses dessins. Et elle les connaissait même pas.

— Une fois, elle m'a dessiné », fit Hugh. Il croisa le regard de Nat et éprouva une sorte d'ivresse à l'idée du risque qu'il prenait de partager un tel secret avec cet enfant. « Elle a fait un croquis de moi au crayon, ça n'a demandé que quelques secondes… mais c'était bien moi, mes yeux, mes épaules… » Hugh s'interrompit, perdu dans ses pensées. Il revit sa chambre, dans la pénombre de l'après-midi, le frémissement de son corps sous le regard de Chloe, le frottement du crayon sur le papier. « Ça m'était complètement sorti de l'esprit, lança-t-il avec un petit rire. Je ne sais même pas où est ce croquis.

— Maman nous dessine tous, remarqua Nat d'un ton poli et indifférent. Elle a fait plein de dessins de moi quand j'étais petit, au lieu de photos. »

Dans le silence qui suivit, on n'entendit que le grattement du crayon de Nat.

« Elle dessine aussi ton père ? » À peine cette question avait-elle franchi ses lèvres que Hugh s'en voulut de l'avoir posée. Pourtant, il attendit la réponse en retenant son souffle.

« Ça arrive. » Nat attrapa le crayon noir. « À Noël, elle nous a dessinés tous les trois. » Il leva la tête et adressa un grand sourire à Hugh. « Papa était tellement drôle ! Il a profité d'un moment où elle ne regardait pas pour mettre une fausse moustache. Quand maman s'est retournée, elle a compris qu'il se passait quelque chose mais elle ne savait pas quoi. » Nat s'esclaffa, et Hugh esquissa un sourire guindé. « Et puis elle a vu la moustache, mais elle n'a rien dit, elle a continué à dessiner. Ensuite, quand elle a fini le portrait, on a regardé, et papa avait une énorme moustache et des grandes oreilles… »

Nat fut pris d'un fou rire et Hugh se sentit stupide. À quoi m'attendais-je, bon sang ? se dit-il. Qu'est-ce que j'avais envie d'entendre ? Des histoires de mésentente conjugale ? Des indices révélant que tout n'allait pas pour le mieux dans le couple ? Eh bien, je n'ai que ce que je mérite : des anecdotes d'une famille heureuse, des blagues, des rires, et que Dieu nous bénisse tous.

Soudain, à la vue de Nat plié en deux de rire, Hugh ressentit de la honte : il avait abusé de ce petit garçon innocent en l'abordant sous de faux prétextes, en l'interrogeant avec des arrière-pensées peu reluisantes.

« Tu as fait ce dessin dans un but particulier, ou simplement pour ton dossier d'artiste ?

— C'est pour mon cahier de vacances. À l'école, on nous a demandé de tenir un journal de nos vacances. Papa m'a dit que, si je travaillais un peu chaque jour, je ne m'en apercevrais même pas. Juste vingt minutes par jour. » Nat consulta sa montre. « J'ai presque fini.

— Très sensé, commenta Hugh. Peu à la fois mais régulièrement.

— J'ai gardé des trucs pour coller dedans. » Nat brandit le classeur en cuir vert foncé qui lui servait d'appui pour dessiner. « Ma carte d'embarquement, une carte postale de Puerto Banus, un dessin que j'ai fait de la villa...

— Parfait, fit Hugh d'un ton à la fois docte et jovial. Montre-moi ça. »

Il tendit la main pour saisir le classeur et se figea net en apercevant, imprimé sur la couverture, le logo familier de PBL. Il le contempla un moment, décontenancé. Le logo de sa propre entreprise. Comment ce classeur, si semblable à ceux que lui-même utilisait, était-il tombé dans les mains du gamin ? Peut-être était-ce Amanda qui le lui avait offert ? Mais, dans ce cas, où Amanda l'aurait-elle trouvé ?

« Nat... dit-il avec naturel, d'où vient ce classeur ?

— C'est mon père qui me l'a donné, répondit Nat en relevant la tête.

— Ton père ? » Hugh scruta le visage franc et ouvert du petit garçon. « Comment ça, ton père ? Où l'a-t-il eu ?

— Au bureau, répondit Nat, surpris. Il travaille à la National Southern Bank. »

Hugh eut l'impression de recevoir un coup sur la tête. Pendant quelques secondes, il fut incapable d'articuler un son. Était-ce le soleil qui chauffait de plus en plus fort ?

« Ton... ton père travaille à la National Southern Bank ?

— Oui. » Nat choisit un crayon rouge. « La banque a frictionné avec la société PBL, c'est pour ça que papa a plein d'affaires avec PBL marqué dessus : des stylos, et d'autres trucs.

— Fusionné », rectifia Hugh.

Nat rougit. « C'est ce que je voulais dire. Fusionné. PBL est sur l'internet, mais nous, on utilise Fast-Serve. Ils vendent aussi des ordinateurs, des téléphones…

— Oui, acquiesça Hugh en s'efforçant de dissimuler son agitation. Oui, Nat, je sais… Dis-moi…

— Oui ? » Le petit garçon le regarda avec gentillesse et Hugh ne sut plus quoi dire.

« Ça n'a pas d'importance, répondit-il au bout d'un moment, en esquissant un sourire. À plus tard, d'accord ? »

Hugh s'éloigna, en proie à un sentiment d'irréalité, de vertige presque. Contournant la piscine, il pénétra dans la fraîcheur et la pénombre de la villa et tenta de stopper le tourbillon de ses pensées. Philip Murray travaillait à la National Southern Bank. Hugh passait ses vacances en compagnie d'un employé de la National Southern ! C'était incroyable, épouvantable. Pourquoi n'en avait-il rien su ? Pourquoi personne ne l'avait-il averti ?

Entendant un bruit à l'étage, Hugh se précipita dans le bureau de Gerard ; il referma la porte derrière lui et poussa un soupir de soulagement. Dans l'immédiat, il ne voulait voir personne, il lui fallait d'abord se renseigner. Il se sentait pareil à un renard traqué par les chasseurs ; d'un instant à l'autre, on le découvrirait et on le capturerait. Ça n'a aucun sens, se raisonna-t-il. Ça n'a vraiment aucun…

Il se figea. Il venait d'apercevoir une photo encadrée de Gerard. Gerard en smoking, levant son verre devant l'objectif, le visage rose de plaisir.

Ce salaud de Gerard, pensa Hugh, soudain écœuré.

Un déluge de pensées l'assaillit. Il se souvint de Gerard dans ce bar à vin de la City, lui posant des questions à propos de la fusion et des conséquences pour les employés de la National Southern, à propos de son rôle dans tout cela. Il revit le regard de Gerard, brillant de curiosité. Sur le moment, il n'y avait pas prêté attention : tout le monde s'intéressait au sujet, tout le monde était curieux. Les questions de Gerard lui avaient paru totalement innocentes.

Oh, mon Dieu. Oh, mon Dieu.

Hugh s'assit au bureau. Son cœur battait très vite. Il décrocha le téléphone et composa le numéro de Della.

« Della, ici Hugh.

— Hugh ! Comment allez-vous ? Vos vacances se passent bien, j'espère ?

— Très bien, merci. » Il se toucha le front. Il avait pratiquement oublié qu'il était en vacances. « Della, j'ai quelque chose à vous demander. Je voudrais que vous cherchiez dans quelle succursale de la National Southern travaille un certain Philip Murray.

— Phi-lip Mur-ray, répéta scrupuleusement Della.

— C'est cela. Philip Murray. Et quand vous aurez trouvé, débrouillez-vous pour savoir ce que l'équipe de John Gregan préconise pour cette agence. Rappelez-moi à ce numéro.

— Très bien. Autre chose ?

— Non, c'est tout. Je vous remercie, Della. »

Il raccrocha, le regard perdu devant lui, puis il se prit la tête à deux mains et sentit qu'il se vidait de son énergie.

12

Jenna et Sam, allongés dans l'herbe sèche et rase du pré, à l'ombre d'un arbre, contemplaient en silence le ciel sans nuages. Jenna se taisait parce qu'elle fumait une cigarette, Sam parce qu'il ne trouvait rien à dire d'intelligent.

Après le déjeuner, Amanda avait décrété qu'il faisait trop chaud pour rester au bord de la piscine et avait emmené Octavia, Beatrice et Nat visiter une réserve d'ânes signalée dans un guide. Sitôt la voiture disparue dans l'allée, Jenna s'était tournée vers Sam : « Ça te branche, de boire quelques bières ? » Sam, affichant un air décontracté, avait répondu avec un haussement d'épaules : « Ouais, pourquoi pas ? » Tout en marchant près d'elle, des canettes de bière glacées dans les mains, il avait imaginé ce qu'il pourrait lui raconter – des propos légers, désinvoltes, spirituels même. Pourtant, chaque fois qu'il ouvrait la bouche pour parler, la crainte le paralysait. Et si ses plaisanteries tombaient à plat ? Si elle lui lançait un regard indifférent ou ironique, ou, pire encore, si elle se moquait de lui ? Voilà pourquoi il se taisait, et le silence prenait de plus en plus de place.

Cela ne semblait pas déranger Jenna. Elle avait déjà vidé une canette de bière – Sam n'avait bu que la moitié de la sienne – et allumé une cigarette, et ça paraissait lui suffire. Pour être franc, il faisait une telle chaleur qu'on n'avait pas vraiment envie de parler. En ce sens, le soleil était bien pratique, un peu comme la télé : quand la conversation s'épuisait, on pouvait toujours fermer les yeux, regarder en l'air et attendre de trouver l'inspiration.

« Alors », fit Jenna. Sam tourna brusquement la tête. Jenna s'assit et ses tresses lui retombèrent sur les épaules, on aurait dit des lacets de chaussures. « Tout le monde passe de bonnes vacances ? » Elle souffla un nuage de fumée et une lueur brilla dans son regard. « À ton avis, Sam ? Affirmatif ou négatif ?

— Euh… Affirmatif, je pense. Il fait beau…

— Il fait beau, répéta Jenna avec un petit sourire. Tu es bien un Anglais.

— Je passe de supervacances, affirma Sam, un peu agacé par l'expression de la jeune fille. Nat aussi. Papa et maman aussi, je suppose.

— Tu crois ?

— Pas toi ? »

Jenna haussa les épaules et tira sur sa cigarette. Puis elle se pencha en avant pour se gratter le pied, offrant à Sam le spectacle de ses seins brunis, ronds comme des pommes, couverts par deux minuscules triangles de tissu noir. Gêné, il farfouilla le sol avec ses doigts. Il aurait aimé dire quelque chose mais il avait la gorge serrée. Jenna cessa de contempler ses orteils aux ongles vernis et lui adressa un sourire énigmatique.

« Eh bien, je suis ravie que tu passes de supervacances. »

Sam, se sentant rougir, détourna la tête. Qu'avait-elle voulu dire ?

« Tu ne t'amuses pas, toi ? lança-t-il d'un ton agressif.

— Je ne suis pas ici pour m'amuser.

— Peut-être, mais ce n'est pas interdit par le règlement, si ?

— J'en sais rien. J'ai pas posé la question. » Jenna roula les yeux de façon comique, et Sam se mit à rire, un peu soulagé.

« Tu n'aimes pas Amanda, hein ?

— En tant qu'employeur ? Pas spécialement.

— Et… en tant que personne ?

— En tant que personne… » Jenna réfléchit quelques secondes « Pour dire la vérité, j'ai pitié d'elle.

— Tu as pitié d'Amanda ? » Sam la dévisagea avec surprise. « Pourquoi ?

— Sans doute parce qu'elle n'a pas l'air très heureuse.

— Elle n'a qu'à pas être aussi autoritaire ! » Sam hocha la tête. « Je me demande comment tu fais pour avoir pitié d'elle, elle est odieuse avec toi.

— Ce n'est pas parce que je ne supporte pas de travailler pour elle que je suis incapable d'éprouver de la pitié pour elle. » Jenna écrasa son mégot par terre. « Mais il faut reconnaître une chose : Amanda s'occupe vraiment de ses gosses. Quand Beatrice a été malade, elle est restée toute la nuit auprès d'elle,

231

et en plus elle a nettoyé toute la saleté. Hugh, naturellement, n'a pas levé le petit doigt…

— Tu n'aimes pas Hugh, alors ? interrogea Sam, étonné.

— Même pas la peine d'en parler. Le genre d'Anglais typique : pas d'émotions, pas d'humour, rien. Amanda, elle est peut-être chiante, mais au moins elle aime ses mômes.

— Toutes les mères aiment leurs enfants.

— Tu crois ça ? J'ai vu pas mal de mères, et certaines ont une drôle de façon de montrer leur amour. » Jenna s'allongea sur le ventre et posa le menton sur ses mains. « Il y en a, ce sont des vraies garces. Elles ont des gamins parce qu'il faut en avoir, puis elles se barrent un mois aux Caraïbes en laissant quelqu'un d'autre s'occuper d'eux. Certaines sont rongées de culpabilité et elles te détestent parce que tu passes plus de temps qu'elles avec leurs rejetons. »

Sam regarda Jenna avec curiosité.

« Ça ne t'est jamais arrivé de bien t'entendre avec les femmes pour qui tu travailles ?

— Oh si, de temps en temps. » Jenna lui fit un grand sourire. « Ce que tu dois comprendre, c'est que le sentiment à la base des relations entre une mère et la personne qui s'occupe de ses enfants, c'est la haine.

— La haine ? » Sam éclata de rire, se demandant si Jenna plaisantait ou non.

« La haine, peut-être pas. Mais le ressentiment, l'envie. Je les envie parce qu'elles ont des belles baraques et plein de fric… Elles m'envient parce que j'ai une vie sexuelle et pas de vergetures.

232

— Amanda n'a pas de vergetures, lança Sam sans réfléchir.

— Ah bon ? » Jenna leva les sourcils. « T'as regardé, c'est ça ? »

Sam rougit. « Non, bien sûr que non. J'ai juste... » Il avala une gorgée de bière pour cacher sa gêne, puis tenta de reprendre le cours normal de la conversation. « Alors, tu... tu crois qu'Amanda t'envie ?

— En réalité, je ne suis pas certaine qu'elle ait assez d'imagination pour envier qui que ce soit. » Jenna ferma les yeux, se retourna et s'appuya sur ses coudes. Sam ne put s'empêcher de parcourir du regard le corps de la jeune fille, puis détourna les yeux. Il avait de plus en plus chaud. Il but encore un peu de bière et s'épongea le front du revers de la main.

Jenna rouvrit les yeux. « Tu ressembles vraiment beaucoup à ta mère, dit-elle brusquement. Les mêmes yeux, tout.

— Euh, oui.

— Et Nat ressemble exactement à ton père. Curieux, non ? »

Sam garda le silence. Le visage fermé, il se pencha et feignit de rattacher son lacet. Il hésitait toujours à informer les gens à propos de ses parents. Quelquefois, il n'avait pas envie de susciter la curiosité des autres. Les filles, en particulier, avaient tendance à en rajouter quand il leur révélait la vérité : elles ouvraient toute grande la bouche, puis voulaient à tout prix le consoler et lui disaient qu'ils pouvaient en discuter s'il voulait. Comme s'il y avait de quoi en faire tout un plat, alors qu'en réalité ce n'était pas un problème.

D'un autre côté, Jenna n'avait pas l'air du genre à en faire toute une histoire.

« Philip n'est pas mon vrai père, dit-il au bout d'un moment. Je veux dire : pas mon père biologique.

— Ah bon ? » Jenna se redressa soudain. « Tu es un enfant adopté ?

— Pas exactement. Ma mère est ma vraie mère, elle m'a eu quand elle était très jeune, ton âge à peu près. »

Jenna l'observa en plissant les yeux, comme si elle effectuait un calcul.

« Alors, qui est ton père ?

— Un type qui vit en Afrique du Sud. Il est professeur à l'université du Cap.

— Ah, fit Jenna, plus détendue. Il est sympa ? Vous vous entendez bien ?

— Je ne l'ai jamais vu. J'irai peut-être lui rendre visite un jour, mes parents m'ont dit que je pourrais aller le voir. » Gêné par le regard fixe de Jenna, Sam se détourna et joua avec un brin d'herbe. Il avait beau être parfaitement au courant, cette histoire le mettait toujours un peu mal à l'aise.

« À ta place, je ne me tracasserais pas, lui conseilla Jenna. Mon père nous a laissés tomber quand j'avais cinq ans, et je n'ai jamais eu la moindre envie de le retrouver. » Elle avala une gorgée de bière, sans cesser de scruter Sam avec curiosité. « Et Philip a l'air d'un type bien.

— Il est super. Enfin… des fois il est carrément énervant, mais bon… » Sam haussa les épaules. « Tu comprends.

— On peut dire que c'est foncièrement un mec bien. Tu vois, l'autre jour, Octavia était vraiment

234

insupportable avec moi. Philip a commencé à lui raconter une histoire. Comme ça, tout naturellement. En plus, c'était une histoire géniale, et à la fin on écoutait tous.

— Papa a toujours inventé des histoires formidables. Chaque soir on avait droit à un nouvel épisode. Il continue encore pour Nat.

— Il fait ça professionnellement ? Écrire, je veux dire. »

Sam fit non de la tête.

« Il travaille dans une banque.

— Ah bon ? » Jenna leva les sourcils et souffla la fumée de sa cigarette. « Il gagne un paquet de fric, alors ?

— Non. » Sam se tut, hésitant à en dire davantage. « En fait, il risque de perdre son poste », avoua-t-il finalement.

Jenna l'examina, les yeux écarquillés.

« Tu parles sérieusement ?

— Oui. Il y a eu une fusion dans sa boîte. On ne m'a rien dit, mais j'ai bien compris. » Il releva la tête et regarda Jenna dans les yeux. « N'en parle pas à Nat, il n'est pas au courant.

— Évidemment ! Je ne m'en doutais pas. Je suis vraiment désolée. » Elle secoua la tête, faisant tinter les petites perles au bout de ses tresses. « Ton pauvre papa.

— Enfin… peut-être que ça n'arrivera pas.

— J'espère bien que non. » Elle fronça les sourcils. « Il ne mérite pas ça, en plus du reste.

— En plus de quoi ? » interrogea-t-il, perplexe

Jenna l'observa un instant sans rien dire, comme si elle cherchait à lire quelque chose sur son visage.

« En plus de ses vacances gâchées », répondit-elle en tirant sur sa cigarette. Sam la dévisagea, mal à l'aise. Apparemment, on aurait pu croire qu'ils avaient une discussion tout à fait banale mais, avec Jenna, on avait en permanence l'impression qu'elle avait une idée derrière la tête.

« La vie des gens est toujours beaucoup plus intéressante qu'on ne l'imagine, dit-elle brusquement. Dans toutes les familles, il y a une histoire dingue : un secret, une vieille haine, un énorme problème... Oh là là, quelle chaleur ! » Elle se redressa, fit un mouvement et, avec le plus grand naturel, dégrafa le haut de son bikini. « Ça ne te dérange pas ? »

Sam sentit tout son corps se tendre lorsque le tissu glissa, révélant les seins parfaits et bronzés. Merde, se dit-il en s'efforçant d'avoir l'air décontracté et de ne pas river son regard sur les mamelons de Jenna. Ne déconne pas. Ne déconne surtout pas. Jenna lui lança un coup d'œil, et il détourna aussitôt la tête, attrapa une canette de bière et l'ouvrit avec des doigts qui tremblaient un peu.

« Ne bois pas trop », avertit Jenna.

Sam reporta les yeux sur elle. Il n'osait pas bouger. Du coin de l'œil, il aperçut deux oiseaux qui se poursuivaient dans le ciel. Soudain, sans prévenir, Jenna se pencha vers lui et l'embrassa sur la bouche. Ses lèvres étaient fraîches.

Sam ferma les yeux et tenta de se maîtriser. Mais le désir se propageait dans tout son corps comme une traînée de poudre. Incapable de se contrôler, il saisit d'une main fébrile un des seins de Jenna. Elle ne protesta pas. Il détacha ses lèvres des siennes et traça avec sa bouche un sillon jusqu'au sein de la jeune fille ; quand il prit le mamelon entre ses lèvres, Jenna rejeta la tête en arrière et poussa un petit grognement. Sam redoubla d'excitation et caressa l'autre sein, dans l'espoir d'obtenir le même résultat ; Jenna dit alors quelque chose qu'il ne comprit pas bien.

« Quoi ? murmura-t-il en relevant la tête.

— Plus bas », chuchota-t-elle.

Le cœur battant la chamade, Sam changea de position ; sa bouche descendit lentement le long du ventre plat et bronzé et se rapprocha peu à peu de la bordure du maillot. Le front de l'ouest, comme disaient les garçons au lycée. Cette étroite bande de Lycra, de dentelle ou autre, cette frontière tentatrice que les filles défendaient avec la plus farouche énergie. Parvenu au bord du mince triangle de tissu noir, il s'arrêta, le visage en feu. Il était vaguement conscient que ses cuisses tremblaient à force de supporter son poids, que de petits cailloux tranchants s'enfonçaient dans ses genoux, que sa nuque était trempée de sueur. Et maintenant ? pensait-il, affolé. Et maintenant ?

Jenna se tortilla, s'arrangeant pour écarter légèrement les jambes, comme sans le faire exprès. À cette vue, Sam crut devenir fou. Elle était offerte, là, devant lui.

Il avait un préservatif dans sa poche, pris un peu plus tôt dans la boîte de trois cachée au fond de sa valise. Lorsque Jenna l'avait invité à boire de la bière, il s'était précipité à l'étage, avait déchiré l'étui et fourré le petit sachet dans sa poche, sans oser croire qu'il lui serait utile. Lui et ses copains emportaient toujours des préservatifs avec eux ; pourtant, d'après ce qu'il savait, aucun n'était encore passé à l'acte. Mais à présent… Sam regarda Jenna et se sentit de plus en plus excité. Devait-il le sortir tout de suite ? Devait-il lui demander d'abord ? Qu'est-ce qu'il fallait…

« Mmmmm… murmura Jenna.

— Qu'est-ce que tu dis ? » articula-t-il d'une voix rauque.

Sans le regarder, Jenna remua, se tortilla une fois de plus et, tout à coup, sous les yeux de Sam, le bas du bikini glissa, glissa… C'était incroyable… oh là là…

« Plus bas, chuchota Jenna en esquissant un sourire. Un peu plus bas. »

Assis, seul, à l'immense comptoir en marbre de la cuisine, Philip buvait avec une lenteur extrême un verre d'eau minérale. Il avait l'impression que cela lui avait pris des heures pour se réveiller et, même là, ses idées étaient encore confuses ; il se sentait légèrement coupé de la réalité. Ses mains semblaient à des kilomètres du reste de son corps, et il tressaillait chaque fois qu'il reposait le verre sur la surface de marbre.

Il n'avait aucune idée de la quantité de vin qu'il avait ingurgitée la veille au soir mais, à en juger par le nombre de bouteilles vides et l'état de son crâne au réveil, il avait dû boire une sacrée dose. En se réveillant, vers le milieu de la matinée, il avait constaté qu'il était tout seul au bord de la piscine. Les yeux brûlants, la bouche pâteuse, il avait regardé autour de lui à travers une espèce de brouillard, se remémorant la soirée précédente. Il en avait voulu à Hugh de l'avoir abandonné là au lieu de le réveiller ; c'était une véritable trahison que d'être parti en douce au petit matin pour se doucher et se changer. Après tout, ils avaient bu ensemble, et Philip se serait volontiers laissé aller à ces rituels de lendemain de cuite où l'on s'apitoie sur soi-même, où, de façon un peu puérile, on revient sur les excès de la veille et où l'on compare l'ampleur de la gueule de bois chez l'un et chez l'autre.

Il saisit la bouteille d'eau minérale, se resservit et observa les bulles qui pétillaient en remontant à la surface du verre. Hugh était différent quand il avait bu, pensa Philip. Le type plutôt coincé et distant du début des vacances s'était transformé en un homme qui aimait blaguer, avec un esprit caustique – un homme que Philip n'aurait pas détesté connaître davantage. Hugh, l'éminent spécialiste de la recherche aérospatiale… Un sourire se dessina sur les lèvres de Philip. Ils s'étaient comportés comme des gamins, et il regrettait presque que Chloe n'ait pas été là pour constater qu'il suivait ses instructions à la lettre. Ne lui avait-elle pas recommandé de se décontracter, de se vider l'esprit ? De se détendre et de s'amuser ? Eh bien, c'est ce qu'il avait fait, et il ne s'était pas privé !

Il but encore une gorgée et ferma les yeux ; sa tête protestait contre l'absorption de liquide, son corps refusait ce qui était bon pour lui. Ce qui aurait été encore mieux que de l'eau, c'était l'Alka Selzer, mais Philip n'avait pas réussi à en trouver dans les luxueux placards de cuisine de Gerard et il ne se sentait pas d'humeur à en demander à quiconque. D'ailleurs, bizarrement, cela ne lui déplaisait pas d'être assis là, avec sa migraine et ses mains tremblantes, malade autant qu'il le méritait.

Cet après-midi, une atmosphère étrange, un peu irréelle, planait sur la villa. Le silence était dû en partie, bien sûr, à l'absence des trois plus jeunes enfants, mais aussi à celle d'Amanda qui faisait régner, d'après Philip, une sorte de tension permanente.

Chloe s'était retirée dans la chambre ; elle avait la migraine, elle aussi ; Philip l'avait trouvée pâle et fatiguée. Quand il avait voulu la prendre dans ses bras, elle s'était détournée. Peut-être était-elle encore contrariée à cause de Gerard. Philip ne savait que penser de l'hypothèse de Sam ; pour lui, cela n'avait aucune importance. Tout le monde était là maintenant, en vacances, n'était-ce pas l'essentiel, finalement ? La villa était si vaste qu'on aurait pu y loger sans peine une troisième famille.

Philip continua à boire de l'eau et croqua quelques pistaches abandonnées dans une coupelle sur le comptoir. Il éprouvait un sentiment de satisfaction, de contentement même, malgré son mal de crâne. En fin de compte, il commençait à se relaxer pour de bon. Si Chris avait raison, il ne se passerait rien avant la semaine prochaine ; c'était un peu comme si on lui avait accordé quelques jours de sursis.

Soit l'alcool l'avait anesthésié, soit l'oisiveté forcée gagnait lentement tout son organisme, en tout cas il se sentait calme et détendu. Pour la première fois depuis le début du séjour, il avait vraiment l'impression d'être en vacances. Son estomac ne se contractait pas toutes les cinq minutes, ses pensées ne le ramenaient pas sans cesse en Angleterre, à la banque, au sort qui l'attendait.

En cherchant un médicament dans les placards

de la cuisine, il était tombé sur des prospectus qui lui avaient donné des idées de balades et d'excursions avec les garçons. Après avoir parcouru la brochure d'un parc nautique, il s'imagina en train de glisser à toute allure sur un toboggan géant, sous le regard consterné des garçons, honteux pour leur père. À cette idée, il rit tout seul. Voilà ce qu'il fallait faire : sortir, trouver des activités, s'amuser.

La sonnerie du téléphone retentit. Philip sursauta. Il n'avait guère envie de répondre, il se sentait trop bien. D'un autre côté, manifestement, personne ne le ferait. Il laissa sonner encore deux ou trois fois l'appareil au bout du comptoir, puis décrocha. « Allô ? dit-il d'un ton prudent.

— Allô, répondit une voix féminine. Pourrais-je parler à Hugh Stratton, s'il vous plaît ?

— Bien sûr. Ne quittez pas, je vais voir où il est.

— Ou alors, peut-être puis-je laisser un message ?

— Euh… oui. Un instant, je cherche de quoi écrire. » Philip jeta un coup d'œil circulaire et aperçut un pot de crayons sur une étagère. « Voilà. Je vous écoute.

— Pourriez-vous lui dire que Della a appelé…

— Oui… » Philip écrivit le nom sur un bout de papier.

« … pour l'informer que Philip Murray travaille à la succursale d'East Roywich. »

Philip s'arrêta net d'écrire. Ahuri, il regarda ce qu'il venait de noter : *Della, Philip Murr.*

Était-il encore sous l'emprise de l'alcool ?

« Excusez-moi, dit-il enfin, je crois que je n'ai pas bien entendu.

— Philip Murray, M, u, deux r, a, y, travaille

pour la National Southern Bank, à la succursale d'East Roywich. C'est le directeur de l'agence.

— Oui. Je comprends. » Philip se passa la main sur le front. De quoi lui parlait cette femme ? « Pourriez-vous… Qui êtes-vous, exactement ?

— Della James. La secrétaire de M. Stratton. Désolée de vous importuner pendant vos vacances. Si vous pouviez juste lui transmettre le message et lui dire que je lui faxe les pages du rapport concernées. Merci beaucoup.

— Attendez ! D'où… d'où appelez-vous ?

— Du bureau de M. Stratton. Excusez-moi encore de vous avoir dérangé. Au revoir !

— Non, attendez ! D'où exactement… »

Mais son interlocutrice avait déjà raccroché. Il contempla un moment le combiné, puis raccrocha à son tour.

Quelqu'un s'amusait-il à lui faire une blague ? S'agissait-il d'une plaisanterie douteuse de Sam ? Il embrassa la pièce du regard, s'attendant à voir entrer quelqu'un tordu de rire. Mais tout était tranquille et silencieux, il était seul dans la cuisine.

Puis un bruit attira son attention, un bruit qui venait d'une autre partie de la maison et qui ressemblait à…

Philip se leva d'un bond et sortit de la cuisine. Dans le hall, il s'arrêta pour écouter. Le bruit se répercutait sur les parois de marbre, curieusement prosaïque dans ce décor somptueux : le bruit d'un télécopieur.

Le cœur battant, il entra dans le bureau. L'appareil avait déjà débité plusieurs feuilles de papier ivoire, enroulées sur elles-mêmes ; Philip les prit et, stupéfait, découvrit l'en-tête : *Secrétariat de Hugh*

Stratton, directeur des stratégies de l'entreprise. Et, juste au-dessus, les trois lettres entrelacées : PBL.

Allongée dans le noir, Chloe contemplait les murs de la chambre plongée dans la pénombre. Elle avait froid et se sentait l'esprit confus, les émotions à fleur de peau. Sa migraine était passée, en réalité elle lui avait surtout servi de prétexte pour fuir les autres, Hugh, d'une part, et son regard insistant, impitoyable, Philip, d'autre part, et sa sollicitude affectueuse. Elle avait besoin de solitude et de temps pour réfléchir.

Mais, plus elle demeurait seule et tentait de raisonner, plus l'incertitude la gagnait. Sans cesse elle entendait la voix de Hugh, qui l'attirait, tel le chant d'une sirène. Sans cesse elle repensait à l'exaltation de ces moments magiques, défendus. Une partie d'elle-même souhaitait désespérément revivre cette excitation, cette magie, sentir le regard de Hugh sur son visage, les mains de Hugh sur son corps. Hugh Stratton, son premier véritable amour. L'amour qu'elle avait perdu.

Et, au-delà du plaisir et de l'amour, quelque chose d'autre se dessinait dans son esprit, bien plus difficile à affronter. La souffrance de voir ce qu'elle avait raté, durant toutes ces années. Elle continuait d'aimer et de respecter cet homme et, même si elle avait conscience de ses défauts, elle les comprenait, sans doute mieux que sa propre épouse. Hugh n'avait pas tellement changé depuis l'époque de ses vingt ans – l'époque où, la tête sur la poitrine nue de Chloe, il parlait avec elle des nuits entières. Elle le connaissait autant qu'un être humain peut connaître un autre être humain. Et même si, avec les années, il avait gagné en maturité, même s'il lui était devenu plus étranger, malgré tout elle le connaissait intimement. Son langage lui était familier, c'était aussi le sien, elle n'avait pas oublié, et cela lui revenait avec une facilité déconcertante.

Hugh avait raison, ces quinze années n'étaient rien. Ils retrouvaient, intacte, leur complicité de toujours. Être de nouveau avec lui tenait du miracle, du conte de fées.

Et pourtant... et pourtant.

La réalité n'était pas un conte de fées. Une liaison secrète était une chose mais, si elle conduisait à briser des familles, c'était tout autre chose. La réalité, c'était de savoir que certains instants de perfection ne valaient pas le prix à payer. Son désir pour Hugh était en grande partie dicté par la nostalgie, le besoin d'échapper à ses tensions et à ses soucis du présent, pour retrouver l'insouciance et l'émerveillement du passé. Quand elle avait fermé les yeux et senti le corps de Hugh contre le sien, elle était redevenue une fille de vingt ans, sans responsabilités, pleine d'espoir, qui se lançait dans la vie. Durant ces quelques heures d'enchantement, tout paraissait possible. Elle s'était perdue corps et âme. Mais maintenant...

Chloe tendit une main au-dessus de sa tête et examina avec objectivité le grain de sa peau. Ce n'était pas la main d'une fille de vingt ans. Elle ne démarrait pas dans la vie. Elle avait déjà choisi son chemin, un chemin qui la satisfaisait – mieux, qui la rendait heureuse. Elle aimait Philip. Elle aimait ses fils. Flanquer leurs vies en l'air pour une passion égoïste, elle ne pouvait pas.

Hugh et moi, nous avons eu notre chance, pensa-t-elle. À l'époque, nous avons eu notre chance et nous l'avons laissée passer. Maintenant, c'est trop tard. D'autres personnes sont entrées dans nos vies et désormais nous devons continuer notre chemin avec elles.

Chloe s'assit sur le lit et enfouit la tête dans ses mains. Elle se sentait vulnérable, au bord des larmes. Sa résolution était forte, mais non pas iné-branlable. Soudain elle éprouva le besoin de retrouver son univers familier, réconfortant, rassu-rant. Par-dessus tout, rassurant. Elle avait hâte de réunir sa famille autour d'elle, de récupérer son centre de gravité. Il fallait qu'elle se rappelle à quoi elle tenait, et pourquoi.

Tout à coup elle se leva, observa son teint pâle dans la glace, puis quitta la pièce, descendit l'esca-lier et sortit dans le jardin. Il régnait un calme inha-bituel et Chloe se souvint qu'Amanda avait emmené les enfants pour la journée. Personne à la cuisine, personne à la piscine. Hésitante, elle contempla un instant l'eau bleu vif, puis prit la direction du pré. Elle offrit son visage au soleil, pour qu'il la réchauffe de ses rayons. Elle voulait avoir les joues rouges, sentir le sang circuler dans ses veines, elle voulait que le froid de l'incertitude, niché au plus profond d'elle-même, se transforme en bonheur et en chaleur.

Quand elle arriva sur le pré, elle perçut des sons étouffés. Quelques minutes plus tard, elle vit Sam se redresser dans l'herbe, les cheveux ébouriffés, le visage en feu, bientôt suivi de Jenna, pommettes rouges et regard égaré. Chloe les observa en silence et tenta de dissimuler sa consternation.

Évidemment, Sam avait seize ans, ce n'était qu'une question de temps… sinon déjà un fait accompli. À cette idée, elle crut qu'elle allait s'évanouir.

« Ah, c'est… c'est toi, maman, marmonna Sam, les yeux rivés au sol.

— Hello, Chloe », dit Jenna avec un sourire béat.

Chloe les dévisagea tour à tour, en se demandant ce qu'ils étaient en train de faire, ou plutôt jusqu'où ils étaient allés. Sam avait les cheveux en bataille et des brins d'herbe sur son tee-shirt ; quand elle croisa son regard, il détourna les yeux avec une expression gênée, maussade, renfrognée. Jenna portait en tout et pour tout un bikini minuscule dont le haut, nota Chloe, était dégrafé dans le dos. Était-ce une tenue pour une baby-sitter ? pensa-t-elle, désagréablement consciente qu'elle commençait à raisonner comme Amanda. Mais bon, Amanda n'avait peut-être pas tort.

Elle remarqua la main de Jenna, négligemment posée sur la jambe de Sam, et ressentit une hostilité si vive que cela lui fit un choc. Ôte tes mains de mon fils, avait-elle envie de hurler. Pourtant, elle s'adressa à Sam d'un ton enjoué : « Je voudrais faire une lessive, pourrais-tu trier tes affaires et celles de Nat, s'il te plaît ?

— Dans une minute.

— Pas dans une minute. Tout de suite.

— Mais, maman…

— Il pourrait peut-être s'en occuper plus tard, plaida Jenna en souriant. On était justement en train de se faire bronzer.

— Je me moque de ce que vous faisiez, rétorqua Chloe avec un sourire mauvais. Je veux que Sam vienne trier son linge immédiatement. Et qu'il range sa chambre. C'est une honte. »

Elle attendit en silence, refusant de céder, tandis que Sam, lentement, à contrecœur, se mettait debout et épousetait ses vêtements. Elle était tout à fait consciente qu'il lançait des regards désespérés à Jenna, selon un langage codé, et qu'elle avait sans doute interrompu ce qui, pour l'adolescent, devait représenter le paradis. Mais elle s'en fichait. Sam attendrait.

Je ne vais pas, le même jour, abandonner mon amant et mon fils à d'autres femmes, songea-t-elle. Il n'en est pas question. Sam aura d'autres occasions, plus tard. Pour le moment, c'est moi d'abord, j'ai besoin d'avoir ma famille rassemblée autour de moi, et je l'aurai.

« Allons-y », dit-elle, sans prêter attention au regard assassin de son fils. Tous deux traversèrent le pré, Sam en traînant la jambe, en ronchonnant et en lançant des coups de pied dans des mottes de terre et des buissons. Une fois à la villa, tout en montant l'escalier, Chloe sourit à son fils, pour essayer de se faire pardonner.

« Après la lessive, on pourrait jouer à un des jeux qu'il y a dans le salon.

— Non, merci, répliqua Sam d'un ton maussade.

— Ou alors… on pourrait préparer une pizza. Ou regarder une vidéo ensemble…

— Je n'ai pas faim. » Arrivé en haut de l'escalier, il fit face à sa mère. « Et je n'ai aucune envie de jouer à des jeux à la con. Tu m'as déjà gâché mon après-midi, ça suffit comme ça ! » Sur ces mots, il pivota sur lui-même, fonça dans le couloir, entra dans la chambre qu'il partageait avec Nat et claqua la porte avec une telle violence que le bruit résonna dans toute la maison.

Chloe resta plantée là, tremblante, au bord des larmes. Il y avait sur le palier un siège recouvert de tapisserie ; elle s'y assit et tenta de retrouver son calme. Mais une douleur aiguë lui étreignait la poitrine et menaçait d'éclater sous forme de sanglots ou de cris.

Sais-tu ce que j'abandonne pour toi ? avait-elle envie de hurler à son fils. Sais-tu ce que j'abandonne ? Elle enfouit la tête dans ses mains et fixa le sol. Le souffle saccadé, le visage exsangue, elle attendit que la douleur passe.

Hugh avait découvert une petite terrasse ombragée, à l'autre extrémité de la villa, loin de tout le monde. Après avoir guetté en vain le coup de fil de Della pendant une heure environ – elle avait dû être retardée ou avait profité de sa pause déjeuner pour courir les magasins –, il avait enfilé son slip de bain et était descendu à la piscine, pensant qu'un peu de natation lui éclaircirait les idées. Il avait dû rebrousser chemin en apercevant Chloe dans le parc. Maintenant, assis à une petite table en fer forgé, devant une bouteille de vin qu'il avait prise dans le réfrigérateur, il tentait de se calmer.

Il se retrouvait dans une situation épouvantable, le mot n'était pas trop fort. Philip Murray travaillait pour la National Southern. Hugh passait ses vacances avec un employé de la National Southern, qui n'avait aucune idée de son identité. Cela ressemblait à une blague de mauvais goût, ou à ce petit jeu auquel se livraient parfois, via l'e-mail, les employés de sa compagnie – le jeu de « Que feriez-vous si… ? » Et voilà qu'ici même, dans la réalité, il y avait, en chair et en os, l'un de ces directeurs d'agence, l'un de ces anonymes sur le sort desquels Hugh avait longuement discuté dans les salles de conférences. L'un de ces cadres moyens qu'il avait représentés, sur un graphique, par l'image de petits personnages dans un chapeau. Philip était l'une de ces minuscules silhouettes. C'était surréaliste. C'était comme si l'une des pièces de son échiquier avait pris vie et commençait à lui parler.

Pourquoi ne l'avait-il pas su ? Pourquoi personne ne l'avait-il mis au courant ? Mais, depuis leur arrivée, ils avaient tous délibérément évité de discuter travail. La voix de Chloe résonnait de façon obsessionnelle dans sa tête : *Nous avons décidé de ne pas parler boutique… Nous subissons une énorme pression depuis quelque temps… Philip est menacé de licenciement…*

Hugh tressaillit et but une gorgée de vin. *Licenciement.* C'était un terme que ses collègues et lui s'abstenaient d'utiliser, même dans la correspondance privée – un terme négatif, évocateur d'échec, de dépression. Il avait tendance à employer le mot « restructuration » et, dans la mesure du possible, à faire référence aux services plutôt qu'aux personnes. Il ignorait totalement les mots utilisés par ceux qui étaient chargés de communiquer la mauvaise nouvelle aux intéressés, cela ne le concernait en rien.

Bien entendu, il avait rencontré beaucoup de salariés de la National Southern, d'une manière ou d'une autre. Il avait participé à des réunions avec les principaux collaborateurs de la banque ; il était présent lors de la fameuse assemblée, très tendue, qui s'était tenue juste après l'annonce de la fusion ; il avait même assisté à l'une de ces réunions de groupe dont le but était de remonter le moral aux collaborateurs, et où l'on posait aux employés toutes sortes de questions pour savoir comment ils se représentaient cette fusion, après quoi on entrait leurs réponses dans un logiciel spécialisé.

Mais tout cela, c'était de la théorie. Des personnes réelles étaient en jeu, certes, mais anonymes, inconnues ; par conséquent, il s'agissait encore de théorie. Tandis que là, c'était la vie réelle, la vie de Philip et la vie de Chloe. Et sa vie à lui, Hugh.

Il avala une autre gorgée de vin et contempla longuement le verre dans sa main. Si Philip perdait son emploi, Chloe ne le quitterait jamais. De cela, Hugh était convaincu. Cette certitude s'élevait devant lui tel un obstacle gigantesque, insurmontable. Si Philip était licencié, tout était fichu, Hugh n'avait pas la moindre chance.

Peut-être n'avait-il aucune chance de toute façon. Chloe le lui avait bien dit ce matin, non ? Elle lui avait déclaré en face que c'était fini, qu'il s'agissait seulement d'une erreur stupide. Peut-être devait-il la croire.

Mais il ne pouvait pas. Il ne pouvait pas. Il avait vu l'éclat de son regard, le tremblement de ses lèvres. Tous deux ressentaient la même passion. Bien sûr, elle l'avait rejeté ce matin. Bien sûr, au réveil elle avait eu des regrets. Mais ce n'était qu'un réflexe lié à la culpabilité. Cela ne signifiait pas que, tout au fond d'elle-même, elle n'éprouvait pas les mêmes sentiments que lui. Rien n'était encore joué, tout était encore possible.

Toutefois, si Philip perdait son emploi, rien ne serait plus possible. Hugh vida son verre et se resservit. Il but une gorgée, releva la tête et resta cloué sur place. Philip avançait vers lui.

Hugh s'intima l'ordre de ne pas paniquer. Il se comporterait de façon tout à fait normale et ne se prononcerait pas avant d'avoir toutes les cartes en main.

Il se força à sourire et désigna la bouteille de vin.

« Je m'autorise un petit verre pour soigner ma gueule de bois, vous voulez vous joindre à moi ?

— En fait, répondit Philip au prix apparemment d'un effort colossal, j'ai un fax pour vous.

— Ah bon, dit Hugh, surpris. Merci. »

Il tendit la main pour prendre les feuillets de papier ivoire et se figea en apercevant le logo PBL en haut de la première page. Oh merde, se dit-il, la gorge soudain nouée. Cette imbécile, cette crétine de Della… Il croisa le regard de Hugh et se sentit accablé.

« Eh bien, commença Philip, du même ton bizarre, avec un sourire crispé, quand, exactement, aviez-vous l'intention de m'annoncer la nouvelle ? »

13

« Je n'étais pas au courant », dit Hugh. Il regarda Philip, dont le visage exprimait la colère, et il déglutit. « Il faut me croire, je ne savais pas. » Puis il jeta les yeux sur le fax qu'il tenait à la main et parcourut les quelques lignes tapées à l'ordinateur par Della :

> Cher Hugh, j'espère que vous avez eu mon message.
> Je vous joins les pages du rapport Mackenzie concernées.
> Cordialement. Della.

Et, au-dessous, une formule banale mentionnant que ce fax était confidentiel et destiné au seul usage de la personne ou du service à qui il était adressé.

Hugh n'avait pas encore lu la suite, mais ce que contenait le rapport concernant Philip était évident. Mon Dieu, se répéta-t-il, à quoi pensait Della ? Le fait qu'un employé de la National

Southern apprenne de première main le contenu du rapport était un désastre sur le plan de la communication de l'entreprise. Surtout si l'employé en question était ce type, devant lui, en short et pieds nus – cet homme qu'il connaissait sans le connaître et dont il avait déjà voulu perturber la vie, mais d'une tout autre manière…

« Philip, je ne me doutais pas un instant que vous travailliez pour la National Southern », reprit Hugh, soutenu par l'idée que sur ce point, au moins, il était honnête. « Pas au début.

— Et ça, alors ? » D'un geste brusque, Philip désigna le fax.

Rien à voir avec le type aimable qui s'était soûlé avec lui la veille au soir, pensa Hugh. Cet homme était furieux, soupçonneux, et le considérait sans la moindre aménité. On aurait pu croire qu'ils se rencontraient pour la première fois.

Ce qui, en un sens, n'était pas faux, se dit Hugh. Toutes ces bêtises – ne pas parler travail, se détendre, se balader en tee-shirt, oublier la vraie vie –, ce n'étaient que pures conneries. Comment échapper à la réalité, même en vacances elle était toujours là, elle vous rattrapait par l'intermédiaire du fax, du téléphone, de la télévision ? Et si vous n'y étiez pas préparé, c'était pire encore.

« Je ne savais rien jusqu'à aujourd'hui. J'ignorais qui vous étiez. Puis je suis tombé sur Nat. Il avait un classeur avec le logo PBL. Je lui ai demandé où il se l'était procuré et, quand il me l'a dit… Je n'en croyais pas mes oreilles. C'est insensé. Nous travaillons tous les deux pour le même groupe…

— La National Southern et PBL ne sont pas le même groupe, répliqua Philip d'un ton sec. Votre société a racheté la mienne. Ce n'est pas la même chose. »

Hugh le regarda, déconcerté par son hostilité. « Le rachat s'est fait à l'amiable...

— En ce qui concerne les dirigeants, peut-être.

— Pas seulement. L'équipe de cadres que nous avons mise en place pour assurer la transition a étudié de près les niveaux de satisfaction du personnel dans l'ensemble du groupe, et le résultat de leurs investigations...

— Vous voulez savoir comment mon équipe vous appelle, tous autant que vous êtes ? Les enfoirés. »

Hugh garda le silence quelques instants.

« Je suis de votre côté, Philip, dit-il à la fin. Tout ce que je veux, c'est... »

Philip l'interrompit une fois de plus. « Tout ce que vous voulez, c'est trouver un maximum d'informations à mon sujet. » Il désigna le fax. « Vous aviez l'intention de me parler de ça ?

— Bien entendu ! Grands dieux ! Je voulais savoir ce qu'indiquait le rapport pour vous, je voulais vous avertir au cas où...

— Eh bien, allez-y. Allez-y, monsieur le directeur des stratégies de l'entreprise. Lisez donc. Vous n'avez pas envie de savoir s'il s'agit d'une *happy end* ou non ? » Il lui lança un regard de défi.

Hugh finit par tourner la page. Il lut les premiers mots, puis releva la tête. « East Roywich. C'est vous ? »

Philip le dévisagea d'un air incrédule. « Oui. Oui, c'est nous. Je suppose que c'est juste un nom de plus, pour vous ? »

Hugh ne répondit pas mais se contracta.

Comment aurait-il pu savoir que Philip travaillait à East Roywich ? Il ignorait même où se trouvait East Roywich, bon sang. Il parcourut rapidement le feuillet, passa au suivant. À la lecture de toutes ces phrases sans ambiguïté, son front se plissait peu à peu. East Roywich n'était même pas en sursis, la succursale allait sauter. Et vite, apparemment.

« J'ai bien compris le jargon, n'est-ce pas ? questionna Philip en guettant la réaction de Hugh. Vous allez fermer l'agence. » Hugh continua à tourner les pages jusqu'à la dernière et garda les yeux fixés sur le paragraphe final, sans savoir ce qu'il lisait. Qu'allait-il dire à cet homme ? Ce n'était pas lui le chargé de communication.

« Le but de cette fusion, commença-t-il sans regarder Philip, est de créer des opportunités, pour PBL et pour la National Southern. Afin de maximiser ces opportunités…

— Vous allez fermer la succursale, coupa Philip d'un ton sec. Vous allez comprimer les effectifs, c'est comme ça que vous dites ?

— Les réduire à un niveau raisonnable », corrigea machinalement Hugh. Il vit que Philip l'observait avec une expression proche du mépris. « Oh, Seigneur, dit-il en se passant la main sur le front, je suis navré. Sincèrement navré. Ce n'est pas moi qui ai pris cette décision, ce n'est même pas mon domaine…

— Mais c'est bien ce qui va arriver, ou s'agit-il seulement d'une recommandation ? »

Hugh poussa un soupir. « À moins que, pour une quelconque raison, la direction décide de ne pas tenir compte de ce rapport, ce qui est…

— Impossible ?

255

— Improbable. Très improbable.

— Je vois. » Philip se laissa tomber lentement sur un siège. Il écarta les doigts et les contempla un moment sans rien dire. Puis il regarda Hugh avec une lueur d'espoir. « Et même le directeur des stratégies de l'entreprise ne pourrait pas les convaincre ? »

Il avait dit cela d'un ton léger, presque badin, quoique non dénué d'optimisme, voire de supplication. Hugh se sentit accablé. Il relut plus attentivement le fax, en quête d'éléments qui pourraient laisser espérer une issue moins fatale.

Il n'y en avait pas. East Roywich était une banlieue sur le déclin. La succursale avait obtenu de très bons résultats au milieu des années quatre-vingt-dix et même décroché une ou deux récompenses en interne. Cependant, depuis la construction d'un nouveau centre commercial, à cinq ou six kilomètres, la ville d'East Roywich avait souffert de la disparition des petits commerces, et les performances de la National Southern avaient chuté. Le nombre de clients avait diminué, les recettes aussi, et plusieurs initiatives sur le plan marketing avaient échoué. On avait beau tourner le problème dans tous les sens, le personnel était devenu inutile.

« Je suis désolé. Il n'y a rien que je puisse faire. Si on se base uniquement sur les performances…

— Les performances ? répéta Philip d'un ton cinglant.

— Je ne veux pas parler de *vos* performances, évidemment, mais de la succursale dans son ensemble… » Il croisa le regard de Philip et son malaise grandit. Dieu, que c'était difficile de révéler à quelqu'un, face à face, la vérité des chiffres ! Et, de plus, à quelqu'un qu'il connaissait… « Selon cette analyse, poursuivit-il, l'agence ne fonctionne pas comme on pourrait l'espérer…

— Et ça vous étonne ? Bon sang, vous autres avec vos chiffres, vos plans, vos… » Philip se tut et passa la main dans ses cheveux ébouriffés. « Pouvez-vous imaginer ce qu'ont été ces derniers mois ? Nous n'avions absolument aucune information de votre part. Le personnel était inquiet, les clients nous demandaient tous les jours si nous allions fermer… Nous avions mis sur pied, au plan local, un projet marketing que nous avons été contraints d'abandonner. Nous pataugeons depuis trois mois. Et maintenant vous me dites que l'agence va fermer parce qu'elle n'est pas performante !

— La période qui suit une fusion est toujours un moment difficile pour tout le monde », affirma Hugh, saisissant l'occasion de répondre sur un point, au moins, qu'il connaissait. Puis il désigna le fax. « Mais, d'après ces chiffres, les résultats sont au-dessous des performances optimales…

— Et pour vous, ça été difficile ? » Philip était blême et ses lèvres tremblaient de rage. « Vous êtes-vous réveillé toutes les nuits rongé par l'inquiétude, en vous posant des questions, en souhaitant avoir juste un minimum d'informations tangibles ? Aviez-vous des clients qui vous interrogeaient à longueur de journée, une équipe dont le moral s'effondrait peu à peu ? Avez-vous été au bord du divorce parce que vous n'aviez qu'une idée en tête : savoir ce que ces enfoirés de PBL allaient décider ? Vous avez vécu tout ça, Hugh ? »

Philip avait parlé sur un ton dur, sarcastique.

Hugh, déconcerté, l'observa sans un mot ; ses phrases lénifiantes lui restaient dans la gorge. Que dire à cet homme ? Il ignorait tout de sa vie, des réalités quotidiennes auxquelles il devait faire face. Hugh tout à coup se rendit compte qu'il ne savait rien de rien.

Un bruit de pas qui se rapprochaient brisa le silence. Un moment plus tard, Jenna apparut. Elle hésita, regarda les deux hommes d'un air intrigué.

« Je cherchais Sam, dit-elle. Vous savez où il est ?

— Non », répondit Hugh. Philip hocha négativement la tête.

« Bon », fit la jeune fille. Elle leur jeta un coup d'œil perplexe, puis s'éloigna.

Quand le bruit de ses pas se fut évanoui, Philip et Hugh se dévisagèrent en silence. Quelque chose avait été rompu, c'était comme s'il fallait tout reprendre depuis le début.

Je devrais détester ce type, songea Hugh. Logiquement, je devrais le détester. C'était l'homme qu'aimait Chloe, c'était son rival. Mais, face au visage anxieux de Philip, ses traits tirés, ses cheveux en bataille – et, surtout, son air éminemment sympathique –, comment le détester ? Hugh savait que c'était impossible. Au moment où il attrapait son verre pour boire une gorgée de vin, il comprit tout à coup qu'il ne pouvait pas non plus rester là sans rien faire et le voir perdre son emploi.

Ce n'était pas uniquement par intérêt personnel, afin d'augmenter ses chances auprès de Chloe, qu'il voulait maintenir cet homme à flot. Ce que Philip venait de dire avait touché un point sensible en lui. Voilà un type bien, un bosseur, qui a des années d'expérience derrière lui, pensait Hugh. Un type qui manifestement se sent très concerné par son travail, par ses clients, par l'avenir de son entreprise. Voilà le genre d'employé à qui PBL devrait accorder de la considération et une promotion, au lieu de le flanquer à la porte. Il y avait là une opportunité.

« Je vais passer un coup de fil », dit-il brusquement. Il vida son verre et regarda Philip. « Je connais bien le directeur des ressources humaines. Je vais voir ce que je peux faire. »

Le bureau était sombre et triste, après le soleil éclatant qui brillait dehors. Hugh se précipita aussitôt sur le téléphone et composa un numéro.

« Je vais peut-être vous laisser, non ? » s'enquit Philip, hésitant sur le seuil.

Hugh secoua la tête. « Il voudra peut-être vous parler. Restez, au cas où. » Soudain il changea de ton. « Ah, bonjour, Christine, ici Hugh Stratton. Oui, c'est cela. Comment allez-vous ? Me serait-il possible de parler quelques instants avec Tony, s'il est là ? Parfait. »

Hugh jeta un coup d'œil à Philip, qui s'était assis sur une chaise, dans un coin de la pièce. « Je connais Tony depuis longtemps, lui dit-il d'un ton rassurant. C'est un type formidable. Très compétent. Si quelqu'un peut faire quelque chose, il le fera. »

Immobile sur son siège, Philip se tordait les mains avec nervosité. Subitement il se leva. « Écoutez, Hugh, laissez tomber. C'est… Ça ne va pas. Je ne veux pas être pistonné. Si réellement la succursale doit fermer et si je ne peux pas conserver mon emploi au vu de mes seuls mérites, eh bien tant pis. C'est préférable au... au favoritisme.

— Il n'est pas question de favoritisme, répliqua Hugh. Croyez-moi, Philip, si c'était le cas, je ne ferais pas cette démarche. Je vous assure. »

Philip garda le silence quelques instants, puis releva la tête et esquissa un sourire. « Eh bien, dit-il d'un ton léger, quel effet ça fait de tenir la vie d'un homme entre ses mains ? »

Hugh le dévisagea sans répondre, la gorge nouée. Des images défilaient dans sa tête : Chloe nue, alanguie, sur un lit aux draps froissés. L'épouse de cet homme, la vie de cet homme... Mon Dieu... Il se devait de faire quelque chose pour ce type, il fallait absolument que sa démarche aboutisse.

« Allô ? » La voix de Tony le fit sursauter. Soulagé, il s'empressa de répondre.

« Allô, Tony ? Hugh à l'appareil.

— Hugh ! Que puis-je pour vous ?

— Je voulais vous dire quelques mots à propos de... d'une question personnelle. » Hugh se racla la gorge. « J'ai parcouru le rapport Mackenzie...

— Comme nous tous. Je sais que vous vous êtes entretenu avec Alistair au sujet de la mise en œuvre du plan. Tout le monde est d'accord : faire vite est capital, et nous allons nous y atteler sans délai. Si tout se passe comme prévu, la restructuration pourrait être achevée aux alentours de... attendez, je vérifie... »

Hugh profita de cette interruption. « En fait, Tony, ce n'est pas de cela que je voulais vous parler, mais plus spécifiquement d'une succursale de la National Southern.

— Ah bon ? » Tony parut un peu surpris. « De quelle succursale s'agit-il ?

— East Roywich. Je crois comprendre qu'elle va fermer ?

— Il faut que je voie le rapport. Christine… »

Pendant le silence qui suivit, Hugh fit une grimace à Philip, qui se força à sourire.

« Voyons cela… reprit Tony. Ah oui. East Roywich. Quel est le problème ?

— Eh bien… » Hugh hésita. Curieusement, il se sentait nerveux. Il attrapa un crayon et se mit à dessiner une série de petits cubes sur le sous-main immaculé de Gerard. « Il se trouve que je connais le directeur de cette agence. C'est un homme très compétent, très investi dans son travail. Le genre de type que nous devrions garder. Je me demandais si vous envisagiez pour lui une reconversion.

— Je vois, répondit Tony au bout de quelques secondes. Attendez, je regarde. » Il changea soudain de ton. « Ah, voilà, j'y suis… Vous avez raison, il y a effectivement un type brillant à East Roywich, et nous venons juste de lui confier la direction de la succursale de South Drayton, avec laquelle cette agence a fusionné. Chris Harris. Il est venu pour un entretien la semaine dernière, c'est moi qui l'ai reçu en personne. Il m'a fait une excellente impression, il est très désireux de collaborer avec nous, il a de solides connaissances en informatique…

— Il… il ne s'agit pas de cette personne. » Hugh enfonça le crayon dans le sous-main. « Mais de Philip Murray, le directeur de l'agence.

— Oh. » Tony avait l'air contrarié d'être interrompu. Hugh entendit un bruit de pages qu'on tournait et, en arrière-plan, une sonnerie de téléphone. « Ah oui. Philip Murray. Eh bien… je ne l'ai pas rencontré personnellement mais, d'après les informations dont je dispose, il semblerait qu'il soit un peu vieux, un peu trop ancré dans ses habitudes pour s'intégrer à la culture PBL. Et son niveau de salaire, bien entendu, est plus élevé… Au plan économique, c'est une aberration de le garder.

— Sur le papier, c'est peut-être une aberration, mais il faut tout de même tenir compte de son expérience, de ses connaissances. Nous allons avoir besoin de gens qui savent comment fonctionne la National Southern.

— Nous avons quantité de gens qui savent comment fonctionne la National Southern, répliqua Tony d'un ton cassant. Beaucoup trop, si vous voulez mon avis. J'apprécie votre intervention, Hugh, mais franchement, dans ce cas précis…

— Allons, Tony », dit Hugh, soudain affolé. Il fallait que ça marche, il le fallait absolument. « Il doit bien y avoir un poste pour lui quelque part. Vous ne pouvez pas le laisser sans rien !

— Personne ne sera laissé sans rien. Il touchera des indemnités de licenciement substantielles. Très substantielles. Ou alors, s'il veut, il pourra faire comme bon nombre d'employés de la National Southern, et participer au programme de formation PBL Telecoms.

— Qui consiste en quoi, exactement ?

— Vente et marketing d'appareils de télécommunication. Trois semaines de formation, un petit programme sympa…

— Voyons, Tony ! s'exclama Hugh, indigné. C'est insultant, et vous le savez parfaitement ! Nous ne parlons pas d'un simple caissier. Cet homme est un financier qualifié, il a des diplômes… Son agence a reçu des récompenses durant les années quatre-vingt-dix, bon sang ! Il travaille à la National Southern depuis seize ans. On n'a rien de mieux à lui proposer que de vendre des téléphones ? »

Hugh se tut, un peu essoufflé, et il y eut un silence surpris au bout du fil.

« Hugh, dit enfin Tony, d'où appelez-vous ? »

Un moment désorienté, Hugh jeta un coup d'œil autour de lui.

« Je… je suis en vacances. En Espagne.

— Je vois. » Nouveau silence. « Écoutez, je comprends que tout ceci vous tient très à cœur. Je propose qu'on se voie pour discuter de tout cela à votre retour, d'accord ?

— Non. Je veux régler cette affaire maintenant. Je veux une réponse.

— Je demanderai à Christine d'appeler votre assistante pour convenir d'une date. Elle s'appelle Della, c'est bien ça ?

— Oui, mais…

— Profitez de vos vacances, Hugh. Reposez-vous, et nous discuterons à votre retour. Promis. » Sur ces mots, Tony raccrocha.

Stupéfait, humilié, Hugh demeura quelques minutes figé sur place. Puis, très lentement, il releva la tête et croisa le regard de Philip.

« Philip… » Il se tut, incapable de formuler une phrase. Il n'en revenait pas d'avoir été éconduit de cette façon.

« Ne vous inquiétez pas, Hugh, je vous en prie. Ne vous faites aucun reproche. Au moins vous avez essayé, c'est plus que n'auraient fait la plupart des gens, et je vous en suis sincèrement reconnaissant.

— Je lui parlerai. Dès mon retour, j'irai le trouver, je lui expliquerai la situation…

— Non, Hugh… » Philip leva une main, et Hugh le dévisagea avec surprise ; il se sentait un peu bête. « Je pense que nous savons tous les deux que c'est inutile. J'ai perdu mon emploi, point final. Et vous savez quoi ? » Philip s'étira, puis se mit debout. « Je me sens bien, dit-il après quelques secondes de silence. En fait, je me sens beaucoup mieux que depuis plusieurs mois. Au début le choc a été rude, mais à présent je suis surtout soulagé. Désormais, au moins, je sais. Je *sais*. Ce qui me tuait, c'était de ne pas savoir. » Philip s'approcha de la fenêtre et regarda dehors. « Maintenant que c'est fini et qu'il n'y a plus rien à faire, je me sens plus optimiste. » Il prit un éléphant en bois sculpté sur une table basse, l'examina un instant, puis le reposa. « Nous nous en sortirons, Chloe et moi. » Il se retourna. « Nous trouverons un moyen. »

Quand il entendit le nom de Chloe, Hugh leva brusquement la tête. Il dévisagea Philip et, tandis qu'il comprenait toutes les implications de l'échec de sa démarche, une sensation de froid intérieur le saisit soudain. Philip avait perdu son emploi, Chloe le soutiendrait, elle resterait avec lui. Tout était fini.

« Vous avez parlé d'une autre personne de la National Southern, dit Philip. S'agit-il de quelqu'un de mon agence ?

— Un certain Chris… Chris Harris, répondit Hugh en s'efforçant de ramener son attention au moment présent. Ils lui ont proposé la direction d'une des succursales qui ont fusionné.

— Chris ? dit Philip avec un petit rire. Il n'accepterait sûrement pas !

— Apparemment il a déjà accepté. Il a eu un entretien la semaine dernière. »

Philip le regarda avec une expression ahurie. « La semaine dernière ? Mais j'étais avec lui, la semaine dernière, il ne m'a rien dit. » Il hocha la tête, incrédule. « C'est une farce, non ? Une farce de mauvais goût. Pour être franc, je me sens complètement en dehors du coup.

— Vous l'êtes », s'entendit répondre Hugh. Il observa Philip qui se dirigeait vers la porte. « Allez-vous avertir Chloe ?

— Oui, j'y vais de ce pas.

— Est-ce qu'elle… tiendra le choc ? »

Hugh n'avait pu s'empêcher de poser la question. Philip se retourna et lui sourit. Son visage s'était éclairé. Il l'aime, pensa Hugh, en proie à une jalousie féroce. Il l'aime vraiment.

« Elle tiendra le choc. Chloe n'est pas… elle n'est pas comme les autres femmes.

— Non, murmura Hugh au moment où Philip refermait la porte du bureau derrière lui. Non, elle n'est pas comme les autres femmes. »

Assise sur l'herbe, non loin de la villa, Chloe contemplait le sol d'un air absent. Elle n'avait adressé la parole à personne depuis l'accès de rage de Sam. Dans l'état d'incertitude où elle était, elle se sentait inapte aux contacts humains. Elle avait l'impression d'être au bord de la folie et craignait de se trahir par une réaction extrême, une crise de larmes subite, inexplicable. Surtout, elle se sentait faible, trop faible pour maîtriser la situation, pour prendre des décisions.

Elle releva la tête et vit approcher Philip. Elle frémit. Il vint s'asseoir près d'elle et garda le silence un moment.

« Ça y est, je sais », dit-il à la fin, et un sentiment de panique submergea Chloe. Que savait-il ? Comment avait-il...

« Ils ferment l'agence. J'ai perdu mon emploi. »

Chloe examina Philip d'un air ahuri. Puis, au fur et à mesure que les mots s'imprimaient dans son esprit, qu'elle en saisissait le sens, une émotion puissante, violente, incontrôlable s'empara d'elle et elle éclata en sanglots.

« Chloe ! s'exclama-t-il, stupéfait. Chloe... »

Elle ouvrit la bouche pour parler, mais ne put proférer un mot. Impuissante, en proie à ses émotions, elle restait là, pleurant toutes les larmes de son corps.

Philip n'avait pas l'habitude de la voir s'effondrer de cette façon, elle le savait. En général, dans ce genre de circonstance, elle était excellente. Combien de fois n'était-elle pas passée à l'action, prenant les choses en main, remontant le moral aux autres, aidant toute la famille à traverser telle ou telle crise : quand le père de Philip était mort, quand Nat avait eu son problème rénal. C'était elle qui avait soutenu tout le monde. Mais, cette fois, elle en était incapable. Son énergie avait disparu, sa force s'était volatilisée.

« Chloe... dit Philip en lui saisissant la main. Ne t'inquiète pas, ce ne sera pas si terrible que ça.

— Je sais bien », répondit-elle d'une voix

tremblante, et elle s'essuya les yeux. « Excuse-moi. Bien sûr, ce ne sera pas si terrible. Nous nous en sortirons, les choses s'arrangeront. » Elle considéra Philip avec un sourire vaillant. Mais les larmes jaillirent de nouveau, et son sourire s'évanouit. « Excuse-moi, sanglota-t-elle. Je ne sais pas ce qui m'arrive. J'ai… j'ai tellement peur. »

Philip la prit dans ses bras et la serra contre lui. « N'aie pas peur, Chloe, n'aie pas peur. » Il lui caressa le dos, comme pour calmer un enfant. « Ce n'est pas une catastrophe. Je trouverai un autre emploi. Nous nous en tirerons. »

Chloe leva vers lui son visage baigné de larmes et le regarda comme si elle cherchait à retrouver un indice oublié.

« Tu crois ? dit-elle au bout d'un moment. Tu crois vraiment ?

— Bien sûr. Nous formons une équipe, toi et moi, nous surmonterons toujours les épreuves. »

Devant ce visage familier, gentil, confiant, Chloe éclata une nouvelle fois en sanglots. Philip l'étreignit et ils se turent pendant quelques instants.

« C'est ridicule ! s'exclama Chloe en se redressant tout à coup et en s'essuyant le visage. Je ne pleure jamais. Jamais !

— C'est peut-être pour ça. » Philip l'observa. « Peut-être avons-nous tous besoin de pleurer, de temps en temps. » Il écarta doucement une mèche de cheveux sur le front de Chloe. « La situation n'a pas été facile pour toi. Mais maintenant… » Il prit une profonde inspiration. « Tu ne peux pas savoir, j'éprouve un tel soulagement… Je me sens… heureux !

— Heureux ?

— Ce n'est pas une catastrophe, mais une chance. Une chance de recommencer. » Il lui prit la main et la dévisagea avec gravité. « Une chance de réfléchir à ce que nous voulons… et de foncer. Je vais peut-être me reconvertir dans l'informatique, après tout. Ou bien j'écrirai ce fameux roman… ou je ferai tout à fait autre chose. Nous pourrions nous installer à l'étranger.

— À l'étranger ? » Chloe esquissa un sourire. « Tu parles sérieusement ?

— Oui. Pourquoi pas ? Nous pouvons faire ce que nous voulons, aller où nous avons envie d'aller. » Une expression enthousiaste éclaira les traits de Philip. « Tu sais, bizarrement, je suis très excité. Combien de gens ont l'occasion de changer de vie ? Combien de gens se voient offrir une seconde chance ? »

Chloe resta sans voix devant le visage rayonnant de Philip. Si seulement tu savais, pensa-t-elle. Si seulement tu savais la seconde chance qu'on m'a offerte. Au moment même où cette pensée se formait dans son esprit, elle ressentit un sursaut de désir pour Hugh. Elle ferma les yeux, avec la volonté d'affronter cette émotion. Mais déjà le désir était moins puissant, moins brutal, moins urgent – un peu comme un virus qui perd de sa force.

« Très peu, répondit-elle. Très peu de gens se voient offrir une seconde chance. »

Maintenant les larmes ruisselaient sur son visage, à la manière d'une pluie d'été. Elle regarda Philip d'un air impuissant. « Je suis un cas désespéré, ne fais pas attention à moi », marmonna-t-elle en se moquant d'elle-même.

Philip lui caressa le visage. « Nous pourrions nous marier », murmura-t-il.

Chloe se figea. Elle se sentit rougir et eut soudain du mal à respirer. « Nous marier ? répéta-t-elle en s'efforçant d'adopter un ton désinvolte. Pourquoi dis-tu ça ?

— Je sais que tu en as toujours eu envie. Cela ne me paraissait pas important. Mais, puisque tout va changer dans notre vie… » Philip effleura du doigt les lèvres de Chloe. « À cause de moi, tu as traversé des moments pénibles, ces derniers mois. Peut-être que je souhaite me faire pardonner.

— Tu n'as rien à te faire pardonner, dit Chloe d'une voix tremblante. Rien du tout. Laissons… laissons les choses en l'état. »

Elle enfouit la tête dans ses mains et Philip l'observa, inquiet. « Chloe… Ça va ? Il n'y a pas d'autre problème ?

— Non, répondit-elle aussitôt. Non. Tout va bien. » Elle releva la tête. « Sam a été un peu insolent avec moi tout à l'heure, c'est tout. Ça m'a contrariée. »

Philip fronça les sourcils. « Je lui dirai deux mots.

— Non, ce n'est pas grave. »

Elle se blottit dans les bras de Philip. Telle une enfant, elle éprouvait le besoin d'être aimée, protégée, réconfortée. Philip la berça doucement, jusqu'à ce qu'elle se calme peu à peu.

« Une chose est sûre, murmura-t-il, nous n'avons pas à nous inquiéter pour l'argent. Du moins, pas pendant quelque temps. Les conditions de licenciement sont très avantageuses.

— Ah bon ?

269

— D'après Hugh, les indemnités représenteraient environ deux ans de salaire.

— Hugh ? » À ce nom, Chloe se raidit. « Tu veux dire que… tu en as parlé à Hugh avant moi ?

— Oh, il le savait déjà. Très gentiment, il a essayé de faire quelque chose, mais ça n'a servi à rien. »

Interloquée, Chloe dévisagea Philip. « Que… comment ça, il le savait déjà ? Qu'est-ce que tu racontes ? »

Assis, seul, au bureau, Hugh avait le regard perdu dans le vague. Il lui semblait que le sol s'était dérobé sous ses pieds. Toutes ces heures passées au travail – les efforts, le temps, le dévouement – pour quoi ? À la première circonstance réellement importante, il était aussi impuissant que n'importe quel employé, aussi impuissant que l'une de ses petites icônes – les figurines dans le chapeau. Juste un simple rouage dans la machine, un pion dont l'avis n'avait aucune valeur s'il ne concernait pas son seul domaine restreint. Sans jamais avoir eu l'occasion de le mesurer, il avait cru détenir un certain pouvoir et un certain statut au sein de l'entreprise. Or ce n'était pas le cas. Il ne détenait rien du tout.

Il se sentait floué. Le miroir s'était retourné et Hugh avait eu un aperçu des choses telles qu'elles étaient en réalité – sa carrière, sa vie, ses choix. On pouvait passer une vie entière à se faire des illusions, à poursuivre un mirage.

Il s'était trompé sur tant de points, dans son existence. La tête dans les mains, il examina avec ironie ses genoux, son slip de bain bleu, couleur des vacances. S'il était resté avec Chloe, qu'aurait été sa vie avec elle, Sam et les enfants qu'ils auraient eus ensemble ? Quel genre d'homme serait-il devenu ? Tout à coup, il s'imagina jouant au football dans un parc avec un Sam gamin et rieur. Aurait-il vécu autrement la paternité ? Est-ce que tout aurait été différent ?

Le téléphone sonna et, une fraction de seconde, Hugh se demanda sottement si ce n'était pas Tony qui rappelait pour s'excuser et dire qu'il avait changé d'avis et offrait à Philip un poste bien payé.

« Allô ? fit-il d'un ton plein d'espoir.

— Allô, c'est Hugh ? dit à l'autre bout du fil une voix grave et chaude. Ici, Gerard. »

Sous le choc, Hugh demeura sans voix.

« J'ai une nouvelle à t'annoncer, mon vieux. Je suis en Espagne, je vais venir vous rendre visite !

— Tu es en Espagne ? » Hugh se rappela soudain la phrase de Sam : *Il va venir nous voir.* « Bon Dieu, Gerard, qu'est-ce que tu...

— J'ai eu l'envie soudaine de venir voir comment vous vous débrouillez, tous ensemble. Je dors ce soir chez des amis à Grenade, mais je serai parmi vous demain après-midi. Vous me trouverez bien une petite place, non ? J'ai hâte de vous revoir ! » Au ton de sa voix, il jubilait manifestement. Hugh l'imagina avec son panama sur la tête, un verre de vin à la main, un petit sourire aux lèvres. « Comment ça va, à propos ? ajouta Gerard d'un air innocent. Tout se passe bien, j'espère ?

— Tu es un fumier, Gerard, dit Hugh, la main crispée sur le combiné.

— Pardon ?

271

— Ce n'est pas une envie soudaine ! Dès le début, tu avais prévu de venir. Tu es un sadique, un sale petit...

— Voyons, Hugh, tu n'exagères pas un peu ? Je sais que je vous ai tous un peu contrariés, mais enfin, n'importe qui peut commettre une erreur...

— Ce n'était pas une erreur. Tu étais au courant, pour PBL et la National Southern Bank. Tu connaissais la situation. Bon sang, Gerard...

— Oh, je suis vraiment désolé, l'interrompit Gerard avec un rire dans la voix. Cela a-t-il été gênant pour toi ? Je ne voudrais pas que...

— Je suppose que tu trouves ça drôle, que tu prends plaisir à tirer les ficelles et à détruire la vie des gens...

— Franchement, Hugh, il n'y a pas de quoi en faire un drame ! Une petite plaisanterie n'a jamais fait de mal à personne.

— Tu appelles ça une plaisanterie, jouer à... à te prendre pour Dieu ?

— C'est toi qui parles de se prendre pour Dieu ? Mais n'est-ce pas ton rôle, d'habitude ? Ma parole, Hugh, aurais-tu complètement perdu ton sens de l'humour ? Et, de toute façon, qui peut affirmer que mes motivations n'étaient pas parfaitement honorables ? Peut-être ai-je pensé que ce serait une bonne chose pour toi et pour Philip de vous rencontrer ? Les deux côtés d'une même médaille.

— Et pour moi et Chloe ? C'était une plaisanterie aussi ? »

Pendant quelques secondes, on n'entendit plus que le grésillement de la ligne.

« Pour toi et Chloe ? » répéta Gerard.

Il avait l'air sincèrement surpris. Le cœur

battant, l'esprit en déroute, Hugh contempla le téléphone. À quoi Gerard s'amusait-il ? S'agissait-il encore d'une de ses blagues ?

« Hugh ? Tu es toujours là ? »

Gerard était sûrement au courant. Forcément, non ?

Hugh se concentra et réfléchit. Ce fameux été, Gerard était parti à l'étranger. À son retour, leur liaison était déjà terminée. Hugh n'en avait jamais parlé à Gerard. Peut-être que Chloe non plus. Peut-être…

Peut-être que Gerard ignorait tout. Auquel cas…

Auquel cas Hugh avait failli dévoiler le secret le plus important, le plus tendre de sa vie. Et à qui ? À Gerard Lowe ! Un peu écœuré, il imagina avec quelle délectation Gerard sauterait sur cette information, les insinuations que cela entraînerait. Cela ne pouvait pas, cela ne devait pas se produire.

« Oui, répondit-il en s'efforçant désespérément de parler d'un ton naturel. Oui, je suis toujours là. Je veux dire… c'était embarrassant pour nous tous. Pour Amanda aussi…

— Excuse-moi, mon vieux, mon hôtesse m'appelle. Mais je vous verrai tous demain. D'accord ?

— D'accord. »

Hugh raccrocha d'une main tremblante. L'énormité de ce qu'il avait failli faire lui donnait le vertige. Sur le point de tomber dans un précipice, il avait pressenti le danger juste à temps.

Tout à coup, sa vie lui apparut sous un jour différent. Soudain, tout ce qu'il avait considéré jusque-là comme allant de soi lui sembla précieux : son couple, sa femme, ses enfants.

Il avait couru le risque de tout perdre. Pas un risque théorique, un scénario de fiction, ni une hypothèse stratégique élaborée en toute sécurité sur un écran d'ordinateur. Il avait pris un risque réel, un risque grave. Il avait couché avec une autre femme, il lui avait proposé le mariage, et cela à deux pas de l'endroit où dormait son épouse ; si celle-ci s'était réveillée, si elle était sortie, si elle les avait trouvés…

Hugh ferma les yeux, au bord du malaise. Il aurait perdu sa femme et ses enfants. Il aurait perdu Chloe, aussi. Il aurait tout perdu. À quel jeu dangereux et stupide s'était-il livré ?

Un peu sonné, il se dirigea vers une desserte près de la fenêtre, se versa un whisky, le but d'un trait, s'en versa un deuxième. Il plissa les yeux et se raidit en apercevant Philip et Chloe, assis ensemble sur l'herbe, leurs deux têtes rapprochées. Ils se tenaient enlacés et avaient l'air en pleine discussion ; apparemment, Chloe pleurait.

Hugh, le visage contre la vitre, les contempla, tel un enfant devant une vitrine de jouets. Il éprouva un pincement au cœur en voyant Chloe saisir la main de Philip et mêler ses doigts aux siens. Ils se regardaient comme Amanda et lui ne l'avaient pas fait depuis longtemps.

Il se dit qu'il avait dû perdre la raison, avoir un moment de folie. Chloe ne serait jamais à lui. Il y avait cru, pourtant. Il avait cru – insensé qu'il était – que Sam pourrait devenir le fils qu'il n'avait jamais eu. L'émotion le saisit à la pensée de Sam enfant, et il secoua la tête pour chasser de son esprit l'image de ce bébé jovial, assis sur une couverture. Il était trop tard, désormais. Bien trop tard. Il suffisait de regarder Philip et Chloe : il lui caressait le dos, il la berçait dans ses bras, il écartait une mèche de cheveux de son visage, avec des gestes tendres et familiers. Combien d'heures, de jours, de semaines passés ensemble pour atteindre une telle intimité ? Combien de larmes, d'espoirs, de difficultés ? Jamais Hugh ne pourrait espérer soutenir la comparaison devant la force et l'union de ce couple. Chloe avait raison, comme toujours : quinze ans, ce n'était pas rien. Il était disqualifié d'avance.

Que lui restait-il ? Hugh souffla sur la vitre et fit un cercle de buée qu'il effaça du bout du doigt. Il lui restait sa femme et ses enfants. Les personnes qui auraient dû être les plus proches de lui, mais ne l'étaient pas. Une structure qui paraissait toujours fonctionner efficacement autour de lui, sans jamais affecter sa vie, son bien-être, ses émotions.

Il regarda au-dehors et vit Philip qui disait quelque chose à Chloe, Chloe qui riait et fixait Philip avec des yeux brillants, sans savoir qu'elle était observée. J'ai manqué quelque chose, se dit-il. J'ai raté l'occasion de connaître réellement ma femme et mes enfants. Huit ans de vie de famille, et où ai-je passé la plupart de mon temps ? Au bureau. Au téléphone. À me battre pour une carrière qui, d'un seul coup, me semble vaine. Je suis un stratège, bon sang. Comment m'y suis-je pris pour semer une telle confusion dans ma propre vie ?

Hugh s'écarta de la fenêtre et examina son reflet dans la vitre. Jamais, dans toute son existence, il ne s'était senti aussi seul. Pendant quelques minutes il demeura immobile, à se regarder dans la vitre, conscient de la présence de Philip et de Chloe à l'arrière-plan, comme dans un film, et il laissa ses pensées s'apaiser, se fortifier, se recentrer.

Il effectuerait des changements. Lui-même changerait et deviendrait l'homme qu'il avait envie d'être. Il reprendrait possession de sa vie, il s'amenderait auprès de ses enfants. Ce n'était pas trop tard.

Avec une soudaine résolution, il se rua sur le téléphone et composa un numéro.

« Allô ? dit-il dès qu'il eut obtenu la communication. Tony, c'est de nouveau Hugh Stratton. Non, ce n'est pas au sujet de Philip Murray. » Il regarda une fois de plus son reflet dans la vitre et prit une profonde inspiration. « C'est à propos de moi. »

14

À six heures, Jenna entra nonchalamment dans la cuisine et s'arrêta net sous le coup de la surprise. Nat, Octavia et Beatrice, assis par terre, regardaient un dessin animé espagnol sur le téléviseur mural en suçant des esquimaux au chocolat. Quant à Amanda, elle était attablée au comptoir de marbre et buvait quelque chose qui ressemblait à… Jenna examina la bouteille et n'en crut pas ses yeux : se pouvait-il que cette snob d'Amanda se soûle à la vodka ?

« Vous avez passé un bon après-midi ? » s'enquit-elle poliment.

Pas de réponse.

« Amanda ? reprit Jenna avec une pointe d'appréhension.

— Désastreux, répondit Amanda sans lever la tête. Absolument désastreux. Nous avons parcouru des kilomètres et des kilomètres en voiture sous un soleil de plomb, pour nous apercevoir que la réserve d'ânes était fermée pour travaux. » Elle avala une rasade d'alcool. « Nous avons donc mangé un morceau dans un café immonde et nous sommes rentrés. Pendant le trajet de retour, les trois enfants ont été malades.

— Oh là là, fit Jenna en jetant un coup d'œil sur les gamins. Tous les trois ?

— Nat, au moins, m'a prévenue à temps pour que je m'arrête, mais Octavia et Beatrice n'ont pas été aussi prévoyantes. Il a fallu que je trouve un garage et que j'explique la situation pour qu'on me donne de quoi nettoyer la voiture. Après, j'ai conduit à trois kilomètres à l'heure environ, avec des arrêts toutes les dix minutes. » Elle releva la tête. « Pour être tout à fait franche, j'ai connu des jours meilleurs. »

Avec précaution, Jenna s'assit au comptoir en face d'elle. Elle scruta les traits tirés d'Amanda et, pour la première fois, remarqua sous son bronzage les petites rides creusées par l'anxiété. Un pli barrait son front entre les sourcils parfaitement épilés, et elle serrait son verre comme pour empêcher sa main de trembler.

« Amanda, dit Jenna avec douceur, êtes-vous satisfaite de vos vacances ?

— Euh, oui, répondit Amanda comme si elle ne s'était même pas posé la question. L'organisation n'est pas parfaite et j'aurais aimé un peu plus d'intimité, mais… » Elle laissa sa phrase en suspens et but une gorgée de vodka. « Ça va. Dans l'ensemble, ça se déroule plutôt bien. Si seulement il ne faisait pas si chaud…

— Vous devriez prendre une journée pour vous toute seule, sortir, vous amuser…

— Peut-être. » Amanda contempla son verre,

puis releva la tête. Ses yeux étaient un peu injectés de sang. « Pourquoi part-on en vacances, d'ailleurs ? Pourquoi les gens partent-ils en vacances ?

— Je ne sais pas. Pour se détendre ? Pour... passer du temps ensemble ?

— Apparemment, Hugh et moi, nous avons échoué sur tous les terrains, constata Amanda avec un étrange petit sourire. J'ai à peine posé les yeux sur lui depuis notre arrivée, et nous ne sommes guère doués, ni l'un ni l'autre, pour nous détendre.

— Eh bien, il y a des tas d'autres choses qui comptent aussi, dit Jenna d'un ton encourageant. Par exemple... votre bronzage est super.

— Merci, marmonna Amanda en avalant une autre gorgée d'alcool. Vous êtes très gentille. »

Elle s'enferma dans le silence et Jenna l'observa avec compassion.

« Vous savez quoi ? Je vais emmener les filles et les mettre au lit. Comme ça, vous pourrez vous décontracter et... » Jenna hésita. « ... profiter de votre soirée.

— Merci. » Au prix d'un effort manifeste, Amanda releva la tête. « Merci, Jenna. Je sais que nous étions convenues de nous partager les tâches, le soir...

— Ne vous en faites pas pour ça ! Je serais dans le même état, si j'avais eu trois gosses en train de vomir tout l'après-midi dans ma voiture. Venez, les filles, les dessins animés sont finis. »

Jenna éteignit la télévision malgré quelques protestations et emmena les enfants à l'étage. Au moment de sortir de la cuisine, elle jeta un coup d'œil derrière elle et vit Amanda se verser un autre verre de vodka.

En entendant les enfants dans le hall, Hugh émergea tout à coup de sa rêverie. Cela faisait longtemps qu'il était là, dans la pénombre du bureau, à boire du whisky. Bientôt, le bavardage des enfants, mêlé de récriminations et des ordres fermes de Jenna, s'estompa. Alors, d'un air résolu, Hugh se leva, posa son verre et sortit de la pièce.

Quand il arriva en haut de l'escalier, Jenna et les enfants étaient dans la chambre des filles. Dans la salle de bains, l'eau coulait dans la baignoire. Assise devant la glace, Octavia se brossait les cheveux avec une brosse en forme d'ours, pendant que Jenna déshabillait Beatrice. Le cœur battant, Hugh examina ses filles comme s'il les voyait pour la première fois : Octavia, qui chantonnait d'un air rêveur en se contemplant dans la glace, Beatrice, qui fronçait le nez tandis que Jenna lui enlevait son tee-shirt.

Hugh se rendit soudain compte à quel point Beatrice lui ressemblait. Elle avait ses traits, ses tics. On le lui disait souvent – et il acquiesçait avec un sourire poli – mais il ne s'en était jamais vraiment aperçu. Il n'avait jamais vraiment *vu* ses filles. Depuis six ans, il regardait dans la mauvaise direction, il se trompait d'objectif, et ce n'était que maintenant qu'il le mesurait et commençait à voir ce qu'il avait manqué.

« Oh, bonsoir, Hugh, dit Jenna, surprise, en pliant le tee-shirt de Beatrice. Vous voulez quelque chose ?

— Je vais prendre le relais. J'ai pensé que les filles aimeraient peut-être nager un peu.

280

— Nager ? Mais il est presque six heures et demie.

— Je sais. L'heure idéale pour nager.

— Dans ce cas… » Jenna hésita. « Vous en avez parlé avec Amanda ?

— Non. Je ne crois pas avoir besoin de la permission d'Amanda pour emmener mes enfants nager dans la piscine.

— Non, bien sûr. C'est simplement que, d'habitude…

— Oubliez les habitudes. Dorénavant, il y aura de nouvelles habitudes. Pas mal de choses ont changé.

— Ah bon ?

— Oui. Beaucoup de choses. » Hugh, porté par un sentiment de jubilation, esquissa un sourire. « Allez-y, Jenna. Vous pouvez prendre votre soirée si vous voulez.

— Bien. Si vous êtes sûr… » Elle sourit à son tour. « Peut-être que je vais piquer une tête dans l'eau, moi aussi. »

Quand elle sortit de la pièce, Hugh contempla ses filles : leurs cheveux fins, leur peau délicate, leurs omoplates bien dessinées. Toutes deux le regardaient avec perplexité, comme s'il était fou. Peut-être qu'il l'était, après tout. En tout cas, c'était sûrement ce que pensait Tony Foxton.

« Alors, les filles, qui a envie de nager ? Qui a envie de pousser papa dans la piscine ? »

Beatrice s'esclaffa, mais Octavia continuait à regarder son père d'un air incertain. « Et notre bain ? s'inquiéta-t-elle.

— Vous le prendrez plus tard ! Tu vas voir, on va bien s'amuser. »

Hugh chercha du regard les maillots de bain mais il ignorait où ils étaient rangés.

« Vous n'avez pas besoin de maillots, décréta-t-il. Vous pouvez très bien vous baigner toutes nues. » Sur ces mots, il attrapa Beatrice et la fit virevolter dans les airs. La fillette se mit à hurler de joie.

« Viens, Octavia, dit Hugh. On y va.

— Mais, papa…

— Pas de mais ! En route ! » Il sortit de la chambre, en tenant sous son bras Beatrice qui riait aux éclats.

« Attendez-moi ! cria Octavia en courant derrière eux. Attendez-moi !

— Alors, viens vite ! » Hugh attendit Octavia, la prit sous son autre bras et descendit l'escalier, qui résonna des éclats de rire des enfants.

L'air était toujours aussi suffocant et la piscine plus chaude qu'à tout autre moment de la journée. Lorsqu'il plongea dans l'eau bleue, transparente, Hugh se sentit libre et heureux. Il remonta à la surface, sourit aux deux fillettes debout au bord du bassin ; dans le contre-jour, nues, avec leurs flotteurs autour des bras, elles ressemblaient à des chérubins.

« Allez ! cria Hugh. Qui va sauter la première ? » Quelques secondes après, Octavia se boucha le nez et sauta dans l'eau, imitée un instant plus tard par Beatrice. Toutes deux nagèrent vigoureusement, tels des chiots, pensa Hugh en les observant. Si les adultes possédaient ne fût-ce que la moitié de cet enthousiasme… ou même le quart…

« Bon, dit-il au bout d'un moment. On va faire la course. On va partir d'ici… »

Tout en nageant en direction du petit bassin, Hugh aperçut Jenna qui approchait, en maillot de bain. Elle salua d'un geste de la main puis, sans un mot, plongea et se lança dans un crawl très sportif.

Hugh se tourna vers ses filles. « Alors, prêtes pour la course ? À vos marques, prêt, partez ! »

Ils se mirent tous les trois à nager vers l'autre bout de la piscine, en éclaboussant bruyamment. Au milieu des cris et du tumulte général, il fallut quelque temps à Hugh pour se rendre compte qu'on l'appelait. Il se retourna, frotta ses yeux pleins d'eau et vit Amanda, debout au bord du bassin. Un verre à la main, elle titubait légèrement et le dévisageait d'un air furieux.

« Hugh… je peux savoir ce qui se passe ? Je peux savoir ce qui se passe, exactement ?

— On se baigne. Tu veux te joindre à nous ?

— Jenna s'apprêtait à coucher les enfants.

— Je lui ai dit qu'elle pouvait disposer de sa soirée.

— Tu as fait quoi ? » Amanda porta la main à son front, comme si cela pouvait l'aider à y voir plus clair. « Hugh, as-tu décidé de me rendre la vie difficile ? As-tu décidé de gâcher une soirée de tranquillité ?

— Je ne gâche rien du tout, je nage avec mes enfants. Quel mal y a-t-il à cela ?

— Et qui va les calmer ? Qui va les mettre au lit ?

— Moi.

— Toi ? » Amanda éclata de rire – un rire

moqueur qui le fit tressaillir. « Très bien, Hugh, ce sera toi.

— Ce sera moi. Et j'en ai envie. » Beatrice passa près de lui en pataugeant dans l'eau ; il lui tendit la main et l'attira contre lui. « Je ne vois jamais mes filles, dit-il d'une voix basse, tremblante. Je ne les vois pas de toute la semaine. Quand je rentre le soir, elles sont déjà couchées. Le week-end, elles sont toujours ailleurs, occupées à des activités que tu as organisées et dont je suis exclu. Je me suis senti exclu depuis le début, quand elles étaient encore bébés.

— Papa, dit Beatrice en gigotant pour se dégager. Je veux attraper le ballon.

— Vas-y, mon chou. » Il la lâcha, la regarda s'éloigner dans l'eau, puis reporta son attention sur Amanda. « Je ne veux plus être un étranger pour mes propres enfants. » Il nagea jusqu'à l'échelle et monta les marches d'un air résolu. « Je ne veux plus de ça, d'accord ?

— Si je comprends bien, tu me rends responsable du fait que tu ne vois pas les enfants ? »

Hugh sortit de la piscine et, dégoulinant, se planta devant sa femme. « Oui, en partie, répondit-il en s'efforçant de rester calme. Tu te comportes comme si tu avais le monopole sur elles, comme si je ne pouvais rien savoir de ce qui les concerne, ni contribuer à leur bien-être, sauf… sauf avec de l'argent. Tu ne m'as jamais donné une chance de les connaître.

— Je ne t'ai jamais donné une chance ? » Elle l'examina d'un air incrédule. « Une chance, tu en as eu une pas plus tard que cet après-midi : tu aurais pu les emmener à cette fichue réserve d'ânes ! Je t'ai demandé si tu voulais venir et tu m'as répondu que tu ne pouvais pas sortir parce que tu attendais un coup de fil important. Tu peux me dire, précisément, en quoi je t'ai exclu ? »

Hugh la fixa des yeux, déconcerté. « Je devais, en effet, attendre un appel, répondit-il au bout d'un instant. Mais je parle de la vie quotidienne, à la maison. Je parle du fait que chaque seconde de la vie des enfants est occupée à une activité ou à une autre, activités dont je me sens exclu…

— Je suis bien obligée de m'organiser ! Si tu crois que c'est facile de s'occuper d'une maison, de deux enfants, de la redécoration de toutes les pièces…

— Au diable la redécoration ! On n'a pas besoin de redécorer la maison, bon Dieu ! » Le regard de Hugh tomba sur un catalogue d'échantillons posé sur une chaise longue. Il s'en saisit. « Au diable la redécoration ! » répéta-t-il en arrachant un à un les échantillons et en les jetant dans la piscine.

Les fillettes poussèrent des cris de joie et se précipitèrent vers les bouts de papier qui flottaient à la surface de l'eau. À l'autre bout de la piscine, Jenna cessa de nager et tendit l'oreille.

« Tu ne m'as jamais consulté à ce sujet ! reprit Hugh. Tu ne me consultes jamais sur rien. Tu règnes sur le foyer, tu prends toutes les décisions, mon avis est manifestement superflu…

— Je ne te demande jamais ton avis parce que tu n'es jamais là pour le donner ! cria Amanda. Si j'attendais de te consulter chaque fois qu'il faut faire quelque chose, la maison s'écroulerait, à l'heure qu'il est ! Quant à régner sur le foyer… » Elle avança de quelques pas. « Tu n'as aucune idée des tâches que j'accomplis. Tu n'imagines pas comme c'est dur, parfois, d'arriver au bout de la journée. Tu veux savoir pourquoi l'emploi du temps des enfants est si organisé ? Tu veux le savoir ? C'est parce que, si je n'avais pas un peu d'organisation dans ma vie, je deviendrais folle ! »

Amanda avait hurlé ces derniers mots. Hugh la dévisagea, aussi choqué que si elle l'avait giflé. Jamais jusqu'à ce jour il ne l'avait entendue parler ainsi. Il attrapa une serviette et se sécha les cheveux, tout en observant Amanda avec méfiance. À cet instant seulement il vit que ses yeux étaient injectés de sang, son front creusé, ses épaules voûtées.

« Amanda… dit-il au bout d'un moment. Es-tu malheureuse ?

— Non, je ne suis pas *malheureuse*. Non, bien sûr. Mais ma vie n'est pas un paradis, comme tu sembles le croire.

— Je n'ai jamais dit que c'était un paradis…

— Tu veux savoir en quoi ça consiste, réellement, de passer ses journées à la maison avec les enfants ? La vérité, c'est que parfois j'en ai marre, je me sens frustrée. J'aimerais avoir une vie à moi, être indépendante. » Amanda contempla son verre, puis but une gorgée. « Parfois, j'aimerais retravailler. »

Hugh la considéra avec surprise.

« Tu ne m'en as jamais parlé.

— Je n'ai pas envie de me plaindre quand tu rentres du bureau. Nous avons conclu un accord, et je pense que j'ai tenu mes engagements : tu gagnes l'argent du ménage, moi je m'occupe des enfants. C'est ce que nous avons décidé et, si parfois c'est

286

difficile, eh bien tant pis, inutile de nous lamenter. »

Pendant le silence qui suivit, Beatrice, ruisselante d'eau, trottina vers Hugh.

« Eh bien, peut-être pourrions-nous changer les termes de l'accord, proposa Hugh. Il y a un certain nombre de points qui ne me conviennent pas. » Il essuya les cheveux de Beatrice avec la serviette. « J'ai beaucoup réfléchi, à propos de… de notre vie de famille… »

Il hésita, tourna les mots dans sa tête. Mais, avant qu'il puisse poursuivre, une voix vibrante l'appela de loin. « Hugh ? »

Il releva la tête : Chloe avançait d'un pas décidé vers la piscine. « Hugh, j'aimerais vous dire deux mots. »

Au fur et à mesure qu'elle approchait, il remarqua son visage en feu, son regard courroucé, ses cheveux blonds qui formaient un halo autour de sa tête ; jamais elle n'avait été plus belle, plus passionnée, et Hugh sentit un frisson de désir le parcourir, aussitôt suivi d'un sentiment de panique. Qu'est-ce qui l'avait contrariée ? Qu'est-ce qu'elle risquait de dévoiler ? Il n'en était pas arrivé là pour qu'elle vienne tout flanquer en l'air.

« Bonjour, lança-t-il de façon aussi naturelle que possible. Nous étions en train de nous baigner, avec les filles. »

Avec ma famille, disait son regard. *Avec ma femme et mes enfants.*

« En train de vous baigner », répéta Chloe d'un ton moqueur. Elle jeta un coup d'œil dédaigneux en direction de la piscine. « Comme c'est charmant !

287

— Y a-t-il un problème ? » s'enquit Amanda.

Ignorant sa question, Chloe se tourna de nouveau vers Hugh. « Vous devez vous sentir puissant, non ? Je suppose que vous vous frottez les mains, depuis le début de la semaine, que vous vous sentez fort, influent, important, avec vos secrets bien gardés, avec vos mensonges. »

Hugh eut l'impression que le sol se dérobait sous ses pieds.

« Que voulez-vous dire ? » Il cherchait à gagner du temps, il se demandait ce qui avait bien pu déchaîner la colère de Chloe. Elle n'avait quand même pas l'intention de tout révéler à Amanda ! Pas maintenant !

« Beatrice, va donc nager encore un peu », fit-il, la gorge serrée. Il regarda sa fille trottiner jusqu'au bord de la piscine et sauter dans l'eau. Il aurait aimé pouvoir la suivre. Il se sentait accablé par l'atmosphère étouffante qui régnait.

« Chloe, de quoi parlez-vous ? questionna-t-il en la regardant avec des yeux qui disaient : *sois très prudente*.

— Vous nous faites marcher depuis le début, n'est-ce pas ?

— Quoi ?

— Vous étiez au courant. Vous *saviez* que Philip allait perdre son emploi. Vous saviez que nous étions inquiets, vulnérables… que *j'étais* vulnérable…

— Oh, mon Dieu, c'est ça… » Hugh poussa un profond soupir. « Écoutez, je ne savais pas que…

— Vous avez profité de la situation. Ne croyez pas que je sois dupe. »

Au ton de sa voix et à l'expression de son visage,

il était évident que Chloe se sentait trahie. Hugh en éprouva un choc. Seigneur, qu'est-ce qu'elle s'imaginait ? Qu'il lui avait délibérément caché la vérité afin d'augmenter ses chances de la séduire ? Que, pendant qu'ils étaient dans les bras l'un de l'autre, il connaissait avec précision le destin de Philip ?

« Non, Chloe. Non. Il faut me croire. Je n'étais pas au courant. Pas jusqu'à aujourd'hui. Pas jusqu'à… » Avec les yeux, il tentait désespérément de la convaincre. « Je n'en avais pas la moindre idée. Nous n'étions pas censés parler travail, aucun d'entre nous. Je ne savais rien, absolument rien. »

Hugh s'avança vers Chloe, sans se soucier qu'Amanda remarque son regard passionné. Il ne pouvait pas laisser Chloe avoir une si piètre opinion de lui. Quand leurs regards se croisèrent, il vit l'ombre du doute effleurer les traits de Chloe. Mais l'hostilité demeurait. Chloe n'avait pas envie d'être apaisée, il le voyait bien. Elle avait besoin de donner libre cours à sa colère, et elle le ferait.

« Chloe…

— Elle était au courant, elle aussi ? demanda Chloe en montrant du doigt Amanda. Vous vous êtes moqués de nous, tous les deux ?

— Au courant de quoi ? s'enquit Amanda avec froideur.

— Ah, Hugh vous cache des choses, à vous aussi.

— Bien sûr que non, riposta Amanda avec animosité. Hugh, pour l'amour du ciel, de quoi parle-t-elle ?

— Je parle du travail de Philip », répondit Chloe.

Amanda la regarda d'un air ahuri. « Le travail de Philip ? Que fait-il ?

— Il est directeur d'une succursale de la National Southern Bank. Il était. Jusqu'à ce que votre big boss de mari et ses sbires débarquent. » Chloe désigna Hugh d'un œil accusateur. Hugh s'efforça de rester naturel. Deux relations de vacances, se répéta-t-il. Rien de plus que cela.

« Chloe, j'ai fait tout ce que j'ai pu.

— Bien sûr.

— J'ai essayé de sauver son emploi ! Il ne vous l'a pas dit ?

— Il m'a dit que vous aviez passé un coup de fil, répliqua-t-elle d'un ton sarcastique. Cela a dû être un *gros* effort.

— Oui. Plus que vous ne l'imaginez. J'ai vraiment essayé de l'aider.

— C'est vrai, j'oubliais : vous êtes quelqu'un de si altruiste, de si humain !

— Vous ne savez pas ce que je suis, dit Hugh posément.

— Je sais de quoi vous êtes capable. » Elle le transperça du regard. « Je sais parfaitement de quelle dureté vous pouvez faire preuve. Quand vous voulez quelque chose, vous vous débrouillez pour l'obtenir, vous faites passer votre vie en premier et vous ne vous souciez de personne d'autre.

— Alors quoi ? dit Hugh en écartant les bras dans un geste d'impuissance. Vous pensez que c'est moi qui ai viré Philip ?

— Dites-le-moi ! hurla Chloe. C'est vous ?

— Bien sûr que non ! intervint Amanda. Chloe, je peux comprendre que vous soyez retournée…

« — Vraiment ? » Chloe pivota pour lui faire face. Ses yeux lançaient des éclairs. « Vraiment, vous pouvez comprendre ? »

Tais-toi, Amanda, pensa Hugh, inquiet. *Laisse-la tranquille*. Mais Amanda s'avançait déjà vers Chloe, dans une attitude apaisante.

« Bien sûr, je peux comprendre. Perdre son emploi est une chose terrible. Mais cela ne sert à rien de chercher un bouc émissaire. Il ne faut pas oublier qu'une fusion de sociétés entraîne toujours des victimes. Ce n'est la faute de personne, c'est comme cela que ça se passe.

— Vous êtes experte en la matière ?

— Non... mais je crois que je suis davantage ancrée dans la réalité que vous.

— La réalité ? Ne me faites pas rire, Amanda. Vous ignorez tout de la réalité. Regardez-vous, avec vos cheveux teints, vos faux seins...

— Mes seins sont vrais, merci, riposta Amanda d'un ton glacial.

— Eh bien, c'est la seule chose que vous ayez d'authentique ! Vous n'avez pas la moindre idée de ce que c'est que la réalité ! Vous avez une baby-sitter pour s'occuper de vos enfants... je parie que vous ne levez pas le petit doigt de toute la journée.

— Ça, c'est faux », dit Jenna de l'autre bout de la piscine.

Chloe se retourna. « Ah, parfait, ironisa-t-elle. Loyauté de la part du personnel. On vous a payée combien ?

— Ça suffit, Chloe, répliqua Jenna en attrapant une serviette. Excusez-moi de vous dire ça, mais vous débloquez.

— Ressaisissez-vous, Chloe, renchérit Hugh. Je sais que vous ne pensez pas ce que vous dites…

— Ah non ? hurla Chloe. Je ne le pense pas ? »

Son visage exprimait une fureur et une haine intenses, et Hugh réalisa soudain qu'une colère bien plus profonde animait Chloe, une hostilité contre Amanda, dont elle n'était sûrement pas consciente. Toute la souffrance contenue pendant des années refaisait surface et se déversait contre celle qui était, sans le savoir, sa rivale. Devant l'emportement et la virulence de Chloe, Hugh se rendit compte, du fond de ses tripes, à quel point il l'avait blessée.

« Et votre mariage avec Hugh ? éructait-elle. Il est réel ?

— Chloe, ça suffit ! lui intima Hugh. Je sais que vous êtes bouleversée, mais là, vous dépassez les bornes…

— C'est bon, Hugh, dit Amanda avec calme. Je m'en occupe. » Elle avança d'un pas vers Chloe, le menton relevé, le visage empreint de dignité. « Cela vous est très facile de vous moquer de moi, n'est-ce pas, Chloe, de faire des petites plaisanteries, de me lancer des piques ? Au cas où vous l'auriez oublié, j'ai emmené votre fils Nat en excursion cet après-midi. Je l'ai pris dans ma voiture, je l'ai nourri, je l'ai distrait, je lui ai même tenu la tête pendant qu'il vomissait sur mes chaussures. » Amanda fit un autre pas en avant. Une lueur inquiétante brillait dans ses yeux. « Moi qui, paraît-il, ne lève jamais le petit doigt, je me suis occupée de *votre* enfant. Voilà ce que j'ai fait, Chloe. Et vous, pendant ce temps, qu'est-ce que vous faisiez ?

« — Elle couchait avec votre mari », lâcha tranquillement Jenna.

Hugh crut que son cœur cessait de battre. Il s'empourpra, puis blêmit. Il se figea sur place, incapable de faire un mouvement ou d'ouvrir la bouche, paralysé par la peur.

Tout le monde se taisait. On n'entendait rien, sauf le clapotis de l'eau.

« Je plaisante », dit Jenna en fusillant Chloe du regard.

Jenna observa la piscine ; les deux fillettes assises sur leurs serviettes, au bord de l'eau ; Hugh debout, pétrifié ; Chloe, tremblante, le visage en feu ; Amanda, son beau front plissé par l'anxiété ; et, un peu plus loin, Philip qui approchait, tenant à la main un plateau avec une bouteille et des verres, et qui souriait d'un air décontracté.

« Je plaisante », répéta-t-elle. Elle examina Hugh sans sourire, et il se sentit honteux.

« Vraiment ? fit Amanda en secouant la tête. Jenna, je regrette mais il faut que ça cesse ! Depuis le début du séjour je voulais vous parler de ces... de ces plaisanteries. »

Hugh était conscient que Chloe le regardait. Mais il ne pouvait pas tourner la tête pour le moment. Pas encore. Il se sentait pareil à un rescapé, obligé de bouger avec précaution pour éviter de compromettre les opérations de sauvetage par un mouvement malencontreux.

« Je sais que vous n'avez pas de mauvaises intentions, reprit Amanda en s'adressant à Jenna. Et j'apprécie la plaisanterie comme tout le monde. Mais parfois les vôtres ne sont pas drôles. Elles peuvent même être carrément choquantes.

— Excusez-moi », fit Jenna, impassible. Elle jeta un coup d'œil en direction de Chloe. « Ça ne se reproduira plus, vous pouvez en être sûre. »

Il y eut un silence. On entendit juste les chuchotements d'Octavia et de Beatrice qui, d'un même mouvement, se levèrent et sautèrent dans la piscine. À cet instant, Philip arriva sur la terrasse, une expression amicale et confiante sur le visage.

« Bonsoir, Philip, dit Jenna avec une pointe de compassion.

— Bonsoir ! » Philip regarda tour à tour chacune des personnes présentes. « Que se passe-t-il ? »

Bonne question, pensa Hugh durant le silence qui suivit. Excellente question.

« Rien, répondit enfin Chloe. Nous discutions... et les filles se baignent...

— J'ai pensé que nous pourrions peut-être boire un verre, pour fêter ma nouvelle condition de chômeur. Tout le monde veut du vin ? »

Tandis que Philip commençait à remplir les verres, Hugh bougea avec lenteur un pied, puis l'autre, comme s'il émergeait de plusieurs mois d'immobilité. Il était conscient que Chloe faisait de même, que la scène figée autour de la piscine s'animait, que la vie reprenait son cours normal.

« Ça n'a pas l'air de se rafraîchir », commenta Philip en scrutant le ciel qui tournait au violet. Puis il distribua les verres. « Voilà.

— Je suis vraiment désolée, à propos de votre travail, Philip, risqua Amanda.

— Merci. Moi aussi, je l'étais quand j'ai appris la nouvelle. Mais maintenant... » Il sourit. « Maintenant, j'ai la pêche.

— Vraiment ? insista Amanda, incrédule. Eh bien, tant mieux.

— Philip a plein de projets, renchérit Chloe. Il a l'intention de tirer le meilleur parti possible de cette situation. »

Hugh contempla son verre, le cœur battant d'appréhension. Puis, prenant son courage à deux mains, il releva la tête.

« Peut-être pourra-t-il me donner quelques conseils, dit-il d'un ton léger.

— À quel sujet ? s'enquit Amanda.

— Des conseils pour tirer le meilleur parti possible du chômage.

— Du chômage ? répéta Amanda avec un petit rire. Hugh, qu'est-ce que tu... » Elle laissa sa phrase en suspens.

Hugh observa les visages autour de lui et haussa les épaules.

Philip prit la parole. « Vous ne voulez pas dire que...

— Ils se sont débarrassés de vous aussi ! s'exclama soudain Chloe, une nuance de triomphe dans la voix. Ils vous ont viré, c'est ça ? Ils ont licencié leurs propres employés.

— Non, répondit Hugh. Je n'ai pas été licencié. J'ai démissionné. »

Un silence atterré accueillit ses propos.

« Quoi ? fit Amanda, la gorge serrée. Qu'est-ce que tu...

— J'ai quitté mon emploi. » En prononçant ces mots, Hugh éprouva un sentiment de légèreté dans tout son être. « J'ai téléphoné cet après-midi. Je leur ai donné ma démission.

— Il s'agit encore de... d'une plaisanterie ? »

Amanda lança à Jenna un regard soupçonneux. « C'est cela ?

— Ce n'est pas une plaisanterie, répondit Hugh. Je te l'ai dit, Amanda, je désire changer de vie. J'ai passé beaucoup trop de temps loin des enfants, loin de toi… j'ai donné la priorité à mon travail, et tout le reste est passé au second plan. C'est le travail que je veux placer au second plan, désormais.

— Je ne peux pas le croire, murmura Amanda en se laissant tomber sur un siège. Je ne peux tout simplement pas le croire.

— Vous n'avez pas fait cela à cause de ce qui s'est passé cet après-midi ? demanda Philip, ébranlé. Hugh, quoi que je pense de PBL, vous avez fait tout votre possible pour moi. Je vous ai entendu, vous avez pris des risques pour moi. Par conséquent, si votre décision a un lien avec ça…

— Cela a en partie un lien avec ça. » Hugh croisa le regard de Philip. « Et en partie avec le fait que je réalise que ma vie n'est pas exactement comme je voudrais qu'elle soit.

— Personne n'a exactement la vie qu'il veut ! s'exclama Amanda. Tu crois que j'ai exactement la vie que je veux ? Ce n'est pas une raison pour tout fiche en l'air, pour tout…

— Je ne fiche rien en l'air, répliqua Hugh. Je m'accroche à ce qui compte vraiment, avant de le perdre pour de bon.

— Eh bien, en ma qualité de chômeur de fraîche date, je pense que vous êtes fou, dit Philip. Complètement fou. » Un sourire fendit son visage. « Mais si c'est ce que vous voulez… bonne chance.

— Dans un cas pareil, beaucoup de baby-sitters offriraient de travailler gratuitement, remarqua

Jenna d'un ton jovial. Je serai très claire : je n'en fais pas partie. » Elle prit un verre de vin et le leva en l'air. « Mais bravo, Hugh, cela a dû vous demander du courage. »

Hugh se tourna alors vers Chloe. « Et vous, Chloe, qu'en pensez-vous ? Vous n'avez rien dit. »

Elle le regarda avec une expression d'où n'avait pas encore totalement disparu la colère. Puis ses traits s'adoucirent.

« Je pense… que vous avez bien fait. Pour vous. Et j'espère sincèrement que cela vous apportera ce que vous souhaitez.

— Merci. Je l'espère aussi.

— Décidément, ces vacances sont de plus en plus réussies, marmonna Amanda, les yeux fixés au sol. Une villa totalement désorganisée. Des enfants malades. Un mari soûl, et voilà qu'il a démissionné de son emploi. » Elle avala une gorgée de vin. « Quoi d'autre, encore ?

— Rien », répondit Hugh. Il s'avança vers elle, s'accroupit près de sa chaise, posa son verre par terre et mit ses bras autour d'elle. « Tout ira mieux à partir de maintenant, Amanda. Je te le promets.

— Bon, eh bien… dit Philip après un silence gêné. À la vôtre, Hugh.

— À la vôtre, Philip. »

Hugh se releva et tous deux trinquèrent. Quelques instants plus tard, les autres les imitèrent. Tout d'un coup, ils entendirent un cri et levèrent tous la tête en même temps. Sam courait en direction de la piscine, l'air tout excité.

« Hé ! Est-ce que quelqu'un a laissé couler un bain, par hasard ?

— J'ai entendu de l'eau couler au moment où

j'entrais dans la cuisine, répondit Philip avec un froncement de sourcils. J'ai pensé que c'était normal…

— Eh bien, je crois qu'il y a un problème, dit Sam en réprimant un fou rire. Vous feriez bien de venir voir. Et vite. »

15

La scène était spectaculaire : l'eau déferlait dans l'escalier de marbre en un flot abondant et régulier, transformant chaque marche en minicascade. La cage d'escalier était devenue une véritable patinoire. Arrivée en bas, l'eau formait un lac qui s'étendait petit à petit en direction de la porte d'entrée.

Pendant quelques instants, ils se figèrent tous sur le seuil, muets de stupéfaction. Au bout d'un moment, Chloe se tourna vers son fils.

« Sam, dit-elle d'un ton accusateur, c'est un robinet qui est resté ouvert, non ?

— Je sais. » Devant l'expression de sa mère, Sam, sur la défensive, ajouta : « Je pensais que vous voudriez voir ça en pleine action. C'est incroyable, non, cette eau qui dégringole le long des marches ?

— Voir ça en pleine action ? répéta Philip. Nous ne sommes pas devant une fontaine municipale, Sam, mais dans une villa qui ne nous appartient pas !

— D'où vient cette eau ? interrogea Amanda.

— Je n'en sais rien, répondit Sam. Je ne suis pas monté là-haut. J'ai l'impression que les marches sont plutôt glissantes.

— Très dangereuses, renchérit Philip. Il faudra faire attention en montant.

— Mais je ne comprends pas, insista Amanda. Qui donc a bien pu laisser un robinet ouvert ? Qui a laissé couler l'eau du bain ? »

Derrière les adultes s'éleva la petite voix d'Octavia : « On devait prendre un bain, mais on est allées nager dans la piscine.

— Ah oui ? » Amanda fronça les sourcils et s'adressa à Jenna : « Vous n'avez pas laissé le robinet de la baignoire ouvert, par hasard ?

— Je n'y suis pour rien, répliqua la jeune fille. Hugh m'a remplacée à l'heure du bain et m'a dit que je pouvais partir, donc je suis partie. L'eau coulait encore dans la baignoire, mais j'ai supposé que... » Elle laissa sa phrase en suspens et haussa les épaules.

Lentement, tous se tournèrent vers Hugh.

« J'ai dû oublier..., marmonna-t-il d'un air gêné. J'étais tellement pressé...

— Bon, dit Philip. Eh bien... ce n'est pas grave. Ce sont des choses qui arrivent. »

Amanda éclata de rire. « Ce sont des choses qui arrivent ? Et c'est lui, l'homme qui veut participer plus activement à l'éducation de ses enfants ? Bravo, Hugh ! Beau début !

— C'était une erreur ! se défendit Hugh. Tout le monde peut...

— Voilà le résultat, quand tu décides de faire prendre leur bain aux filles. » Amanda riait de façon presque hystérique. « Qu'est-ce qui se passera le jour où tu voudras faire cuire leurs bâtonnets de poisson ?

— Ce n'est pas juste, protesta mollement Hugh.

— Faudra-t-il prévenir les services d'urgence chaque fois que tu décideras de faire du baby-sitting ? »

Chloe croisa le regard de Philip et ne put s'empêcher de sourire. Jenna s'esclaffa. « Excusez-moi mais c'est tellement comique, reconnaissez-le, Hugh.

— En effet, admit Hugh après un instant d'hésitation. Bien que, franchement… »

Il ne termina pas sa phrase, et tous reportèrent leur attention sur l'eau qui dégoulinait du palier.

« Bon, dit Philip, je crois qu'il faut que quelqu'un monte fermer le robinet. » Il regarda ses chaussures de toile. « J'y vais.

— Non, objecta Hugh. J'y vais. C'est moi qui ai provoqué cette inondation.

— Rappelle-toi, Hugh, avertit Amanda au moment où il s'engageait avec précaution sur le sol glissant du hall, tu dois *fermer* le robinet. Tu sais dans quel sens il faut le tourner, mon chéri ? »

Chloe pouffa de rire et mit aussitôt la main devant sa bouche.

« Je monte aussi », déclara Philip. Hugh se retourna, l'air soupçonneux. « Pas parce que je crois que vous ne savez pas fermer un robinet », ajouta Philip.

Chloe lança un coup d'œil à Jenna et s'efforça de garder son sérieux. En vain. Un rire incontrôlable, pareil à un geyser, jaillit du plus profond d'elle-même. Elle s'assit par terre, le ventre douloureux à force de rire. C'était comme si la tension de ces derniers mois se relâchait soudain. Puis elle comprit que c'étaient des années – des années de souffrance réprimée – qui s'exprimaient dans ce fou rire.

« Vous croyez qu'ils vont réussir à se débrouiller ? s'enquit Jenna en observant Hugh et Philip qui gravissaient lentement l'escalier.

— Mais oui, répliqua Amanda. Il faut juste qu'ils parviennent à la baignoire et qu'ils ferment les robinets.

— Je me demande... » Jenna secoua la tête. « Parfois, les robinets sont très capricieux.

— Vous savez quoi ? dit Amanda avec le plus grand sérieux. Si, dans une heure, ils ne sont pas redescendus, nous appellerons les parachutistes. »

Chloe et Jenna redoublèrent de rire. Amanda sourit puis, à son tour, éclata franchement de rire. Un peu surprise, Chloe regarda Jenna en levant les sourcils ; Jenna lui répondit par un petit clin d'œil. *Quel spectacle nous offrons !* pensa Chloe tandis que leurs rires résonnaient dans le hall. Trois femmes adultes, assises par terre, riant comme des gamines. Sam les observait d'un air condescendant, ce qui la fit rire encore davantage.

Tout à coup, on entendit un bruit de l'autre côté du hall et Nat apparut, bâillant, une Play Station dans les mains.

« Attention ! » cria Chloe au moment où il allait poser le pied dans l'eau.

Nat regarda le sol et contourna l'immense flaque pour rejoindre le petit groupe. « Qu'est-ce qui s'est passé ? demanda-t-il. Pourquoi c'est tout mouillé ?

— Nat ! s'exclama Chloe. Tu étais à la maison ?

Tu es resté tout le temps à l'intérieur et tu ne t'es rendu compte de rien ?

— De quoi ?

— De ça ! » Chloe désigna l'eau qui dégringolait dans l'escalier. « Tu n'as rien entendu ?

— Je jouais à Pokémon, répondit Nat en se grattant le crâne. J'ai rien entendu.

— Ce fichu Pokémon… ».

À cet instant, on entendit une sorte de grésillement. Quelques secondes plus tard, une lumière s'éteignit et un cri retentit à l'étage.

Inquiète, Amanda leva la tête. « Hugh ! Hugh, ça va ? »

Silence. Les trois femmes échangèrent des regards anxieux. Puis la tête de Philip apparut au-dessus de la balustrade. « Tout va bien, les rassura-t-il. Sauf l'électricité. Un court-circuit s'est produit quelque part, je ne sais pas où. Il vaudrait mieux éloigner les enfants.

— Très bien », dit Chloe et elle se leva. « Nat, les filles, tout le monde dehors. »

À l'extérieur, malgré le crépuscule, il faisait encore chaud ; et toujours pas le moindre souffle de vent. Chacun s'installa par terre ou sur le muret qui bordait l'allée, et regarda la villa comme si elle pouvait répondre à leurs interrogations. Les deux fillettes se juchèrent sur des piliers, en équilibre instable, puis rejoignirent leur mère, assise sur le sol. Nat était de nouveau absorbé dans son jeu électronique.

« Je vais piquer une tête dans la piscine », déclara Sam au bout d'un moment. Tout en flanquant de grands coups de pied dans le gravier, il ajouta, sans lever les yeux : « Tu viens, Jenna ?

— Non. Je préfère rester ici et attendre de savoir ce qui se passe.

— Bon », fit Sam après un court silence, puis il lança à Jenna un regard qui englobait aussi sa mère – le regard courroucé de quelqu'un qui se sent trahi.

Un peu plus tard, Philip, suivi de Hugh, sortit de la maison. Leurs vêtements étaient tout éclaboussés et Hugh s'épongeait le front.

« Bonne nouvelle, dit Hugh, l'eau est arrêtée.

— Bravo, apprécia Amanda. Tu as donc trouvé le robinet ?

— Mauvaise nouvelle, annonça Philip, la climatisation aussi est arrêtée.

— La climatisation ? répéta Amanda, atterrée. Comment est-ce arrivé ?

— Un court-circuit, apparemment. Quelques ampoules sont grillées.

— À quoi ça ressemble, là-haut ? interrogea Chloe.

— C'est plutôt le souk, répondit Philip. Surtout, ça glisse beaucoup. Quelques tapis sont trempés, ainsi que des vêtements qui traînaient par terre. » Il haussa les épaules. « Ça pourrait être pire.

— Nous devrions peut-être avertir Gerard, suggéra Amanda.

— Oui, approuva Philip. Il faudrait lui téléphoner.

— Pas la peine. » Hugh inspira à fond. « Il arrive demain.

— Quoi ? » Tous les yeux se fixèrent sur lui.

« Normal », commenta Chloe. Elle secoua la tête, presque admirative. « Trois jours après le début des vacances. Bien calculé !

— Comment le savez-vous ? s'enquit Philip.

— Je l'ai eu au téléphone dans la journée. Il sera là demain après-midi. "Une envie soudaine", a-t-il dit.

— Une envie soudaine ? répéta Chloe, incrédule.

— Mais où a-t-il l'intention de dormir ? s'inquiéta Amanda. Il connaît la situation.

— Il pourra dormir où il voudra, déclara Chloe d'un ton résolu. En ce qui me concerne, je n'ai pas l'intention de l'attendre. » Elle regarda Philip. « J'en ai marre d'être ici. Pour être franche, j'en ai marre de ces vacances. Je pense que nous ferions mieux de rentrer en Angleterre dès demain matin. Nous essaierons de changer nos billets d'avion.

— Demain ? fit Nat, consterné. On ne peut pas, maman !

— Je suis d'accord avec Chloe, renchérit Hugh en se tournant vers Amanda. Je pense que nous devrions rentrer, nous aussi.

— Nous ne pouvons pas rentrer ! La cuisine n'est pas finie !

— Eh bien, dans ce cas, nous irons ailleurs. En Andalousie, n'importe où. Je n'ai aucune envie de m'attarder dans cette maison. » Il contempla un moment la somptueuse façade de la villa, puis détourna les yeux.

« Ces vacances n'ont pas été très réussies, n'est-ce pas ? dit Philip avec un sourire un peu triste.

— Ce n'étaient pas du tout des vacances ! répliqua Chloe. C'était une farce, une plaisanterie de mauvais goût. Nous aurions dû le deviner dès le début, nous aurions dû comprendre que ce n'était pas un malentendu. » Elle se tut quelques instants. Son visage était tendu. « En tout cas, moi, je ne joue plus. Gerard peut bien venir demain, je ne serai plus là. » Elle regarda son mari. « Je parle sérieusement, Philip. Je veux m'en aller. »

— Bien, répondit Philip. Nous changerons nos billets. Mais nous serons obligés de dormir cette nuit encore ici, ce qui signifie pas mal de boulot en perspective. » Il se passa la main dans les cheveux. « Blague à part, je crains que ce ne soit pas très prudent, avec toute cette eau partout…

— Pas question que nous passions une nuit dans cette maison sans climatisation, déclara Amanda, un peu énervée. Nous ne pouvons pas dormir ici ce soir, il fait une chaleur épouvantable ! Nous prendrons la voiture et nous roulerons jusqu'à ce que nous trouvions un endroit avec assez de lits…

— Je ne peux pas conduire, dit Hugh. J'ai trop bu, et toi aussi.

— Il le faut ! insista Amanda d'une voix stridente. Je ne resterai pas dans cette maison ! Nous allons cuire ! Il n'y a pas d'air, la chaleur est suffocante, les enfants ne fermeront pas l'œil de la nuit… » Elle se prit la tête à deux mains. « Je savais bien que nous aurions dû partir avec le Club Med ! Je le savais ! L'année prochaine, c'est moi qui m'occuperai des vacances. Fini les villas, fini les soi-disant amis, fini…

— Calme-toi, ma chérie. Ce ne sera pas si terrible de dormir ici juste une nuit…

— Si ! Ce sera atroce !

— Il n'y a pas d'autre solution, conclut Hugh, agacé. Il faudra tenir le coup.

— Il y a une autre solution, intervint Jenna d'un

ton tranquille. Je suis d'accord avec Amanda, on ne peut pas dormir dans la villa ce soir. Pas par une nuit pareille.

— Alors… où comptez-vous dormir ? questionna Amanda.

— Dehors », répondit la jeune fille, comme si c'était une évidence. « Il fait suffisamment chaud. Je descendrai une couette, je m'enroulerai dedans… et voilà ! Le problème est réglé. »

Un silence admiratif accueillit ces propos.

« Eh bien, c'est décidé », dit Hugh. Il regarda tout le monde et esquissa un sourire. « Le problème est réglé… nous dormirons tous dehors. »

Une fois qu'ils eurent sorti tout le nécessaire pour dormir, les deux fillettes et Nat ne tardèrent pas à avoir sommeil. Amanda et Chloe les couchèrent, souriant d'entendre les rituels du soir de l'une et de l'autre.

De leur côté, Hugh et Philip disposaient les couettes et les oreillers pour les adultes, comme pour un camp scout. Sam, assis tout seul dans son coin, semblait bouder. Quand Jenna s'approcha de lui, il leva la tête, mais sans sourire.

« Qu'est-ce qui se passe ? interrogea-t-elle, décontractée.

— Je ne peux pas croire qu'on part demain.

— Tu n'es pas content de ton séjour ?

— C'est pas ça. » Il haussa les épaules.

Jenna sourit, effleura d'un doigt la joue de Sam, puis son cou et son torse.

« Ne t'en fais pas, dit-elle. Il reste encore toute la nuit. »

307

Sam se tourna brusquement vers elle, mais elle s'éloignait déjà pour rejoindre Amanda et Chloe.

« J'ai apporté des provisions, annonça-t-elle en posant son sac à dos par terre. Pain, fromage… et du vin de la cave de Gerard. On pourrait dîner sur la terrasse… ou bien pique-niquer ici.

— Pique-niquer », décida Chloe après un instant de réflexion. Puis elle regarda Amanda, qui acquiesça d'un signe de tête.

« Pique-niquer. »

Jenna étala les provisions sur le sol, et tout le monde s'installa autour du repas improvisé. Pendant quelques minutes, aucune parole ne fut échangée. Ils sont sûrement affamés, pensa Chloe en observant ses compagnons qui mâchaient en silence. Ou peut-être trouvent-ils plus facile de manger que de discuter.

Le repas terminé, ils continuèrent à boire du vin, parlant peu, regardant le ciel s'obscurcir peu à peu. Au-dessus du toit de la villa, des oiseaux tournoyaient et descendaient en piqué. L'air était chaud, l'atmosphère paisible.

« Il reste du vin ? » s'enquit Amanda. Sa voix était un peu pâteuse et elle dodelinait légèrement de la tête. « Je crois bien que j'ai fini le mien.

— Absolument, répondit Jenna en lui passant la bouteille. Et, puisque c'est le dernier soir… » Elle fouilla dans sa poche et, quelques secondes plus tard, sortit deux joints déjà prêts. Sam sursauta, les autres regardèrent Jenna avec des mines ahuries.

« Jenna, dit Amanda d'un ton sec, est-ce du…

— Oui, fit celle-ci, toute guillerette. Je crois que nous en avons tous besoin. »

Elle offrit l'un des deux joints à Amanda, qui demeura silencieuse un moment.

« Les filles dorment ?

— À poings fermés.

— Bon, d'accord. » Sans sourciller, Amanda prit le joint. « Voilà ce qui arrive quand on se retrouve au chômage », constata-t-elle en le contemplant d'un air morose. « On cherche du réconfort dans l'alcool et les drogues. » Elle leva les yeux sur Hugh. « Je suppose que, d'ici à la fin de l'année, on se shootera à l'héroïne, on se gavera de hamburgers et on mourra d'une crise cardiaque.

— Je ne crois pas que la situation soit si terrible que ça…

— Non ? » Elle tira une bouffée, ferma les yeux, souffla lentement, tira une autre bouffée, puis regarda Chloe.

« Vous en voulez ?

— Euh… fit Chloe en s'efforçant de dissimuler sa gêne.

— Allez, maman, l'encouragea Sam. C'est pas ça qui va me corrompre. Et je ne dirai rien à Nat. »

Chloe hésita, puis saisit le joint et tira à son tour une bouffée. Elle fit la grimace et toussa. « J'ai perdu l'habitude », s'excusa-t-elle avant de le passer à Hugh, qui le prit avec circonspection.

« Je ne me suis jamais drogué, dit-il en examinant le joint d'un air soupçonneux. Je n'approuve pas ce genre de chose. Et si ça se mélange avec l'alcool ?

— De toute façon, tu te mettras bientôt aux drogues dures », répliqua Amanda en lui jetant un coup d'œil par-dessus son verre. « Alors, peu importe. »

Chloe observa Hugh tirant avec précaution sur le joint et une vague de tendresse la submergea.

« Hugh, lança-t-elle tout à coup, je regrette ce que j'ai dit tout à l'heure près de la piscine. » Elle rougit légèrement. « J'ai été injuste. Je sais que vous avez fait de votre mieux pour sauver l'emploi de Philip. Et... » Elle se tourna vers Amanda. « Je vous demande de m'excuser, vous aussi. J'étais... très énervée.

— Ce n'est pas grave. » Amanda agita la main en l'air. « Aucune importance. » Elle sourit à Chloe – un sourire qui se transforma soudain en bâillement.

« Bon, fit Jenna en examinant les deux couples. Tout le monde a ce qu'il lui faut ? Tout va bien ?

— Très bien, merci, répondit Philip. Excellente idée, de s'installer ici pour la nuit.

— N'est-ce pas ?... » ironisa Jenna en lui jetant un regard narquois. Puis elle saisit la main de Sam. « Viens, toi. Sam et moi, on vous tire notre révérence. On va dormir là-bas, à l'autre bout du pré.

— Bien, dit Philip après un bref silence. Euh... d'accord.

— Ah, et on va faire l'amour. Alors, s'il vous plaît, ne venez pas avec l'idée de papoter. »

Sam se raidit, incrédule. Il regarda Chloe, qui fut sur le point de dire quelque chose, puis se ravisa.

« Je plaisante », dit Jenna, en observant avec un sourire ravi leurs visages consternés. « Ou pas. Bonne nuit, tout le monde. »

Peu après que Sam et Jenna eurent disparu dans le noir, Amanda alla vérifier si les filles ne s'étaient pas réveillées. Elle se pencha sur Octavia, bâilla une fois de plus et se laissa tomber lourdement sur le sol ; quelques minutes plus tard, elle dormait d'un sommeil de plomb. Hugh se leva, couvrit Amanda d'une couette et l'embrassa doucement sur la joue. Puis il revint vers les autres.

Philip se versa un verre de vin, but à petites gorgées, et se mit à bâiller, lui aussi. « Je me sens vanné, murmura-t-il et il s'installa dans son duvet.

— Détendu, rectifia Chloe en se penchant pour l'embrasser. Tu te sens détendu. »

Philip ferma les yeux, et Chloe demeura accroupie auprès de lui. Au bout d'un moment, elle vit que Hugh la regardait. Il avala une gorgée de vin, puis une autre, et examina Philip. Chloe comprit qu'il attendait que Philip s'endorme. Et, tout à coup, elle réalisa qu'elle attendait cela aussi. Sans un mot, elle remplit le verre de Hugh, puis le sien. Elle but un peu de vin et contempla les étoiles.

« Je ne suis pas fatigué, dit Hugh à voix basse.

— Moi non plus », répondit Chloe après une brève hésitation.

Tous deux jetèrent un coup d'œil à Philip, dont le souffle devenait plus régulier.

« Hugh… chuchota-t-elle.

— Chloe ? » marmonna Philip, qui bougea et fronça légèrement les sourcils.

Elle retint sa respiration et guetta le retour du calme sur le visage de Philip. Soudain, elle se rappela toutes ces nuits où elle avait attendu, debout dans l'obscurité, que son bébé s'endorme, osant à peine respirer, puis sortant de la chambre à pas de loup ; elle avait toujours eu l'impression de commettre une petite trahison. Comme en ce moment.

Le temps s'écoulait. Une bestiole bougea dans les broussailles. On entendit un rire au loin, du côté de la route. Les yeux dans les yeux, Hugh et Chloe attendaient. Finalement, Chloe jugea qu'elle avait assez patienté.

« Alors… » dit-elle. Un bref regard vers Philip lui montra qu'il était profondément endormi.

« Alors… » reprit Hugh. Il se déplaça un peu sur le sol, faisant craquer des brindilles sèches. « Tu pars vraiment demain ?

— Oui. Tout s'achève naturellement, tu ne crois pas ?

— Si. Sans doute. »

Ils se turent un moment. Un millier de phrases se formaient dans l'esprit de Chloe, puis s'évanouissaient.

« Cela ne sert à rien de rester, dit-elle enfin. De plus, je n'ai aucune envie de voir Gerard. Et toi ?

— Pas spécialement. » Hugh saisit son verre de vin, l'examina, le reposa. « Chloe, j'ai quelque chose à te dire à propos de Gerard. Il ne savait pas pour… pour nous. »

Chloe fronça les sourcils. « Comment ça ? Bien sûr que si ! C'était précisément ça le problème, c'est pour cette raison que… » Elle s'interrompit en voyant Hugh secouer la tête.

« Nous avons supposé qu'il le savait, lui fit-il remarquer. Tu le lui avais dit, toi ? Parce que moi, jamais. »

Chloe le dévisagea tout en réfléchissant. « J'ai dû lui en parler, sûrement… » Elle se prit la tête dans les mains. « Du moins… je croyais lui en avoir parlé…

— Gerard a organisé ce séjour pour nous mettre, Philip et moi, dans une situation embarrassante. Et je pense vraiment que ça n'allait pas plus loin. Quant à l'autre… facteur… c'était seulement…

— J'ai toujours cru qu'il était au courant, murmura Chloe sans relever la tête. Je ne me suis jamais posé la question… »

Hugh se pencha vers elle. « Chloe, dit-il avec conviction, nous n'avons pas été manipulés. Nous ne sommes pas tombés dans un piège quelconque. Ce qui s'est passé entre nous a eu lieu parce qu'il fallait que cela ait lieu. » Il releva tendrement une mèche de cheveux sur le front de Chloe. « Il fallait que nous trouvions les réponses à nos questions. »

Elle le regarda et hocha lentement la tête. Ils gardèrent le silence pendant quelques instants ; le souffle des dormeurs venait en contrepoint de leurs pensées.

« Eh bien, tu te sens mieux disposée envers Gerard, maintenant ? demanda Hugh au bout d'un moment. Tu vas lui pardonner ?

— Non, répondit-elle en se crispant légèrement. Jamais je ne lui pardonnerai. Je me fiche de savoir s'il était au courant, et quelles étaient ses intentions. Il a voulu jouer avec nos vies, c'est amplement suffisant. »

Elle but une gorgée de vin, reposa son verre et, appuyée sur les coudes, contempla le ciel, consciente du regard intense de Hugh posé sur elle. Tous les deux, seuls, dans le silence de la nuit.

« Tu sais, reprit-il, je ne cesserai jamais de me

demander ce qu'aurait été notre vie si nous avions vécu ensemble durant toutes ces années. Peut-être que nous serions venus ici, dans cette villa, comme mari et femme. Avec Sam. J'aurais pu être un père pour Sam.

— Tu aurais pu, oui.

— Nous aurions pu avoir six enfants. »

Chloe esquissa un sourire. « Six ! Ça m'étonnerait.

— Le pire… » Hugh se passa la main sur le front. « Le pire, c'est que nous aurions probablement été insatisfaits, au bout de quelques années. Peut-être que, allongés ici au soleil, nous aurions éprouvé un certain ennui et nous aurions remis en cause notre couple. Sans nous rendre compte de notre *chance*… »

Il avait un peu haussé la voix, et Amanda bougea dans son sommeil. Hugh s'interrompit et resta silencieux un moment. Chloe, immobile, admirait le ciel étoilé. Tous deux attendirent qu'Amanda se soit retournée et ait replongé dans ses rêves.

« Il est tard, dit alors Chloe. Nous devrions nous reposer. »

Hugh regardait droit devant lui, comme s'il ne l'avait pas entendue.

« On prend tant de décisions dans une vie, énonça-t-il tout à coup. Certaines se révèlent sans incidence… et d'autres s'avèrent essentielles. Si seulement on pouvait en mesurer l'importance sur le moment ! Si seulement on savait ce qu'on perd…

— Hugh, nous avons de la chance malgré tout », murmura Chloe. Elle se redressa et le dévisagea avec gravité. « Tous les deux, nous avons de la chance, n'oublie pas cela.

« — Je le sais. » Il jeta un coup d'œil sur Amanda qui dormait paisiblement. « Tout ira bien, pour Amanda et moi. Je l'aime. Et notre vie de couple... est satisfaisante. Elle le sera.

— Je l'espère. Je l'espère sincèrement. »

Amanda remua et se mit à ronfler discrètement. Chloe plongea le nez dans son verre pour ne pas montrer qu'elle souriait.

« Dieu sait quelle quantité d'alcool elle a ingurgitée, commenta Hugh avec ironie. Elle est complètement KO.

— Je crois que Philip a fini par se détendre. » Chloe observa l'expression apaisée de son mari et ressentit une bouffée de tendresse à son égard. « Il dormira probablement mieux cette nuit que depuis plusieurs mois.

— Je suppose que nous dormirons tous mieux. Nous le méritons, en tout cas... »

Au bout d'un moment, Chloe se mit à bâiller. Le silence et l'obscurité commençaient à avoir un effet soporifique, pensa-t-elle. Elle sourit à Hugh d'un air penaud.

« Le sommeil me gagne à mon tour. Je n'ai jamais été du soir. » Elle posa son verre et se frotta les yeux. « Nous devrons nous lever tôt demain, si nous voulons tous partir avant...

— Chloe, murmura Hugh. Nous n'avons jamais dormi ensemble. »

Elle le dévisagea avec stupéfaction. Il la regardait d'un air grave.

« Nous n'avons jamais dormi ensemble, répéta-t-il avec insistance. Je veux dormir avec toi toute la nuit, Chloe. Juste une fois. Je veux te tenir dans mes bras et... sentir que tu dors près de moi... » Il avait les yeux qui brillaient. « Je veux voir à quoi tu ressembles quand tu t'éveilles. »

Chloe contempla le visage de Hugh, son expression fervente. Elle savait qu'elle allait refuser. Qu'elle devait refuser. Puis, très lentement, elle hocha la tête en signe d'assentiment.

Sans rien dire, ils se levèrent et s'éloignèrent à quelques mètres des autres. Hugh étala une couette par terre. Ils restèrent debout quelques instants, un peu tremblants, les yeux dans les yeux. Puis Hugh prit Chloe dans ses bras, sans cesser de la regarder, et ils s'affaissèrent lentement sur le sol. Ils se blottirent l'un contre l'autre, ainsi qu'ils l'avaient toujours fait. En se retrouvant de nouveau dans les bras de Hugh, Chloe retint avec peine son émotion.

« Bonne nuit, chuchota Hugh, et il l'embrassa sur le front.

— Bonne nuit. » Chloe caressa tendrement la joue de Hugh, un peu rêche à cause de la barbe qui poussait. Douceur contre rugosité.

Elle posa la tête dans le creux de son épaule et garda les yeux ouverts, s'efforçant de demeurer éveillée et d'enregistrer la moindre sensation. Ce serait son souvenir, à elle. Peut-être un jour y trouverait-elle du réconfort. Mais ses paupières ne tardèrent pas à se fermer, et elle ne put résister plus longtemps à la fatigue.

Hugh la regarda s'endormir. La dernière image qui se grava dans sa mémoire fut celle de Chloe souriant dans son sommeil, sans doute à cause d'un rêve. Puis il s'endormit à son tour, en la serrant fort contre lui.

16

La lumière du jour s'infiltrait sous les paupières des dormeurs. Chloe fut la première à se réveiller ; elle s'étira et émergea du sommeil. Elle avait toujours la tête blottie contre l'épaule de Hugh, la main posée sur sa poitrine, la chaleur de son corps contre le sien. Désireuse de prolonger aussi longtemps que possible ces derniers instants, elle luttait pour ne pas se réveiller complètement.

Mais, quand il ne fut plus possible de feindre de dormir, elle frotta son visage contre la chemise de Hugh, comme pour s'obliger à reprendre conscience, à revenir dans le monde réel. Elle ouvrit les yeux et, à travers une sorte de voile, vit Hugh s'étirer ; il entrouvrit les paupières et la regarda avec amour.

« Oui, marmonna-t-il d'une voix ensommeillée. Je le savais. » Puis il referma les yeux et se rendormit.

Se protégeant les yeux de la lumière, Chloe s'étendit sur le dos et resta immobile, attentive au crissement d'une cigale, s'efforçant de rassembler son énergie. Puis elle contempla le ciel au-dessus d'elle.

Elle se sentit clouée au sol. Fini les ténèbres complices : le ciel était maintenant un gigantesque œil bleu qui les observait, Hugh et elle, couchés l'un près de l'autre, en plein air. Soudain inquiète, elle jeta un coup d'œil autour d'elle et la panique la saisit : Beatrice s'était redressée et, bien réveillée, la scrutait avec curiosité.

Chloe rougit et, sans montrer trop de hâte, se leva et se déplaça un peu plus loin, là où il y avait un duvet inoccupé. Elle s'allongea sur la couette et prit appui sur ses coudes, dans une attitude qui pouvait laisser croire qu'elle avait passé là toute la nuit.

Quelques instants plus tard, Amanda bougea. « Oh, ma tête », grommela-t-elle en essayant tant bien que mal de se mettre en position assise. Puis elle ouvrit les yeux et les referma aussitôt. « Oh là là, ce que la lumière est violente !

— Bonjour, dit Chloe avec naturel. Bien dormi ?

— Oui, je crois. » Amanda se frotta le visage. « J'ai dû boire une sacrée quantité, hier soir.

— Maman ? fit Beatrice.

— Quoi ? » Amanda, au prix d'un effort manifeste, se tourna vers sa fille. « Qu'est-ce qu'il y a ?

— Pourquoi elle dormait à côté de papa ? » interrogea la fillette en désignant Chloe du doigt.

Amanda examina Beatrice sans comprendre.

« Parce qu'il y a eu une inondation dans la maison », répondit Chloe, le cœur battant. Elle se força à sourire gaiement à l'enfant. « Je sais que ça peut paraître bizarre, qu'on dorme ainsi tous ensemble… je parie que tu n'avais encore jamais dormi dehors ? »

Chloe lança un coup d'œil à Amanda, se préparant à corriger ou à compléter ses explications, ou même à les modifier totalement. Mais Amanda, les yeux rivés au sol, n'avait pas l'air d'écouter. Perplexe, Beatrice fronça les sourcils. « Mais… »

Chloe l'interrompit aussitôt. « Qu'est-ce que tu vas manger pour ton petit déjeuner, Beatrice ? » Elle cherchait autour d'elle ce qui aurait bien pu distraire l'enfant. « Tiens, voilà Jenna ! »

— Et Sam, précisa Beatrice.

— Oui. Et Sam », fit Chloe en traînant sur les mots et en les regardant approcher. Sam avançait nonchalamment, faisant tout son possible pour avoir l'air désinvolte. Pourtant, son visage avait un éclat qu'il ne pouvait dissimuler. Jenna, elle aussi, semblait très contente d'elle.

« Bonjour, dit Chloe, d'un ton qu'elle voulait aimable, sans être entièrement approbateur.

— Bonjour, Chloe, répondit Jenna avec un grand sourire. Bien dormi ?

— Oui, merci. Et vous ? » Chloe regretta sa question. Elle n'avait pas la moindre envie d'entendre une réplique obscène, lourde de sous-entendus. Mais, par chance, Jenna se contenta de sourire béatement, fit oui d'un signe de tête et fila en direction de la villa, Sam sur ses talons.

« Alors, vous partez, en fin de compte ? s'enquit Amanda en se massant les tempes.

— Oui, je pense, répondit Chloe. Et vous ? »

Amanda haussa les épaules. « Hugh parlait hier de partir sans tarder. Personnellement, je trouve qu'on est bien ici, mais on fera ce qu'il veut… » Elle ouvrit les yeux et observa le ciel d'un bleu translucide. « C'est mon imagination, ou il fait encore plus chaud, aujourd'hui ? »

On entendit un bruissement, Hugh se redressa, les yeux embués de sommeil, l'air égaré, les cheveux en bataille.

« Bonjour, ma chérie », dit-il à Amanda. Son attention se porta sur Chloe. « Bonjour, dit-il d'un ton neutre.

— Bonjour », répondit-elle. Leurs regards se croisèrent, puis Chloe se mit debout. « Il vaut mieux que j'y aille. Il y a beaucoup à faire. »

La matinée était déjà bien avancée quand ils eurent fini d'éponger jusqu'à la dernière goutte d'eau, de boucler les valises et de réunir l'ensemble des bagages sur le palier. Amanda et Jenna emmenèrent les enfants à la cuisine boire quelque chose, pendant que Chloe vérifiait sous les lits qu'ils n'avaient rien oublié. Quand la tête commença à lui tourner, elle abandonna. Tant pis s'il restait des affaires. Elle s'essuya le front et s'assit sur une valise, puis releva la tête en voyant Philip approcher. Il tenait un tournevis à la main, un petit sourire de satisfaction sur le visage.

« Ça y est, dit-il. Je crois que j'ai réussi à réparer l'électricité.

— Ah bon ? Tu es sûr ?

— En tout cas, la climatisation fonctionne de nouveau. J'ai écrit un mot pour la femme de ménage, par mesure de précaution. Et je pense qu'on devrait laisser une lettre d'explication à Gerard.

— Oui, bonne idée. »

Il s'assit près de Chloe. Ils se turent un bon moment, chacun plongé dans ses pensées. Puis elle leva la tête vers Philip.

« Tu avais raison à propos de Gerard, reconnut-elle avec franchise. Tu avais raison depuis le début, et j'avais tort.

— Oh, Chloe. » Philip mit un bras autour d'elle et l'embrassa. « Je n'avais pas *raison*. Je ne me doutais absolument pas de ce qui allait se passer. Je… je n'aime pas ce type, c'est tout. Je suis jaloux, sans doute.

— Jaloux ?

— Je ne veux te partager avec personne.

— Et moi… continua Chloe un peu après. Moi, je ne veux pas être partagée. »

Elle l'embrassa, ferma les yeux, se serra contre lui avec une ardeur soudaine, comme si elle redécouvrait le corps de Philip, sa peau, son odeur. Comme si elle retrouvait son port d'attache.

« J'ai l'impression que ça fait une éternité, murmura-t-elle dans son cou.

— Ça fait une éternité. » Philip la regarda, les yeux voilés par le désir. « Il nous reste combien de temps avant de partir, exactement ? »

L'Espace était archipleine.

« Où sont Philip et Chloe ? » demanda Amanda pour la troisième fois. Elle consulta sa montre. « Si nous voulons trouver un endroit où dormir ce soir, il va falloir qu'on se mette en route. »

La porte de la villa s'ouvrit et Philip apparut, suivi de Chloe. Tous deux étaient un peu rouges.

321

« Excusez-nous, dit Chloe. Nous avons été… retardés. » Elle croisa le regard de Hugh et détourna les yeux.

« Bon, fit Amanda. Maintenant, où sont passées les filles ? Elles ne sont pas retournées à la piscine, au moins ?

— Je vais les chercher, proposa Hugh.

— Non, j'y vais, fit Amanda.

— Attendez. » Chloe brandit un morceau de papier. « J'ai écrit un mot pour Gerard de la part de nous tous. » Elle déplia la feuille et lut tout haut : « "Cher Gerard, merci pour la villa. Désolés, mais nous avons dû partir plus tôt. Nous avons passé des vacances fabuleuses. *Adios !*" » Elle releva la tête. « Et nous allons tous signer.

— Ça m'a l'air parfait », approuva Amanda. Elle signa, puis fila du côté de la piscine. Les trois autres se dévisagèrent.

« C'est peut-être un peu trop gentil, non ? estima Philip.

— Je ne trouve pas ça gentil du tout, répliqua Hugh. Je pense qu'il comprendra parfaitement. » Il prit le papier et le signa aussi. Philip l'imita.

Chloe signa à son tour, avec un grand geste de la main. « Eh bien, voilà qui est fait.

— Retour à la vraie vie, dit Philip. Je crois que j'y suis prêt.

— À quelle heure est votre vol ? s'enquit Hugh.

— Cinq heures. Nous avons tout le temps.

— Ils ont changé vos billets sans problème ?

— Avec un petit supplément. Je suppose que c'est le prix à payer. Et vous ?

— Nous allons nous balader un peu en voiture. Je ne sais pas trop ce que j'ai envie de faire.

« — En tout cas, de retour en Angleterre, passez-moi un coup de fil. Nous pourrions aller ensemble à l'agence pour l'emploi. » Philip adressa à Hugh un petit sourire en coin. « Les chômeurs doivent s'unir, non ?

— Oui, absolument. »

Chloe releva la tête. Quelque chose dans le ton de Hugh clochait. Dans son sourire aussi.

« Peut-être que nous serons obligés de faire du strip-tease pour gagner notre vie ! plaisanta Philip.

— Peut-être, répondit Hugh en souriant toujours. Peut-être bien. »

Quelque chose sonnait faux, pensa Chloe. « Philip, dit-elle tout à coup, va mettre cette feuille de papier en évidence dans le hall, et laisse un peu d'argent pour la femme de ménage.

— D'accord. Combien, à ton avis ?

— Je ne sais pas. À toi de voir. Et vérifie encore une fois sous les lits. »

Philip s'éloigna et Chloe attendit qu'il eût disparu à l'intérieur pour regarder Hugh droit dans les yeux.

« Tu n'as pas démissionné, n'est-ce pas ? Tu n'as pas réellement quitté ton emploi. »

Hugh la dévisagea comme si elle l'avait giflé. Il fut sur le point de dire quelque chose, puis se ravisa.

« Oh, Hugh, qu'as-tu fait ? »

Il garda le silence puis détourna la tête et commença à tripoter le rétroviseur de l'Espace.

« Hugh…

— J'ai essayé de démissionner, avoua-t-il très vite. J'ai essayé. J'ai téléphoné au directeur des ressources humaines et je lui ai dit exactement ce que je pensais. Je lui ai parlé longuement. Et…

— Et ?

— Il m'a suggéré de prendre un mois de congé.

— Un mois. Et tu as accepté ? »

Hugh ne répondit pas. Le soleil passa derrière un nuage effiloché. On entendait au loin le vrombissement d'un avion.

« Je n'ai pas envie d'être au chômage, Chloe, reprit Hugh au bout d'un moment. Je ne suis pas quelqu'un de fort, je ne suis pas un aventurier, comme toi et Philip. Je n'ai pas votre... cran, sans doute.

— Je croyais que tu voulais passer plus de temps avec ta famille ?

— Je le ferai ! J'ai un mois de congé. Tout va changer.

— En un mois ?

— Je modifierai entièrement ma façon de travailler. À partir de maintenant, ce sera différent.

— Amanda est au courant ?

— Pas encore. C'est ça le problème. Elle va avoir un choc. Mais après, nous pourrons nous ressouder, prendre un nouveau départ, revoir notre petite organisation... »

Chloe l'écoutait parler et, tout à coup, elle se rendit compte que Hugh avait exactement la même expression figée que le jour où, quinze ans plus tôt, il avait compris qui était Sam – une expression qu'elle n'avait pas su interpréter à l'époque, mais qu'elle avait analysée au fil de ses innombrables nuits d'insomnie. Hugh était conscient de sa propre faiblesse, il en avait honte et s'en excusait, mais il était bien décidé à ne pas dévier de sa route. L'instinct de conservation était si fort chez Hugh Stratton qu'il dominait tout le reste.

Chloe sentit quelque chose se dénouer en elle. Elle poussa un long soupir.

« Tu ne pourrais jamais prendre ce risque, n'est-ce pas ? demanda-t-elle simplement. Jamais tu ne pourrais sauter le pas. »

Hugh avança vers elle et la regarda droit dans les yeux.

« J'aurais sauté le pas, cette fois, si tu avais dit oui.

— Vraiment ? » Chloe sourit d'un air dubitatif.

Le silence s'installa entre eux. À l'intérieur de la villa, une porte claqua ; venant de la piscine, des voix se rapprochaient.

« N'aie pas trop mauvaise opinion de moi, Chloe, lâcha Hugh précipitamment. La dernière fois que nous nous sommes séparés… tu m'as méprisé. Ne me méprise pas, cette fois-ci.

— Je ne te méprise pas.

— Je voudrais que tu aies une meilleure opinion de moi qu'autrefois, implora-t-il. Me crois-tu meilleur, aujourd'hui ? »

Amanda avançait, suivie par les enfants qui faisaient grise mine.

« Réponds-moi, Chloe, supplia Hugh. Réponds-moi.

— Chloe ! appela Amanda. Chloe ? »

Chloe lança un coup d'œil impuissant à Hugh et tourna la tête.

« Oui ?

— Auriez-vu aperçu un pot de crème solaire Lancôme indice 12 ?

— Euh… je ne crois pas.

— Je suis sûre de l'avoir vu près de la piscine ce

matin. Oh, tant pis. Ce n'est pas grave. Bon, où est Jenna, maintenant ? Jenna ! »

Philip revint de la villa. « Mission accomplie, dit-il.

— Parfait », répondit Chloe. Après un dernier regard à Hugh, elle s'éloigna pour rejoindre leur voiture.

Jenna et Sam apparurent dans l'allée, tous deux un peu congestionnés.

« Bye ! lança Jenna, désinvolte, avant de ramasser son sac à dos.

— Bye ! répondit Sam. À un de ces jours. » Leurs mains se frôlèrent brièvement, et ils se séparèrent.

« Oui, fit Amanda. Bien sûr, il faut qu'on se revoie, tous, pour prendre un verre ou dîner. Dès que les travaux seront finis, vous viendrez à la maison, pour un brunch, par exemple.

— Peut-être, dit Chloe.

— Peut-être », dit Hugh.

Leurs regards se croisèrent, et Chloe comprit qu'ils ne se reverraient jamais, du moins pas délibérément. À l'improviste, peut-être. Elle imagina soudain qu'ils se rencontraient par hasard, dix ans plus tard, au théâtre ou dans une boutique de cadeaux au moment de Noël. Ils auraient alors quarante-cinq ans, et les deux filles Stratton seraient des adolescentes boudeuses. Sam aurait plus de vingt-cinq ans. Ils se salueraient d'un air surpris, demanderaient poliment des nouvelles, riraient en évoquant ces vacances – une anecdote parmi d'autres. Ils échangeraient un bref regard, promettraient de se revoir, puis disparaîtraient dans la foule à nouveau.

« Peut-être, répéta Chloe, et elle détourna les yeux.

— Bon, fit Hugh en s'adressant à Octavia et Beatrice. Tout le monde est prêt ? En voiture !

— Si Jenna s'installe entre vous deux, réfléchit Amanda, il faut que Beatrice monte en premier…

— Je veux être à côté de papa, s'écria Beatrice. Je veux jouer à faire des grimaces.

— Je jouerai avec vous à faire des grimaces, proposa Jenna.

— Avec papa », geignit Beatrice.

Un sourire ravi éclaira le visage de Hugh. « Nous jouerons à faire des grimaces quand on s'arrêtera, proposa-t-il d'un ton joyeux. Je te le promets, Beatrice. » Il s'assit au volant et baissa sa vitre. « Au revoir, Philip. Au revoir, Chloe. »

À côté de lui, Amanda bouclait sa ceinture de sécurité. Elle se pencha pour prendre quelque chose dans son sac, à ses pieds, et Chloe s'approcha de la vitre de Hugh.

« Hugh, chuchota-t-elle d'un ton précipité. À propos de ta question de tout à l'heure… » Elle hésita, et Hugh tourna vers elle un visage inquiet. « Oui, dit-elle simplement. Oui. »

Une expression de bonheur se lut sur les traits de Hugh.

« Merci, fit-il sur un ton volontairement détaché.

— De rien, répondit Chloe sur le même ton. Bon voyage. »

Un peu ému, Hugh hocha lentement la tête, puis démarra. Près de lui Amanda se redressa, une petite trousse à maquillage dans la main, et dit à Hugh quelque chose que Chloe n'entendit pas. Puis elle se retourna et agita gaiement la main ; au bout d'un moment, Chloe agita la main à son tour.

Elle resta là, immobile, jusqu'à ce que la voiture franchisse la grille et s'éloigne sur la route. Pendant quelques instants, elle contempla fixement l'endroit qu'ils venaient de quitter. Qu'il venait de quitter. Lorsque Philip posa la main sur son épaule, elle tourna la tête et lui sourit avec naturel.

« On y va ? proposa-t-elle. Pas la peine de nous attarder ici, n'est-ce pas ?

— Non, répondit Philip en l'étreignant. Pas la peine. »

Mariage double

Drôle de mariage
Madeleine Wickham

Par amitié pour un couple d'homosexuels, Rupert et
Allan, Milly accepte de contracter un mariage blanc
pour permettre à Allan de rester en Angleterre. Dix ans
plus tard, ayant perdu tout contact avec son « mari »,
Milly s'apprête à épouser Simon Pinacle, le fils du
richissime Harry Pinacle. Les préparatifs sont quasiment achevés lorsqu'une personne malveillante révèle la
vérité au chanoine qui devait célébrer l'union des jeunes
gens : la cérémonie est annulée et Simon crie à la
trahison...

(Pocket n° 11461)

Il y a toujours un Pocket à découvrir

Un jour, mon prince viendra

Ce crétin de prince charmant
Agathe Hochberg

Arianne, Parisienne de trente-deux ans, mariée
« par intérim » à Vincent, un jeune loup de la
finance aussi agaçant qu'absent, rencontre Justine,
charmante célibataire new-yorkaise branchée, adepte
des cuites au saké et névrosée de première. Bien vite,
les deux jeunes femmes entament, sur le Net,
une correspondance furieusement déchaînée. Tout
y passe : leur job, leurs produits de beauté, leurs amis,
leur pieds si laids dans les sandales d'été… sans oublier
leur sujet de prédilection : les hommes, bien sûr !

(Pocket n° 12253)

Révolution dans la jet-set

Même Superwoman a appris à voler
Saskia Mulder

A vingt-huit ans, Chloé a décidé de changer de vie : finis les cocktails branchés, les voyages en jet privé et autres fêtes désenchantées, désormais elle veut connaître l'existence de « madame Tout-le-Monde ». Car il faut le dire, Chloé fait partie de ces personnes pour qui une carte de crédit signifie solution à tous vos ennuis. Déterminée à changer, elle élabore son plan d'attaque : primo, gagner sa vie, secundo, se faire des amis « normaux », enfin tertio, pourquoi pas trouver un homme – un vrai – avec lequel passer ses jours et ses nuits… ?

(Pocket n°12025)

www.pocket.fr
Le site qui se lit comme un bon livre
Informer
Toute l'actualité de Pocket, les dernières parutions collection par collection, les auteurs, des articles, des interviews, des exclusivités.
Découvrir
Des 1ers chapitres et extraits à lire.
Choisissez vos livres selon vos envies :
thriller, policier, roman, terroir, science-fiction...
POCKET
Il y a toujours un Pocket à découvrir sur www.pocket.fr

Cet ouvrage reproduit par procédé photomécanique
a été achevé d'imprimer sur les presses de

BUSSIÈRE
GROUPE CPI

à Saint-Amand-Montrond (Cher)
en mai 2005

POCKET - 12, avenue d'Italie - 75627 Paris Cedex 13
Tél. : 01-44-16-05-00

— N° d'imp. : 51183. —
Dépôt légal : juin 2005.

Imprimé en France